LIDERAZGO BIBLICO DE ANCIANOS

UN URGENTE LLAMADO A RESTAURAR EL LIDERAZGO BIBLICO EN LAS IGLESIAS

ALEXANDER STRAUCH

LEWIS AND ROTH PUBLISHERS
P. O. Box 569, Littleton, Colorado 80160 U.S.A.

Para recibir información acerca de otros materiales en español publicados por Lewis and Roth Publishers, puede llamar al 408/253-9096, enviar un fax o dejar un mensaje al 408/446-4455 o por e-mail a libros@DIME.org

Indice

CUARTA PARTE
Temas relacionados

Reconocimientos

Al escribir este libro reconozco con agradecimiento la ayuda de muchos queridos amigos cristianos. Agradezco especialmente a mis editores, Stephen y Amanda Sorenson, y correctores de prueba, Barbara Peek y Maggie K. Crossett. Cinco amigos dilectos que me han animado continuamente en este proyecto a lo largo de los años son Doyle Roth, Barney Visser, Craig van Schooneveld, David J. MacLeod, y Paul B. Sapp. Por sobre todo, agradezco a mi esposa, Marilyn, cuyo sacrificio y apoyo personales no pueden ser medidos ni suficientemente reconocidos.

Acerca del autor

Alexander Strauch reside con su esposa y dos hijas adolescentes en Littleton, Colorado, y también tiene dos hijas casadas en el área. El Sr. Strauch es un maestro de la Biblia de mucho talento y un anciano en una iglesia en Littleton, Colorado, donde ha ministrado durante los últimos veintisiete años. Otras obras por el Sr. Strauch incluyen:

Liderazgo bíblico de ancianos:
Un urgente llamado a restaurar el liderazgo bíblico en las iglesias
(Disponible en español e inglés)

Guía de estudios para el libro "Liderazgo bíblico de ancianos"
12 lecciones para entrenar a quienes pueden ser ancianos
(Disponible en inglés)

Guía del mentor de posibles ancianos bíblicos
12 lecciones para que el mentor guíe a posibles ancianos
(con Richard Swartley, co-autor)
(Disponible en inglés)

El diácono del Nuevo Testamento
(Disponible en español e inglés)

Guía de estudios para el libro "El diácono del Nuevo Testamento"
(Disponible en inglés)

La hospitalidad: Un mandato ineludible
(Disponible en español e inglés)

Cómo ser un líder con impacto
Lecciones tomadas del liderazgo y vida espiritual de R. C. Chapman
(con Robert Peterson, co-autor)
(Disponible en español e inglés)

5

La necesidad de este libro

En su magistral epístola a los Hebreos, el autor inspirado concluye con la exhortación: "Obedeced a vuestros pastores, y sujetaos a ellos; porque ellos velan por vuestras almas..." (Hebreos 13:17). Este libro trata sobre aquellos que velan por las almas del pueblo del Señor, aquellos a quienes tanto Pablo como Pedro encomendaron pastorear las ovejas de Dios (Hechos 20:28; 1 Pedro 5:2). Este libro trata acerca de los ancianos de la iglesia.

Mi primer encuentro con los ancianos de la iglesia ocurrió cuando era un joven adolescente preparándome para mi confirmación. Durante las clases de confirmación le hablé al ministro sobre mi conversión a Cristo, ocurrida el año anterior en un campamento bíblico. El pastor estaba tan sorprendido por mi exuberante y juvenil testimonio de Cristo, que me pidió que compartiera mi historia con los ancianos de la iglesia. De modo que me reuní con los ancianos y les hablé sobre mi nueva relación con Jesucristo. Se quedaron allí sentados mudos, totalmente sorprendidos. Yo me sentí triste por su actitud porque me daba cuenta que no entendían lo que estaba diciendo. Esa experiencia me dejó con poca confianza en los ancianos de la iglesia.

Sin embargo mi siguiente encuentro con los ancianos de la iglesia fue completamente diferente. Cuando asistía a la universidad lejos de casa, me invitaron a una iglesia que enseñaba y practicaba el auténtico liderazgo bíblico de ancianos. Los ancianos de la iglesia tomaban en serio el mandamiento del Nuevo Testamento de que los ancianos debían estar bíblicamente calificados y pastorear activamente el rebaño de Dios. Proveían un liderazgo firme, un cariñoso cuidado y disciplina pastoral, una sólida enseñanza bíblica y ejemplos humildes y abnegados de vida cristiana. Como resultado, la iglesia los apreciaba mucho. El ejemplo inspirador de estos hombres despertó por primera vez en mí un interés positivo en el liderazgo de los ancianos en la iglesia.

Más tarde, cuando asistía al seminario, mi creciente interés en el liderazgo de los ancianos se vio poderosamente desafiado. Durante una clase sobre el gobierno de la iglesia, que resistía obstinadamente toda

7

noción de iglesia dirigida por ancianos, le pregunté al profesor: "¿Qué pasa entonces con todas las referencias bíblicas sobre los ancianos?".

Su rápida respuesta fue: "¡El número de versículos sobre ancianos no significa nada!".

Pensé para mí mismo, pero no tuve el valor de decirlo públicamente: *Entonces ¿qué significa algo? ¿Sus versículos inexistentes sobre clérigos?* Sin embargo ésta y otras experiencias similares sirvieron para agitar mi creciente convicción de que el liderazgo de ancianos era una sólida doctrina bíblica que la mayoría de las iglesias ignoraban o malinterpretaban.

Varios años después estaba preparando una serie de sermones sobre la doctrina de la Iglesia. Cuando llegué al tema del liderazgo de los ancianos, me sorprendió descubrir que no había ningún libro dedicado completamente al tema. Había pequeños folletos, artículos de revistas y capítulos dentro de otros libros, pero ningún tratamiento del tema a fondo desde un punto de vista expositivo. Me costaba creer esa falta de exposición sobre el tema, especialmente cuando consideraba la misión fundamental de los ancianos como líderes en las primeras iglesias y el número de versículos bíblicos dedicados a los ancianos. Todo eso finalmente encendió mi deseo de escribir sobre el tema del liderazgo bíblico de los ancianos.

No creo que corresponda descuidar ni declarar inexistente ninguna doctrina de las Sagradas Escrituras. Sin embargo esto es justamente lo que muchas iglesias han hecho con la doctrina del liderazgo de ancianos. Incluso entre las iglesias que afirman practicar el liderazgo de ancianos, los ancianos han sido reducidos a miembros temporarios del consejo de la iglesia, cosa totalmente contraria al modelo apostólico de liderazgo pastoral de ancianos en el Nuevo Testamento. Aunque esas iglesias tengan un liderazgo de ancianos, no es un liderazgo bíblico.

Decenas de miles de iglesias en todo el mundo literalmente practican alguna forma de liderazgo porque lo consideran una enseñanza bíblica.[1] Lamentablemente, como los defensores del liderazgo de ancianos han descuidado notablemente la formulación de esta doctrina, hay una gran confusión y conceptos no bíblicos en relación al tema entre las iglesias dirigidas por ancianos. Hay una serie de errores persistentes y paralizantes acerca del liderazgo de ancianos, que impiden que las iglesias practiquen el auténtico liderazgo bíblico de ancianos. El tema es demasiado importante para la iglesia local como para que se quede atascada en esa confusión. Por eso este libro está destinado especialmente a las iglesias que practican el liderazgo pero malinterpretan su verdadero carácter y mandato bíblico. Su propósito es definir, con la mayor precisión posible en base a las Escrituras, lo que es el liderazgo bíblico de ancianos.

Con el objeto de definir el liderazgo bíblico de ancianos, debemos volver a la única fuente autorizada, dada por Dios, del cristianismo auténtico, el texto de las Sagradas Escrituras. La historia de la iglesia demuestra ampliamente las desastrosas consecuencias de alejarse de la luz de las Escrituras. Merle d'Aubigne (1794-1872), un conocido historiador de la Reforma, señala el problema con notable precisión: "A medida que avanzamos en los siglos, la luz y la vida comienzan a decrecer en la Iglesia. ¿Por qué? Porque la antorcha de la Escritura se va apagando y porque la engañosa luz de las autoridades humanas la va reemplazando".[2]

Debido a la "engañosa luz de las autoridades humanas" que ha reemplazado la enseñanza del Nuevo Testamento sobre el liderazgo de ancianos, la doctrina cristiana sobre el liderazgo de ancianos se perdió durante casi catorce siglos. La doctrina se ignoró hasta la época de la Reforma cuando Juan Calvino (1509-1564), el conocido reformador francés, condenó la pérdida del liderazgo de los ancianos en la iglesia y promovió su restauración.[3] Sin embargo, los esfuerzos del siglo dieciséis fueron sólo parcialmente exitosos porque los reformadores no pudieron liberarse de la tierra por largo tiempo endurecida, de las tradiciones clericales.[4] En el siglo diecinueve, George Müller, el famoso director del orfanato y hombre de fe, y otros miembros del Movimiento de los Hermanos en Inglaterra, restauraron el liderazgo de ancianos a su verdadero lugar en la iglesia.[5] Por la misma época el Movimiento de Restauración en Norteamérica hizo nobles esfuerzos por recuperar el liderazgo de ancianos en la iglesia.[6] Pero a causa de la insuficiente exposición y enseñanza sistemática, estos esfuerzos tuvieron corta vida y se limitan a un pequeño cuerpo de iglesias. Así es como el modelo neotestamentario de liderazgo de ancianos en la iglesia permanece ampliamente desconocido por la mayoría de los cristianos.

La carga que Dios ha puesto en mi corazón es doble: primero, ayudar a clarificar la doctrina bíblica del liderazgo de ancianos, y segundo, ayudar a los ancianos líderes de las iglesias a funcionar eficazmente. Este libro tiene la intención de cumplir el primer propósito, de manera que tiene una naturaleza primordialmente doctrinaria y exegética. Para cumplir con el segundo propósito, he desarrollado materiales escritos y magnetofónicos adicionales que promoverán el liderazgo eficaz de los ancianos y ayudarán a formar futuros líderes. No es suficiente con tener meramente un liderazgo de ancianos; el liderazgo debe funcionar activamente, ser competente y estar espiritualmente vivo.

La Primera Parte de este libro (capítulos 1-5) presenta los cinco principales aspectos del liderazgo bíblico de ancianos: liderazgo pastoral, liderazgo compartido, liderazgo masculino, liderazgo calificado y liderazgo del siervo. Estos cinco aspectos son absolutamente esenciales para el liderazgo bíblico de la iglesia. Lamentablemente, estos principios están siendo atacados tanto desde la sociedad secular como desde la comunidad cristiana. Hay tremendas presiones sobre las iglesias hoy para que se acomoden al espíritu feminista generalizado y a su despiadada erradicación de toda diferencia entre varón y mujer en la iglesia. Parte del movimiento de crecimiento de la iglesia, en su obsesión con el tamaño y los números, predica el otorgamiento del mayor poder y la autoridad posibles a una sola persona. Muchas iglesias han olvidado los rasgos morales y espirituales señalados en el Nuevo Testamento para los pastores de la iglesia. Actitudes mundanas de grandeza, poder, exaltación y éxito en "el ministerio" están profundamente arraigadas en la mente de muchos líderes de iglesia. Es por eso que he subtitulado este libro "Un llamado urgente a restaurar el liderazgo bíblico en la iglesia". El liderazgo bíblico de ancianos requiere una estructura de liderazgo bíblico en la iglesia, y un estilo de liderazgo bíblico, ambas cosas que necesitan una nueva clarificación y una restauración por el poder del Espíritu.

La Segunda Parte (capítulo 6) es una defensa bíblica de la doctrina del liderazgo de ancianos. La Tercera Parte (capítulos 7 a 13) provee una exposición renovada y profunda de todos los pasajes bíblicos sobre el liderazgo de ancianos en la iglesia. Es el cuerpo y alma de este libro, y el fundamento sólido sobre el que se edifican los cinco principales aspectos del liderazgo bíblico de ancianos. Estoy plenamente convencido de que si la exposición certera y reverente de la Palabra de Dios no convence al pueblo cristiano de la naturaleza y la importancia del liderazgo bíblico de los ancianos, entonces nada lo hará. Espero que este libro no supla únicamente la necesidad de un estudio bíblico en profundidad, sino que también inspire a muchos otros a investigar el vasto tesoro de la Palabra de Dios. Sin duda hay todavía preciosas verdades que esperan ser descubiertas.

Primera parte

EL LIDERAZGO
BIBLICO DE LOS
ANCIANOS

Capítulo 1

Liderazgo pastoral

"Ruego a los ancianos que están entre vosotros...: Apacentad (pastoread) la grey de Dios".

1 Pedro 5:1a , 2a

En ocasión de asistir a un concierto musical, tuve una inspiradora lección de eclesiología. Al entrar en el salón principal de la iglesia en que se presentaba el concierto, noté inmediatamente las fotografías y los nombres del pastor encargado y su equipo. Las fotografías estaban ordenadas como una pirámide con el pastor principal arriba, sus tres pastores asociados abajo, y el resto del equipo de la iglesia completando la base de la pirámide. Al seguir hacia el interior del edificio por un corredor lateral, vi otro exhibidor de vidrio con las fotografías y los nombres de los ancianos de la iglesia. Inmediatamente pensé *¡Qué magnífico ejemplo de la forma en que los ancianos de la iglesia han sido empujados a una posición apenas visible en la iglesia!* Esto es muy diferente del modelo de liderazgo de ancianos en el Nuevo Testamento.

Cuando la mayoría de los cristianos oyen hablar de los ancianos de la iglesia, piensan en miembros de una comisión de la iglesia, ministros laicos, personas influyentes en la iglesia local o consejeros del pastor. Piensan en los ancianos como encargados de las relaciones públicas, o de las finanzas, o como recolectores de fondos, o administradores. No esperan que los ancianos de la iglesia enseñen la Palabra ni estén implicados pastoralmente en la vida de las personas. Victor A. Constien, un ministro luterano y autor de *The Caring Elder* [El anciano solícito], explica esa visión común acerca del ministerio del anciano: "Los miembros de la junta de ancianos de una congregación no son pastores asistentes.

Ellos *asisten* a su pastor... Por medio del pastor principal, los ancianos establecen un vínculo de cuidado con cada persona del equipo profesional, ya sea pastor asistente, director de educación cristiana, o de evangelismo... Pero lo que es más importante, los ancianos contribuyen a facilitar y fortalecer las relaciones de trabajo del equipo de la iglesia".[1]

Sin embargo, esa visión no solamente carece de apoyo bíblico sino que contradice abiertamente las Escrituras del Nuevo Testamento. Uno no necesita leer griego ni tener formación profesional en teología para comprender que el concepto actual de liderazgo de ancianos como junta de iglesia, es totalmente irreconciliable con la definición de liderazgo del Nuevo Testamento. Según el concepto de liderazgo de ancianos del Nuevo Testamento, los ancianos dirigen la iglesia, enseñan y predican la Palabra, protegen a la iglesia de los falsos maestros, exhortan y aconsejan a los santos en la sana doctrina, visitan a los enfermos y oran, y juzgan en cuestiones doctrinales. En términos bíblicos los ancianos pastorean, supervisan, dirigen y cuidan la iglesia local. Consideremos ahora el modelo del Nuevo Testamento del cuidado pastoral ejercido por los ancianos pastores.

ANCIANOS PASTORES

La figura bíblica del pastor que cuida a su rebaño —vigilando largas horas para garantizar la seguridad, conduciéndolo a pastos verdes y agua limpia, cuidando a los débiles, buscando a los perdidos, curando a los heridos y enfermos— es hermosa. Toda la imagen del pastor palestino se caracteriza por la proximidad, la ternura, la solicitud, la habilidad, el trabajo arduo, el sufrimiento y el amor. Es, como afirma el ex profesor del Seminario Bíblico de Londres, Derek J. Timball, en su libro *Skillful Shepherds* (Pastores hábiles) "una mezcla sutil de autoridad y cuidado", e "igual cantidad de firmeza y ternura, igual cantidad de coraje y aliento".[2]

La relación entre el pastor y la oveja es tan increíblemente rica que la Biblia la utiliza repetidamente para describir a Dios y su cariñoso cuidado de su pueblo. En uno de los salmos más amados, David, el pastor que llegó a ser rey, escribió: "Jehová es mi pastor, nada me faltará. En lugares de delicados pastos me hará descansar; junto a aguas de reposo me pastoreará" (Salmos 23:1, 2). La Biblia también usa la figura del pastor para describir el trabajo de quienes guían el pueblo de Dios (Ezequiel 34).

Por eso cuando Pablo y Pedro exhortaban directamente a los ancianos a hacer su tarea, ambos usaban figuras pastorales. Cabe observar que estos dos apóstoles gigantes no asignan la tarea de pastorear la iglesia local a algún grupo o persona individual sino a los ancianos. Pablo recuerda a los ancianos de Asia que Dios el Espíritu Santo los puso en el rebaño como obispos con el propósito de que pastorearan la iglesia de Dios (Hechos 20:28). Pedro exhorta a los ancianos a ser todo lo que un pastor debe ser para su rebaño (1 Pedro 5:2). Nosotros también debemos entonces considerar a los ancianos cristianos apostólicos principalmente como pastores del rebaño, no como integrantes de comités ejecutivos, la junta administrativa o consejeros del pastor.

Si queremos entender a los ancianos cristianos en su función, debemos comprender la figura bíblica del pastor. Como cuidadores del rebaño, los ancianos del Nuevo Testamento deben proteger, alimentar, conducir, y cuidar del rebaño de muchas maneras prácticas. Utilizando estas cuatro amplias categorías pastorales consideremos los ejemplos, exhortaciones y enseñanzas del Nuevo Testamento en relación con los ancianos pastores.

Proteger el rebaño

Una parte importante del trabajo de los ancianos en el Nuevo Testamento es la protección de la iglesia local de los falsos maestros. Al irse de Asia Menor, Pablo reunió a los ancianos de la iglesia de Efeso para darles una exhortación final. La esencia del encargo de Pablo es la siguiente: *cuiden el rebaño—se acercan los lobos.*

> Enviando, pues, desde Mileto a Efeso, hizo llamar a los ancianos de la iglesia.... *"Mirad por vosotros, y por todo el rebaño* en que el Espíritu Santo os ha puesto por obispos, para apacentar la iglesia del Señor, la cual él ganó por su propia sangre. Porque yo sé que después de mi partida *entrarán en medio de vosotros lobos rapaces,* que no perdonarán al rebaño. Y de vosotros mismos se levantarán hombres que hablen cosas perversas para arrastrar tras sí a los discípulos. *Por tanto, velad..."* (Hechos 20:17, 28-31a; cursivas del autor).

Según los requisitos de Pablo para el liderazgo de ancianos, un futuro anciano debe tener suficiente conocimiento de la Biblia para poder refutar a los falsos maestros:

Por esta causa te dejé en Creta, para que corrigieses lo deficiente, y establecieses ancianos en cada ciudad, así como yo te mandé; el que fuere irreprensible... *retenedor de la palabra fiel tal como ha sido enseñada, para que también pueda... convencer a los que contradicen* (la sana doctrina) (Tito 1:5, 6, 9; cursivas del autor).

Los ancianos de Jerusalén, por ejemplo, se reunieron con los apóstoles para juzgar un error doctrinal: "*Y se reunieron los apóstoles y los ancianos para conocer de este asunto* [doctrinal]" (Hechos 15:6). Al igual que los apóstoles, los ancianos de Jerusalén tenían que ser conocedores de la Palabra para que pudieran proteger al rebaño de los falsos maestros.

Proteger el rebaño también implica buscar las ovejas perdidas, descarriadas—un aspecto crítico del pastoreo que muchos pastores de iglesias descuidan totalmente. Más aun, el proteger el rebaño implica disciplinar el pecado, advertir sobre conductas y actitudes impropias (1 Tesalonicenses 5:12) y detener las discusiones amargas. Aunque el Nuevo Testamento enfatiza el ministerio de los ancianos en la protección contra el error doctrinal, los ancianos no pueden descuidar la búsqueda de los perdidos y la corrección de las conductas pecaminosas.

La protección del rebaño es vitalmente importante porque las ovejas son animales indefensos. Son totalmente impotentes frente a los lobos, osos, leones, hienas o ladrones. Phillip Keller, quien escribe en base a su rica experiencia como investigador sobre el pastoreo y la agricultura en Africa Oriental y Canadá, relata lo inconscientes y vulnerables que son las ovejas ante el peligro, incluso ante la muerte inevitable:

> Me recuerda la conducta de un grupo de ovejas ante el ataque de perros, pumas, osos e incluso lobos. Con frecuencia se quedan paralizadas en el lugar, enceguecidas de miedo, o por una estúpida inconsciencia, mirando cómo son despedazadas sus compañeras. El depredador ataca a una y luego a otra oveja del rebaño desgarrándolas y despedazándolas con dientes y garras. Mientras tanto, las otras ovejas pueden actuar como si no vieran ni oyeran la carnicería que está ocurriendo a su alrededor. Es como si estuvieran totalmente inconscientes del peligro de su propia posición precaria.[3]

Proteger a las ovejas del peligro es un aspecto claramente significativo de la tarea del pastor. Lo mismo es cierto para los pastores de iglesia. Deben proteger continuamente a la congregación de los falsos maestros. Aunque el ministerio de protección es un aspecto negativo del pastoreo, es indispensable para la supervivencia del rebaño. Charles E. Jefferson (1860-1937) pastor y autor de *The Minister as Shepherd* (El ministro como pastor) subraya este punto vital: "El viaje desde la cuna hasta la tumba es peligroso... si todo hombre está rodeado de peligros, si el universo bulle de fuerzas hostiles al alma, entonces la vigilia se convierte en una de las responsabilidades más críticas del pastor".[4] Los ancianos, entonces, deben ser protectores, vigilantes, defensores y guardianes del pueblo de Dios. Para lograrlo, los ancianos pastores necesitan estar espiritualmente alerta y deben ser hombres de valor.

Espiritualmente alerta

Un buen pastor está siempre alerta ante el peligro. Conoce bien al depredador y comprende la importancia de actuar sabia y rápidamente. Del mismo modo, los ancianos pastores deben estar espiritualmente despiertos y ser muy sensibles a los peligros sutiles de los ataques de Satanás. Sin embargo es difícil estar alerta y preparado para actuar en todo momento. Es por eso que Pablo exhorta a los ancianos de Asia a *"velar"* (Hechos 20:31). Conoce la tendencia natural de los pastores a volverse espiritualmente perezosos, indisciplinados, cansados y a dejar de orar. El Antiguo Testamento lo demuestra: los profetas del Antiguo Testamento reclamaban a los pastores de Israel porque no vigilaban ni estaban alerta para proteger al pueblo de los lobos salvajes. Los líderes de Israel son enérgicamente humillados por Isaías que los compara con vigilantes ciegos y perros mudos:

Todas las bestias del campo,
Todas las fieras del bosque,
Venid a devorar.
Sus atalayas son ciegos,
Todos ellos ignorantes;
Todos ellos perros mudos,
No pueden ladrar;
Soñolientos, echados, aman el dormir.
Y esos perros comilones son insaciables;
Y los pastores mismos no saben entender;
Todos ellos siguen sus propios caminos,
Cada uno busca su propio provecho,
Cada uno por su lado.
Venid, dicen, tomemos vino, embriaguémonos de sidra;
Y será el día de mañana como este,
O mucho más excelente.

(Isaías 56:9-12).

Los ancianos que son pastores deben ser guardianes y orar. Deben ser conscientes de que las cosas cambian tanto en la sociedad como en la iglesia. Deben educarse a sí mismos continuamente, especialmente en las Sagradas Escrituras, cuidar diligentemente su propia vida espiritual con el Señor, y orar siempre por el rebaño y por sus miembros individualmente.

¿Quién puede calcular el daño causado a las iglesias de Jesucristo durante los dos mil años pasados, por pastores desatentos, ingenuos y carentes de oración? Muchas iglesias y denominaciones que una vez defendían la doctrina y la vida sanas y ortodoxas, ahora rechazan todos los principios fundamentales de la fe cristiana y perdonan las prácticas morales más deplorables que se puedan concebir. ¿Cómo ocurrió esto? Los líderes de las iglesias locales eran ingenuos, ignorantes, carecían de vida de oración y dejaron de estar alerta ante las estrategias engañosas de Satanás. Eran vigilantes ciegos y perros mudos, preocupados por sus propios intereses y comodidades. Cuando sus seminarios echaron por la borda las verdades del evangelio y la inspiración divina de la Biblia, estaban dormidos. Invitaron ingenuamente a jóvenes lobos vestidos de ovejas, para que fueran los pastores espirituales de sus rebaños. En consecuencia, ellos y sus rebaños han sido devorados por los lobos.

Valientes

Los pastores también deben ser valientes para luchar contra feroces depredadores. El rey David fue un modelo de pastor de asombroso coraje. El primer libro de Samuel relata las experiencias de David como pastor que protegía sus ovejas del león y del oso:

> Dijo Saúl a David: "No podrás ir tú contra aquel filisteo, para pelear con él; porque tú eres muchacho, y él un hombre de guerra desde su juventud".

> David respondió a Saúl: "tu siervo era pastor de las ovejas de su padre; y cuando venía un león, o un oso, y tomaba algún cordero de la manada, salía yo tras él, y lo hería, y lo libraba de su boca; y si se levantaba contra mí, yo le echaba mano de la quijada, y lo hería y lo mataba.

> Fuese león, fuese oso, tu siervo lo mataba; y ese filisteo incircunciso será como uno de ellos, porque ha provocado al ejército del Dios viviente".

> Añadió David: "Jehová, que me ha librado de las garras del león y de las garras del oso, él también me librará de la mano de ese filisteo". Y dijo Saúl a David: "Vé, y Jehová esté contigo" (1 Samuel 17:33-37).

*"De alguna manera
nos hemos aferrado a la idea
de que el error es solamente
lo que está espantosamente mal;
y no parecemos comprender
que la persona más peligrosa
de todas es aquella
que no pone énfasis
en lo que está bien".*

(Dr. Martyn Lloyd-Jones,
El Sermón de la Montaña, 2:244)

Un valor como el que David poseía es un requisito esencial del liderazgo de ancianos. En una ocasión se le preguntó a un estadista conocido internacionalmente "¿Cuál es la cualidad más importante que debe poseer un líder nacional?". Su respuesta fue: "El valor". Esto es cierto no solamente para los líderes políticos, sino también para los ancianos de la iglesia. Disciplinar el pecado en la iglesia (especialmente el pecado de líderes o miembros destacados), contener las rivalidades internas, y erigirse en maestros poderosos y luminarias teológicas capaces de poner en evidencia las falsas y altisonantes doctrinas, requiere valor. Sin valor para luchar por la verdad y defender la vida de los hijos de Dios, la iglesia local va a ser arrastrada por cualquier viento de doctrina o conflicto interno.

Hay muchos creyentes débiles, inestables e inmaduros, de manera que los ancianos deben actuar como un muro de seguridad alrededor de la gente, protegiéndola del temible peligro de los lobos salvajes y otras influencias destructivas. El asalariado en cambio "ve venir al lobo y deja las ovejas y huye, y el lobo arrebata las ovejas y las dispersa. Así que el asalariado huye, porque es asalariado, y no le importan las ovejas" (Juan 10:12b-13). En cambio un buen anciano pastor, como el "Pastor Principal", está dispuesto a poner su vida por el rebaño local. Prefiere morir antes que permitir que los lobos devoren el rebaño.

Alimentar el rebaño

A lo largo del Nuevo Testamento hay un extraordinario énfasis en la centralidad de la enseñanza de la Palabra de Dios. Jesús, el Buen Pastor, fue principalmente un maestro, y comisionó a otros para que enseñaran todo lo que él había enseñado (Mateo 28:20). A Pedro le dijo: "Alimenta (enseña) a mis corderos" (Juan 21:17 La Biblia al Día, paráfrasis). Los apóstoles eran maestros y los primeros cristianos se dedicaron resueltamente a enseñar (Hechos 2:42). Bernabé y Pablo vinieron a Antioquía para ayudar a enseñar (Hechos 11:25,26). Pablo animó a Timoteo a ocuparse de "la lectura, la exhortación y la enseñanza" (1 Timoteo 4:13). En el orden de los dones en 1 Corintios 12:28, el don de enseñar está en tercer lugar, después de apóstol y profeta. De manera que el don de enseñar es uno de los dones más grandes que la congregación pueda desear (1 Corintios 12:31).

James Orr (1844-1913) un apologista y teólogo escocés, mejor conocido como editor general de la perdurable *Enciclopedia Bíblica* (The

International Standard Bible Encyclopedia), observó pronto la preeminencia de la enseñanza en la primitiva iglesia cristiana. Escribió: "Si hay una religión en el mundo que exalta el oficio de enseñar, se puede decir con seguridad que es la religión de Jesucristo".[5]

A diferencia de las actuales juntas de ancianos, en el Nuevo Testamento se requería que todos los ancianos fueran "aptos para enseñar" (1 Timoteo 3:2). En la lista de las cualidades en su carta a Tito, Pablo afirma que el anciano debe ser "retenedor de la palabra fiel tal como ha sido enseñada, *para que también pueda exhortar con sana enseñanza* y convencer a los que contradicen" (Tito 1:9, cursivas del autor). En un pasaje sumamente significativo acerca de los ancianos, Pablo habla de algunos de los ancianos que trabajan enseñando y predicando y por eso merecen el apoyo económico de la iglesia local:

> Los ancianos que gobiernan bien, sean tenidos por dignos de doble honor, *mayormente los que trabajan en predicar y enseñar*. Pues la escritura dice: No pondrás bozal al buey que trilla; y: Digno es el obrero de su salario (1 Timoteo 5:17, 18; cursivas del autor).

Pablo recordó a los ancianos de Efeso que les había enseñado a ellos y a toda la iglesia todo el plan y el propósito de Dios: "Porque no he rehuido enseñaros todo el consejo de Dios" (Hechos 20:27). Era tiempo de que los ancianos hicieran lo propio. Ya que a los ancianos se les encarga que pastoreen el rebaño de Dios (Hechos 20:28; 1 Pedro 5:2), parte de su tarea como pastores es asegurar que el rebaño se alimente con la Palabra de Dios.

La importancia de alimentar las ovejas se evidencia por el hecho de que las ovejas son prácticamente incapaces de alimentarse y conseguir agua por sí mismas adecuadamente. Sin un pastor las ovejas pronto se quedarían sin pastura y sin agua, y se consumirían. De manera que, como nos recuerda acertadamente Charles Jefferson, "todo depende de la adecuada alimentación de las ovejas. A menos que se las alimente sabiamente, se vuelven raquíticas y enfermas, y el dinero invertido en ellas se malgasta. Cuando Ezequiel presenta una figura del mal pastor, la primera pincelada dice 'no alimenta el rebaño'."[6]

La comunidad cristiana se crea mediante el uso que hace el Espíritu de la Palabra de Dios (1 Pedro 1:23; Santiago 1:18). La comunidad también crece y madura y está protegida por la Palabra. En consecuencia, es un requisito bíblico que el anciano "pueda exhortar con sana enseñanza y convencer a los que contradicen" (Tito 1:9). Los ancianos protegen, guían, dirigen, nutren, consuelan, educan y sanan al rebaño mediante la enseñanza y la predicación de la Palabra. En efecto, muchas necesidades pastorales de la gente se satisfacen por medio de la enseñanza de la Palabra. La falta de conocimiento y enseñanza bíblica por parte de los ancianos es una de las principales causas de que el error doctrinal inunde las iglesias hoy y ahogue el poder y la vida de las mismas.

Al comentar sobre el requerimiento bíblico de que los ancianos conozcan la Biblia y sean capaces de enseñar y defender la Palabra, Neil Summerton, anciano de la iglesia y autor de *A Noble Task: Eldership and Ministry in the Local Church* (Una tarea noble: Liderazgo y Ministerio de los ancianos en la Iglesia Local), señala:

> Por eso, tanto a Timoteo como a Tito, Pablo les dice claramente que la cualidad indispensable que en definitiva distingue al anciano del diácono, es el dominio de la doctrina cristiana, la habilidad para evaluarla en otros, para enseñarla, y discutir con aquellos que enseñan doctrinas falsas (1 Timoteo 3:2; Tito 1:9-16).

El ministerio de pastor-maestro es también uno de los medios principales por los que se comunica a la congregación el liderazgo y la visión de los ancianos, y la capacidad para comunicar es uno de los requerimientos clave del liderazgo eficaz.

Bien puede haber quienes sean proclives a rebelarse contra este énfasis y a argumentar que los ancianos necesitan más talentos prácticos para asegurar que su administración sea tranquila y eficaz. En respuesta se podría decir primero, que eso no tiene en cuenta el énfasis que tanto el Antiguo Testamento como el Nuevo Testamento ponen en la necesidad de que el rebaño de Dios sea conducido por pastores que aseguren su alimento espiritual. Para este propósito hace falta unir la firmeza de carácter a la recepción y transmisión de la Palabra del Señor como medio de alimentar, proteger y restaurar a los miembros individuales del rebaño. Este ministerio no tiene que ser necesariamente ejercido desde la plataforma, y el centro de gravedad de los dones de un anciano puede estar en la enseñanza mientras que el de algún otro puede estar en el pastoreo. Pero todos necesitan una firme comprensión de la fe, y la capacidad para enseñar e instruir en pequeños grupos e individualmente en la situación pastoral.

En segundo lugar, si los ancianos carecen de capacitación práctica en la administración que es necesaria en el rebaño, pueden asignar una persona o personas (tal vez como diáconos si tienen las elevadas cualidades espirituales que también se requieren para ese oficio) para que los ayuden. Más aun, en cualquier liderazgo de ancianos uno o más del cuerpo podrían desempeñar estas funciones en tanto no les impidan dar la prioridad a las tareas de supervisión. Pero se tiene que evitar a toda

22

costa el error de designar a aquellos que carecen del carácter así como de las cualidades espirituales, o del don para el liderazgo de ancianos, o de ambos.[7]

La conducción del rebaño

En lenguaje bíblico, pastorear una nación o cualquier grupo de gente significa conducir o gobernar (2 Samuel 5:2; Salmos 78:71, 72). Según Hechos 20 y 1 Pedro 5, los ancianos pastorean la iglesia de Dios. Pastorear la iglesia significa, entre otras cosas, conducir la iglesia. Pablo afirma a la iglesia en Efeso: "Los ancianos que gobiernan (dirigen, conducen, manejan) bien, sean tenidos por dignos de doble honor" (1 Timoteo 5:17a). Los ancianos, entonces, conducen, dirigen, gobiernan, manejan, y cuidan el rebaño de Dios.

En Tito 1:7 Pablo insiste que un futuro anciano esté moral y espiritualmente por encima de todo reproche, porque es "administrador" de Dios. Un administrador es el "encargado de las posesiones", alguien que tiene oficialmente la responsabilidad sobre los siervos, la propiedad e incluso las finanzas del Señor. Los ancianos son administradores de la casa de Dios, la iglesia local.

A los ancianos también se les llama "sobreveedores", lo que significa que supervisan y conducen la iglesia. Pedro usa el verbo sobreveer cuando exhorta a los ancianos: "Ruego a los ancianos que están entre vosotros... apacentad la grey de Dios que está entre vosotros, cuidando de ella" (1 Pedro 5:1a, 2a). En esta oportunidad Pedro combina los conceptos de pastorear y cuidar cuando exhorta a los ancianos a cumplir con su tarea. En consecuencia podemos hablar de la responsabilidad fundamental de los ancianos como el cuidado pastoral de la iglesia local.

Conducir y cuidar el rebaño es importante porque, como lo señala Jefferson, las ovejas nacen para seguir:

> Las ovejas no son viajeros independientes. Necesitan un conductor humano. No pueden ir a lugares predeterminados por sí solas. No pueden salir por la mañana en busca de pasto y luego volver a casa por la noche. Aparentemente no tienen ningún sentido de dirección. El prado más verde puede estar apenas a unos kilómetros, pero las ovejas, por sí solas, no lo pueden encontrar. ¿Qué otro animal es tan incapaz como las ovejas? La oveja reconoce su impotencia, porque no hay otro animal tan dócil como ella. La oveja irá donde la conduzca el pastor. Sabe que el pastor es un guía y que es seguro seguirlo.[8]

A las ovejas hay que conducirlas al agua limpia, a la nueva pastura y liberarlas del calor peligroso del verano. Esto a veces significa viajar por caminos escabrosos, senderos angostos y barrancas peligrosas. También hay que hacerlas descansar. Por la noche hay que llevarlas al corral. Por eso los pastores tienen que saber cómo y dónde conducir a su rebaño. Tienen que usar sabiamente el recurso del agua y de la tierra, planificando constantemente para las necesidades futuras y anticipando los problemas.

Capacidad administrativa

Los mismos principios de conducción y manejo involucrados en el pastoreo de las ovejas también se aplican para el pastoreo de la iglesia local. Una congregación necesita liderazgo, conducción, administración, gobierno, guía, consejos y visión. Por eso todos los ancianos deben ser, en alguna medida, líderes y administradores.[9] El liderazgo de ancianos debe clarificar la dirección y las creencias para el rebaño. Debe fijar las metas, tomar decisiones, orientar, planificar y gobernar. En consecuencia los ancianos deben ser resolvedores de problemas, conductores de personas, planificadores y pensadores.

Un rebaño de ovejas saludable y creciente no aparece sencillamente de la nada; es el resultado del manejo habilidoso que hace el pastor de las ovejas y de los recursos. Conoce a las ovejas y es hábil para cuidar de ellas. Un buen anciano pastor conoce a la gente. Conoce sus sentimientos. Conoce sus necesidades, problemas, debilidades y pecados. Sabe cómo pueden herirse unos a otros. Sabe lo obstinados que pueden ser. Sabe cómo administrar a la gente. Sabe que las personas deben ser guiadas con delicadeza y paciencia. Sabe cuándo ser duro y cuándo ser amable. Conoce las necesidades de la gente y lo que hay que hacer para satisfacerlas. Sabe cómo afirmar acertadamente la salud y la dirección de la congregación. Y cuando no sabe esas cosas, encuentra rápidamente las respuestas. Busca aprender mejores habilidades y métodos para el manejo del rebaño.

Puesto que los pastores ancianos deben conducir y administrar una congregación de personas, el Nuevo Testamento requiere que los ancianos candidatos evidencien su habilidad administrativa con el manejo adecuado de la propia familia: "Que gobierne bien su casa... (pues el que no sabe gobernar su propia casa, ¿cómo cuidará de la iglesia de Dios?)" (1 Timoteo 3:4, 5). Las Escrituras también dicen que "los ancianos que gobiernan bien, sean tenidos por dignos de doble honor" (1 Timoteo 5:17). Por eso los ancianos que manejan sus iglesias bien desean tener reconocimiento por su liderazgo, su capacidad de conducción y su servicio.

Trabajo arduo

La conducción y el manejo de un rebaño no solamente demanda habilidades y conocimientos, requiere mucho trabajo arduo. El pastoreo es un trabajo dedicado y a menudo incómodo. Las ovejas no tienen vacaciones en lo que respecta a comer y beber, ni tampoco sus pastores las tienen. Esta es la descripción que Jacob hace de sus días como pastor: "De día me consumía el calor, y de noche la helada, y el sueño huía de mis ojos" (Génesis 31:40). Así como un buen pastor debe trabajar arduamente, un pastor egoísta es, de acuerdo a los autores bíblicos, un mal pastor (Ezequiel 34:2, 8). Un pastor ocioso, perezoso es una desgracia y un peligro para el rebaño (Nahúm 3:18; Zacarías 11:17).

El pastoreo del rebaño de Dios requiere una vida de trabajo dedicado. Es por eso que Pablo exhorta a los creyentes a honrar y amar a quienes trabajan esforzadamente para atender el rebaño (1 Tesalonicenses 5:12; 1 Timoteo 5:17). Lo que J. Hudson Taylor (1832-1905), fundador de la China Inland Mission, dijo sobre el servicio misionero, también se puede aplicar al pastoreo de un rebaño del pueblo de Dios: "El trabajo de un verdadero misionero es *trabajo* en serio, con frecuencia muy monótono, aparentemente no muy exitoso, y realizado en medio de grandes, diversas e incesantes dificultades".[10] Cuando al liderazgo de ancianos en la iglesia se lo ve como un cargo de categoría o una posición en la junta [de líderes], habrá muchos voluntarios, pero cuando lo ve como un trabajo pastoral, pocos correrán a ofrecerse.

Una de las razones por las que hay tan pocos pastores ancianos o buen liderazgo de ancianos es que, hablando en forma general, los hombres son espiritualmente perezosos. La pereza espiritual es un problema enorme en la comunidad cristiana. La pereza espiritual es una de las principales razones por las que la mayoría de las iglesias nunca establecen un liderazgo bíblico. Los hombres están más que dispuestos a permitir que otros cumplan sus responsabilidades espirituales, ya sean sus esposas, el clérigo o los profesionales de la iglesia.

Sin embargo, el liderazgo bíblico de ancianos no puede existir en una atmósfera de cristianos nominales. No puede haber liderazgo bíblico de ancianos en una iglesia donde no hay un cristianismo bíblico. Si queremos que el liderazgo de ancianos funcione con eficacia, requiere hombres que estén firmemente comprometidos en los principios del discipulado de nuestro Señor. El liderazgo bíblico de ancianos depende de hombres que busquen primero el reino de Dios y su justicia (Mateo 6:33), hombres que se han presentado como sacrificios vivos a Dios y como esclavos del Señor Jesucristo (Romanos 12:1, 2). Hombres que aman a Jesucristo por encima de todo y que estén dispuestos a sacrificarse a sí mismos gustosamente por el bien de los otros, hombres que amen como Cristo amó, hombres autodisciplinados y desinteresados, y hombres que hayan tomado su cruz y estén dispuestos a sufrir por Cristo.

Algunas personas dicen: "No se puede pretender que un laico atienda su familia, trabaje todo el día y pastoree la iglesia local", pero esto sencillamente no es verdad. Muchas personas tienen familias, trabajan y dedican bastantes horas al servicio comunitario, los clubes, las actividades deportivas y/o instituciones religiosas. Las sectas han levantado grandes movimientos laicos que sobreviven principalmente debido al tiempo que sus miembros les dedican voluntariamente. Nosotros los cristianos creyentes en la Biblia nos estamos volviendo perezosos, blandos e interesados. Es realmente sorprendente lo mucho que pueden lograr las personas cuando están motivadas para trabajar por algo que aman. He visto personas construir y remodelar casas en su tiempo libre. También he visto hombres disciplinarse para obtener un asombroso conocimiento de las Escrituras.

El verdadero problema radica entonces no en las energías y el tiempo limitado de los hombres sino en las falsas ideas acerca del trabajo, la vida cristiana, las prioridades de la vida diaria y —especialmente— el ministerio cristiano. A los cristianos de Efeso Pablo les dijo: "Vosotros sabéis que para lo que me ha sido necesario a mí y a los que están conmigo, estas manos me han servido. En todo os he enseñado que, trabajando así, se debe ayudar a los necesitados, y recordar las palabras del Señor Jesús, que dijo: Más bienaventurado es dar que recibir" (Hechos 20:34, 35). ¿Cómo pueden algunos hombres que trabajan pastorear la iglesia y aun así mantener la vida familiar y el empleo? Lo hacen por abnegación, autodisciplina, fe, perseverancia, trabajo arduo y el poder del Espíritu Santo. R. Paul Stevens, autor e instructor en el Regent College, de Vancouver, Columbia Británica, Canadá, nos pone en la pista correcta cuando escribe:

Como fabricantes de tiendas, para aguantar tres tareas de tiempo completo (el trabajo, la familia y el ministerio), también tuvieron que adoptar un estilo de vida sacrificado. Los fabricantes de tiendas deben llevar una vida recortada y literalmente encontrar momentos de ocio y de descanso en el ritmo mismo de servir a Cristo (Mateo 11:28). Deben estar dispuestos a renunciar a cierta medida de realización profesional y ocio privado por el privilegio de ganar el premio (Filipenses 3:14). Muchos estarían dispuestos a ser fabricantes de tiendas si pudieran ser ricos y vivir un estilo de vida descansado y culto. Pero la verdad es que un ministerio significativo en la iglesia y en la comunidad sólo puede ser el fruto del sacrificio.[11]

El cuidado de las necesidades prácticas

Además de las categorías familiares, generales de proteger, alimentar y conducir el rebaño, los ancianos también tienen responsabilidad en el cuidado práctico de las muchas y diversas necesidades del rebaño. Por ejemplo, Santiago enseña a los miembros enfermos del rebaño a llamar a los ancianos de la iglesia: "¿Está alguno enfermo entre vosotros? Llame a los ancianos de la iglesia, y oren por él, ungiéndole con aceite en el nombre del Señor" (Santiago 5:14). Pablo exhorta a los ancianos de Efeso a cuidar de los necesitados del rebaño: "En todo os he enseñado que, trabajando así, *se debe ayudar a los necesitados*, y recordar las palabras del Señor Jesús, que dijo: Más bienaventurado es dar que recibir" (Hechos 20:35, cursivas del autor).

Como pastores del rebaño los ancianos deben estar a disposición para satisfacer cualquier necesidad de las ovejas. Esto incluye visitar a los enfermos, consolar a las viudas, fortalecer a los débiles, orar por *todas* las ovejas, incluso aquellas que son problemáticas; visitar a los nuevos miembros, proveer consejos para las parejas comprometidas, casadas o divorciadas; y administrar los detalles diarios de la vida interior de la congregación.

Sin embargo debemos equilibrar lo que venimos diciendo sobre el ministerio de ancianos con la verdad paralela de que todos los miembros son ministros. Aunque los ancianos dirigen y son oficialmente responsables del cuidado espiritual de *toda* la iglesia, no son el ministerio total de la iglesia. No son *los* ministros. El ministerio es obra de toda la iglesia. El ministerio no es la obra de una persona y ni siquiera de un grupo de personas.

La iglesia local no es solamente un rebaño; también es un cuerpo de sacerdotes reales dotados por el Espíritu que ministran para el Señor y su pueblo. En consecuencia, el cuidado del cuerpo local no es responsabilidad solamente de los ancianos, sino de todos los miembros. Cada miembro del cuerpo de Cristo está equipado por el Espíritu para ministrar a las necesidades de los demás. Los ancianos dependen de los dones y las habilidades de los otros (algunos de los cuales pueden ser más dotados que cualquiera de los ancianos en determinados aspectos del ministerio) para el cuidado general de la iglesia local. Los ancianos bíblicos no desean controlar una congregación pasiva. Desean dirigir una iglesia activa, viva, con un ministerio de todos sus miembros.

Más aun, los diáconos son los ministros de misericordia en la iglesia. Al igual que los ancianos, deben atender a las muchas necesidades del cuidado práctico de las personas (Hechos 6:1-6). De manera que los ancianos necesitan delegar en los diáconos muchas de las necesidades de misericordia práctica de la congregación. Lo mismo que los apóstoles, los ancianos de la iglesia deben recordar que a menos que estén implicados en ministrar para las necesidades de cuidado práctico, sus prioridades siempre deberían ser "la oración y... el ministerio de la palabra" (Hechos 6:4).

Amor por el pueblo del Señor

El secreto del cuidado de las ovejas es el amor. El buen pastor ama las ovejas y ama estar con ellas (2 Samuel 12:3). De la misma manera, los mejores ancianos son aquellos que aman a las personas, aman estar con ellas, y están fervientemente comprometidos al servicio de ellas. Charles Jefferson resume admirablemente esta cualidad cuando escribe: "Esta era la virtud suprema del pastor—su abnegado amor".[12]

El amor de los pastores por sus ovejas es bien reconocido por quienes saben de ovejas y de pastores. El profesor de Antiguo Testamento, John J. Davis, descubrió esta verdad cuando investigaba sobre los pastores. Interrogó a un pastor palestino moderno llamado Mohammad Yaseen acerca de las actitudes requeridas para ser un buen pastor e informa que el pastor "constantemente mencionaba el hecho de que los mejores pastores son los que aman genuinamente a sus ovejas".[13] Phillip Keller, en su hermoso libro sobre el Salmo 23 (que todo anciano debería leer), también menciona el amor del pastor: "Todo el cuidado, todo el trabajo, toda la vigilancia alerta, toda la habilidad, toda la preocupación, toda la abnegación nacen de su Amor—el amor de Alguien que ama a sus ovejas, ama su trabajo, ama su misión de Pastor".[14]

28

El corazón cariñoso de un verdadero pastor está dramáticamente expresado en la vida de Pablo. Recordando a los difíciles corintios sus motivaciones y sentimientos más profundos, Pablo escribe: "Porque por la mucha tribulación y angustia del corazón os escribí con muchas lágrimas, no para que fueseis contristados, sino para que supieseis cuán grande es el amor que os tengo" (2 Corintios 2:4). D. A. Carson, profesor de Nuevo Testamento en la Trinity Evangelical Divinity School, describe la vida y las oraciones de Pablo como "pasión por la gente". Al detallar el apasionado amor de Pablo por los nuevos cristianos en Tesalónica, Carson escribe:

> Aquí hay un cristiano tan comprometido con el bienestar de otros cristianos, especialmente el de los nuevos cristianos, que sencillamente ardía interiormente por estar con ellos, ayudarlos, alimentarlos, estabilizarlos, establecer un fundamento adecuado para ellos. No es de sorprender entonces, que se dedique a orar por ellos cuando encuentra que no puede visitarlos personalmente.[15]

Si se le preguntara a los cristianos corrientes lo que esperan de los líderes espirituales, en la mayoría de los casos la respuesta sería: "¡Que me quieran y cuiden de mí!" Nada ministra a las necesidades más profundas de la gente que el genuino amor cristiano. Hay un antiguo dicho que debería ser inscripto y colocado en una pared en el hogar de todo anciano: "El hombre antes que la empresa, porque el hombre es tu empresa".[16]

El trabajo del anciano es un trabajo orientado hacia las personas. Si un cuerpo de ancianos carece de ciertos dones o de una personalidad dinámica, el amor que tenga por la gente puede compensar esa deficiencia. Sin embargo, no hay ninguna compensación para la falta de amor y de compasión de parte de los ancianos. Sin el amor, el liderazgo de ancianos es como una caparazón vacía. Sin amor un anciano es "un metal que resuena" o "un címbalo que retiñe", un cero espiritual (1 Cor. 13:1, 2). Vemos que, al igual que el Señor Jesucristo, un buen anciano pastor ama a la gente.

PARA ACLARAR NUESTRA TERMINOLOGIA

Antes de terminar este capítulo debemos volver a un problema difícil y muy arraigado que planteamos al comienzo del capítulo—la definición del término *anciano*. Aunque el término *anciano* es el que predomina en el Nuevo Testamento para describir a los líderes de la iglesia local y se adapta especialmente a la naturaleza de las iglesias del Nuevo Testamento, transmite a la gran mayoría de los cristianos y no cristianos de hoy, ideas diferentes de las del Nuevo Testamento. La gente hoy piensa en los ancianos como miembros laicos de la mesa directiva de la iglesia, separados y diferentes del pastor profesional ordenado (o clérigo). Me refiero a ese tipo de ancianos como los "ancianos de mesa directiva" porque no son los verdaderos ancianos del nuevo Testamento. Son consejeros, miembros de comisiones, ejecutivos y directores.

El verdadero liderazgo bíblico de ancianos no es una comisión ejecutiva. Es un concilio bíblicamente calificado de hombres que pastorean en conjunto la iglesia local. De manera que para comunicar la idea de liderazgo de ancianos del Nuevo Testamento, necesitamos reeducarnos en el uso del término *anciano* del Nuevo Testamento, y en algunos casos elegir un término diferente.

El Nuevo Testamento usa un término diferente para referirse a los líderes de la iglesia local. Es el término *sobreveedor* que viene de la palabra griega *episkopos*.[17] El término *sobreveedor* era una designación común que los griegos utilizaban para una variedad de funcionarios. A diferencia de nuestros títulos sacerdotales o señoriales, nada en el título *sobreveedor* (o *anciano*) violaba el carácter familiar, la naturaleza de humilde servidor, o la condición sacerdotal y santa, de la iglesia local. El hecho de que los apóstoles y primeros cristianos utilizaran el término *sobreveedor* como sinónimo de *anciano* demuestra flexibilidad en el uso de la terminología del liderazgo y el deseo de comunicarse eficazmente entre la gente de habla griega.

Los apóstoles del Nuevo Testamento, guiados por el Espíritu Santo, fueron extremadamente cuidadosos al escoger el vocabulario que usaban para describir la persona y la obra de Jesucristo, su "nueva creación" la Iglesia (Gálatas 6:15), y a quienes proveían liderazgo para el pueblo de Dios. Es vitalmente importante que los cristianos de hoy comprendan que el lenguaje que usamos para describir a nuestros líderes de iglesia tiene el poder de reflejar adecuadamente el pensamiento y la práctica bíblica o, a la inversa, arrastrarnos lejos de la verdadera Iglesia de Jesucristo y hacia una falsa iglesia. El término episkopos (*sobreveedor*), por ejemplo, adquirió un sentido que difiere mucho del uso del Nuevo Testamento. Se convirtió en uno de los títulos eclesiásticos más significativos de la iglesia jerárquica. Para nosotros el término equivalente en español es *obispo*, que significa un funcionario eclesiástico que preside sobre muchas iglesias y sobre el clero subalterno. En consecuencia, el sentido original del término *episkopos*, que era sinónimo de anciano e indicaba un miembro de la iglesia local, se perdió.

Si elegimos usar el término *anciano*, cosa que muchas iglesias protestantes hacen porque es un término bíblico clave para los líderes de la iglesia, es necesario explicar que el término *anciano* significa *"ancianos pastores"* o *"pastores"*. Yo uso esos términos en forma indistinta según la audiencia a la que me dirijo. En este libro uso estas descripciones para distinguir entre "ancianos de junta" que es un concepto equivocado, y "ancianos pastores", que es el concepto bíblico. En algunas iglesias el término *anciano* se utiliza en el pleno sentido bíblico, en consecuencia no hace falta buscar otro término. La gente en esas iglesias sabe que los ancianos son sus líderes espirituales, pero esto es cierto para muy pocas iglesias.

Conozco algunas iglesias que procuraban implantar el liderazgo bíblico de ancianos pero no consiguieron hacerlo funcionar eficazmente hasta que abandonaron el término *anciano* y comenzaron a llamar "pastores" a sus *ancianos*. En esas iglesias el término *anciano* estaba tan profundamente entretejido con connotaciones actuales de junta y comisión, que el término era un estorbo para la práctica del liderazgo bíblico de ancianos. Los mismos ancianos se vieron favorecidos por el cambio de lenguaje. Comenzaron a pensar en sí mismos como pastores responsables del cuidado espiritual del rebaño y a funcionar como pastores. A pesar de las connotaciones clericales y profesionales del término *pastor*, comunicaba mejor lo que la iglesia quería significar en relación con la función y posición de sus ancianos.

Muchas veces uso la palabra *apacentador* (del inglés shepherd) porque no lleva todas las connotaciones antibíblicas que la gente por lo general asocia con los términos *pastor* o *anciano*. No obstante, aun el término *apacentador* (del inglés shepherd), al igual que todos los otros términos, tiene sus propios problemas: es una palabra carente de significado religioso para la mayoría de las personas fuera de la iglesia, y algunas dentro también. Ciertas personas podrían pensar que uno se está refiriendo al pastor literal y quizás quiera saber dónde está ubicada su granja. (NDT: Referencia a Juan 21:15-17).

Cualquiera sea la terminología que se elija para describir los líderes de la iglesia local, tendrá ventajas y desventajas. En definitiva, cada iglesia local es responsable de enseñar a su gente el significado de los términos que usa para describir a sus líderes espirituales, ya sean ancianos, obispos, ministros, predicadores o pastores. Los líderes bíblicos sensibles de la iglesia insistirán en que la terminología que usen represente, de la manera más precisa posible, los términos y conceptos bíblicos originales del liderazgo bíblico de ancianos. Los falsos maestros han obtenido sus principales triunfos cuando han redefinido las palabras bíblicas de una manera contraria a su sentido original. Escuchemos el sabio consejo de Nigel Turner, uno de los principales eruditos de la gramática griega:

La Iglesia hoy está preocupada por comunicarse con el mundo contemporáneo y especialmente por la necesidad de hablar un nuevo idioma. Sería mejor que el lenguaje de la Iglesia fuera el lenguaje del N.T. Proclamar el evangelio con una terminología nueva es peligroso porque mucho del mensaje y de los valiosos matices implícitos en el N.T. se podrían perder definitivamente. "La mayoría de las tergiversaciones y disensiones que han vejado la Iglesia", observó el reciente Deán de York, "que han tocado la comprensión teológica, han surgido por la insistencia de las sectas o sectores de la comunidad cristiana en usar palabras que no aparecen en el N.T."[18]

En ninguna otra parte es más evidente este problema de definición que con el vocabulario que usan los cristianos para describir a los funcionarios de su iglesia. Mucho de nuestro vocabulario eclesiástico no es bíblico y es terriblemente engañoso. Palabras como *clérigo, laico, reverendo, ministro, sacerdote, obispo, ordenado, y ministerial,* transmiten ideas contrarias a lo que enseñaron Jesucristo y sus apóstoles. Tal terminología tergiversa la verdadera naturaleza del cristianismo apostólico y dificulta, si no imposibilita, su recuperación. Como resultado, la mayoría de nuestras iglesias están desesperadamente necesitadas de una reforma en el lenguaje. Espero que este libro desafíe a los líderes a adherirse más formalmente al verdadero significado de los términos y conceptos bíblicos.

Capítulo 2

Liderazgo compartido

"Los ancianos que gobiernan bien, sean tenidos por dignos de doble honor, mayormente los que trabajan en predicar y enseñar".

1 Timoteo 5: 17

Una de las profundas alegrías de mi vida ha sido compartir el liderazgo de una iglesia con un equipo de ancianos pastores dedicados. Durante los más de veinte años que hemos servido juntos, hemos experimentado muchos problemas y frustraciones, pero también hemos experimentado crecimiento, alegría, risas, y una profunda amistad y amor entre nosotros. Como compañeros en la tarea de pastorear el precioso pueblo que Dios ha comprado con sangre, nos hemos aguzado, equilibrado, consolado, protegido y fortalecido unos a otros a través de casi cualquier situación imaginable de la vida. No dudo al decir que la relación con mis compañeros ancianos ha sido la herramienta más importante que Dios ha usado, aparte de mi relación matrimonial, para el desarrollo espiritual de mi carácter cristiano, mis habilidades en el liderazgo y en el ministerio de la enseñanza. Como resultado, creo, hemos podido proveer un cuidado pastoral estable, a largo plazo, para el pueblo de Dios.

Sin embargo, mucho más importante que mi experiencia (o la de cualquier otro), como miembro de un equipo de liderazgo, es lo que dice la Palabra de Dios acerca de la estructura de liderazgo (o gobierno) de la iglesia local. Como veremos en este capítulo, el Nuevo Testamento provee evidencias concluyentes de que el cuidado pastoral de las iglesias apostólicas fue un esfuerzo de equipo—no la responsabilidad de una única persona.

EL MODELO DE LIDERAZGO PASTORAL COMPARTIDO DEL NUEVO TESTAMENTO

El liderazgo compartido no debería ser un concepto nuevo para el cristiano acostumbrado a leer la Biblia. El liderazgo compartido está cimentado en la institución de los ancianos de Israel en el Antiguo Testamento y en el establecimiento de Jesús del apostolado. Es un hecho sumamente significativo y con frecuencia descuidado que nuestro Señor no designó a un único hombre para guiar su Iglesia. Personalmente señaló e instruyó a doce hombres. *Cristo Jesús proveyó a la Iglesia de pluralidad en el liderazgo.* Los doce constituyeron el primer liderazgo conciliar de la Iglesia y, de la manera más ejemplar, condujeron y enseñaron en conjunto la primera comunidad cristiana. Los doce proveen un maravilloso ejemplo de unidad, humildad, amor fraternal y estructura de liderazgo compartido.

El liderazgo compartido también se evidencia por los siete que fueron designados para aliviar a los doce apóstoles en la responsabilidad de reunir fondos para las viudas de la iglesia (Hechos 6:3-6). Los siete fueron el prototipo de los futuros diáconos.[1] No hay ninguna indicación de que alguno de los siete fuera el jefe y los otros sus asistentes. Como cuerpo de siervos, hicieron su trabajo para la iglesia de Jerusalén. Basados en toda la evidencia con que contamos, los diáconos, al igual que los ancianos, formaban un cuerpo de liderazgo colectivo.

El Nuevo Testamento revela que el cuidado pastoral de muchas de las primeras iglesias estuvo encomendado a un grupo de ancianos. Esto fue así en las primeras iglesias cristianas judías en Jerusalén, Judea, y las provincias vecinas, lo mismo que en muchas de las primeras iglesias de los gentiles. Veamos las siguientes evidencias:

- Los ancianos de la iglesia de Jerusalén se unieron con los doce apóstoles para deliberar sobre diferencias doctrinales (Hechos 15). Al igual que el apostolado, los ancianos constituían un cuerpo de liderazgo colectivo.

- Santiago instruyó al creyente enfermo a llamar a "los ancianos (plural) de la iglesia (singular)" (Santiago 5:14).

- Al final de su primer viaje misionero, Pablo designó un concilio de ancianos para cada iglesia recién fundada: "Y constituyeron ancianos (plural) en cada iglesia (singular), y habiendo orado con ayunos, los encomendaron al Señor en quién habían creído" (Hechos 14:23). Observe que aquí, como en Santiago 5:15, el término *ancianos* es plural y la palabra *iglesia* es singular. Es decir que cada iglesia tenía ancianos.

- Al pasar cerca de la iglesia de Efeso durante su apurado viaje a Jerusalén, Pablo convocó a los "ancianos de la iglesia", no al pastor, para una exhortación final de despedida (Hechos 20:17, 28). La iglesia de Efeso estaba bajo el cuidado de un cuerpo de ancianos. Primera Timoteo 5:17 deja fuera de duda el asunto de que un grupo de ancianos guiaba y enseñaba a la iglesia de Efeso: "Los ancianos que gobiernan bien, sean tenidos por dignos de doble honor, mayormente los que trabajan en predicar y enseñar".

- Cuando Pablo escribió a los cristianos de Filipos, saludó a "los obispos (plural) y diáconos" (Filipenses 1:1).

- Tanto al comienzo como al final del ministerio de Pablo, designó (o instruyó a otros para designar) un grupo de ancianos para cuidar de las iglesias que había fundado o establecido (Hechos 14:23; Tito 1:5). Según el pasaje de Tito 1:5, Pablo no consideraba que la iglesia estuviera plenamente desarrollada hasta que no tenía ancianos activos y calificados: "Por esta causa te dejé en Creta, para que corrigieses lo deficiente, y establecieses ancianos en cada ciudad, así como yo te mandé" (Tito 1:5).

- Al escribir a las iglesias dispersas por las cinco provincias romanas de Ponto, Galacia, Capadocia, Asia y Bitinia, en el noroeste de Asia Menor (1 Pedro 1:1), Pedro exhortó a los ancianos que pastorearan el rebaño (1 Pedro 5:1). Esto indica que Pedro sabía que una estructura de gobierno de ancianos era la práctica común en las iglesias.

Además de las afirmaciones explícitas relacionadas con un grupo de ancianos, existen otros ejemplos en el Nuevo Testamento (Hechos 13:1; 15:35; 1 Corintios 16: 15, 16; 1 Tesalonicenses 5:12, 13; Hebreos 13:7, 17, 24). A nivel de la iglesia local, el Nuevo Testamento es un claro testimonio de un patrón constante de liderazgo pastoral compartido. Es decir, que el liderazgo de un grupo de ancianos es una sólida práctica bíblica.

Después de estudiar metódicamente todos los pasajes del Nuevo Testamento que mencionan el liderazgo de la iglesia local, Bruce Stabbert, autor del libro *The Team Concept: Paul's Church Leadership Patterns or Ours?* (El concepto de equipo: ¿El modelo de liderazgo de iglesia de Pablo o el nuestro?), hace el siguiente resumen:

Se concluye, luego de examinar todos los pasajes que mencionan el liderazgo de la iglesia local a nivel pastoral, que el Nuevo Testamento presenta una enseñanza inequívoca al respecto y que está del lado de la pluralidad. Esto se basa en la evidencia de los siete pasajes claros que enseñan la existencia de un grupo de ancianos en cada asamblea local. Estos pasajes deberían tener peso hermenéutico sobre los otros ocho pasajes que no enseñan ni la pluralidad ni la singularidad. Este es un caso en que los pasajes claros deberían establecer la interpretación de los oscuros. En consecuencia, de los dieciocho pasajes que hablan del liderazgo de la iglesia, quince de ellos se refieren a un grupo. De estos quince, siete hablan en forma concluyente de una única congregación. Solamente tres pasajes hablan del liderazgo de la iglesia en términos singulares, y en cada pasaje el singular se puede ver como plenamente compatible con el liderazgo plural. En todos estos pasajes, no hay ninguno que describa una iglesia gobernada por un solo pastor.[2]

Es muy interesante que los protestantes no cuestionen la pluralidad en el caso de los diáconos con la intención de crear diáconos únicos, sin embargo muchos desafían la pluralidad en el caso de los ancianos. Es extraño que los cristianos no tengan problemas para aceptar la pluralidad de los diáconos, pero se muestren casi irracionalmente temerosos de aceptar la pluralidad de ancianos, que tiene muchas más evidencias en el Nuevo Testamento. A pesar de nuestros temores, la pluralidad en el liderazgo por medio de un concilio de ancianos, necesita ser preservada.

DEFINICION Y BENEFICIOS DEL LIDERAZGO COMPARTIDO

Estoy convencido de que el motivo subyacente del temor de muchos cristianos a la pluralidad de ancianos es que no entienden realmente el concepto del Nuevo Testamento ni sus ricos beneficios para la iglesia local. El liderazgo de ancianos del Nuevo Testamento no es, como piensan muchos, una posición de alto nivel en la junta, abierta a cualquiera y todos los que deseen integrarla. Por el contrario, un liderazgo de ancianos basado en el modelo del Nuevo Testamento requiere ancianos calificados que deben cumplir con los requisitos morales y espirituales antes de servir (1 Timoteo 3:1-7). Tales ancianos deben ser examinados públicamente por la iglesia con relación a sus aptitudes (1 Timoteo 3:10). Deben ser establecidos públicamente en el cargo (1 Timoteo 5:22; Hechos 14:23). Deben ser motivados y dotados de poder por el Espíritu Santo para realizar su trabajo (Hechos 20:28). Finalmente, deben ser reconocidos, amados y honrados por toda la congregación. Este honor rendido por la congregación incluye la provisión de apoyo financiero a los ancianos que estén singularmente dotados para predicar y enseñar, lo que permite que algunos ancianos sirvan en la iglesia a dedicación total o parcial (1 Timoteo 5:17, 18). Es decir, que un equipo de ancianos calificados, dedicados, designados por el Espíritu, no es una comisión pasiva e ineficaz; es una estructura de liderazgo eficaz que beneficia grandemente a la familia de la iglesia.

Un concilio de iguales

El liderazgo de un concilio de ancianos es una forma de gobierno que se encuentra en casi toda sociedad del antiguo Cercano Oriente. Era la estructura de gobierno fundamental de la nación de Israel en la historia del Antiguo Testamento (Exodo 3:16; Esdras 10:8). Para Israel, una sociedad tribal, patriarcal, el liderazgo de los ancianos era tan básico como la familia misma. De manera que cuando el Nuevo Testamento relata que Pablo, un judío que estaba totalmente inmerso en la Escritura del Antiguo Testamento y en la cultura judía, designó ancianos para cada iglesia recién fundada (Hechos 14:23), significa que establecía un concilio de ancianos en cada iglesia local.

Por definición, la estructura de gobierno de ancianos es una forma colectiva de liderazgo en la que cada anciano comparte una misma posición, autoridad y responsabilidad en el oficio. Hay distintos nombres para este tipo de estructura de liderazgo. De manera más formal se le llama liderazgo colectivo, corporativo o colegiado. En términos más actuales se le llama liderazgo múltiple, pluralidad, liderazgo compartido, o liderazgo de equipo. Uso estos términos indistintamente a lo largo del libro. Lo opuesto al liderazgo colectivo es el liderazgo unitario, el gobierno monárquico o el liderazgo individual.

Los beneficios de un concilio de iguales

En el capítulo 6 exploraremos las razones bíblicas y teológicas de la pluralidad de ancianos. En este capítulo, para nuestros propósitos, necesitamos solamente mencionar algunos de los beneficios prácticos del liderazgo compartido para la familia de la iglesia y sus líderes espirituales.

Equilibrar las debilidades

El liderazgo colectivo puede proveer a un líder de iglesia del reconocimiento críticamente necesario y del equilibrio frente a sus deficiencias. Todos tenemos nuestros puntos débiles, rarezas y deficiencias. Todos tenemos lo que C. S. Lewis (1898-1963) llamó un "defecto fatal". Podemos ver fácilmente estos defectos fatales en otros, pero no en nosotros mismos. Por eso Lewis dice que la verdadera sabiduría consiste en reconocer que uno también tiene un defecto fatal que puede haber frustrado o herido a otros:

> Y uno ve, mirando atrás, cómo todos los planes que hizo han naufragado siempre en ese defecto fatal—en los celos incurables, la pereza, la susceptibilidad, la estupidez, la tiranía, el mal humor o la inestabilidad de Fulano.

Este es el siguiente gran paso en la sabiduría—reconocer que uno también es esa clase de persona. Uno también tiene un defecto fatal en el carácter. Todas las esperanzas y los planes de otras personas han naufragado una y otra vez en nuestro carácter tal como nuestros planes y esperanzas han naufragado en el de ellas.

No sirve de nada pasar por alto esto admitiéndolo en forma vaga, como "Por supuesto, sé que tengo mis defectos". Es importante reconocer que uno tiene un defecto realmente fatal: algo que produce en los demás el mismo sentimiento de desesperación que sus defectos nos producen a nosotros. Y es casi seguro que es algo que uno no sabe—como lo que los anuncios llaman "halitosis", que todo el mundo percibe menos quien lo tiene.

Pero, ¿por qué nadie me lo dice? se pregunta. Créame, han intentado decírselo una y otra vez, pero usted sencillamente no ha recibido el mensaje. Tal vez buena parte del "mal carácter", "sermoneo" o "ridiculez" que les adjudica son sencillamente los intentos que hacen por hacerle ver la verdad. Incluso los defectos que reconocemos, no los conocemos totalmente.[3]

Estos defectos fatales o puntos débiles distorsionan nuestro juicio. Nos engañan. Incluso pueden destruirnos. Esto es particularmente cierto en el caso de los líderes carismáticos talentosos. Ciegos a sus propios defectos y puntos de vista extremistas, algunos de estos líderes talentosos se han destruido a sí mismos porque carecían de congéneres que los confrontaran y equilibraran y, en realidad, no los querían tener.

El líder individual que está en la cúspide de una organización de estructura piramidal, generalmente carece del importante equilibrio que significan las debilidades y fuerzas de otro. Observemos el lenguaje fuerte que usa Robert Greenleaf, autor del libro *Servant Leadership* (El liderazgo del siervo), para transmitir sus observaciones:

Ser un jefe solitario en la cúspide de una pirámide, es *anormal y corrupto*. Ninguno de nosotros somos perfectos, y todos necesitamos la ayuda y la influencia correctora de colegas cercanos. Cuando alguien es puesto en la punta de una pirámide, esa persona ya no tiene colegas, solamente tiene subordinados. Ni siquiera el más franco y valiente de los subordinados habla con su jefe de la misma manera que lo hace con sus colegas iguales, y los patrones de comunicación normal se distorsionan.[4]

En una estructura de liderazgo de equipo, sin embargo, los distintos miembros se complementan uno al otro y equilibran sus debilidades. Si uno de los ancianos tiene la tendencia a ser torpe con las personas, los demás pueden suavizar su torpeza. Si algún anciano teme las confrontaciones con la gente, otros pueden actuar en su lugar. Los ancianos que tienen más orientación doctrinal pueden reforzar a los que están más orientados hacia la extensión o el servicio. Y los ancianos con mentalidad de extensión o servicio pueden incentivar a los miembros con orientación intelectual hacia el evangelismo o el servicio.

Erroll Hulse, editor de la revista *Reformation Today* (La Reforma hoy), expresa el asunto de la siguiente manera: "Dentro del liderazgo las ideas extremas se suavizan, los juicios severos se moderan y los desequilibrios doctrinales se corrigen. Si un anciano manifiesta un prejuicio o un desagrado personal hacia alguna persona, dentro o fuera de la iglesia, los demás pueden corregir eso e insistir en un trato justo. Si uno de los ancianos tiene una disposición violenta hacia un ofensor, ese ofensor tiene a otros a quienes apelar".[5]

Yo creo que los pastores individuales de las iglesias tradicionales mejorarían su carácter y su ministerio si tuvieran pares genuinos frente a los que fueran normalmente responsables y con quienes trabajaran en conjunto. La mayoría de los pastores no son líderes de muchos talentos, ni están bien ubicados para dirigir individualmente una congregación en forma eficaz. Tienen defectos de personalidad y deficiencias de talento que les causan a ellos mismos y a la congregación daños considerables. Sin embargo, cuando forman parte de un concilio de pastores calificados, las fuerzas de un pastor son una importante contribución a la iglesia y sus debilidades son cubiertas por las fuerzas de los otros.

Aligerar la carga del trabajo

El liderazgo pastoral compartido también ayuda a aligerar una carga muy pesada de trabajo. Si las largas horas, las pesadas responsabilidades, y los problemas de pastorear una congregación (de creyentes) no son suficientes como para abrumar a una persona, tratar con los pecados de las personas y escuchar sus quejas aparentemente interminables y amargos conflictos sí pueden aplastar a un individuo. Incluso el poderoso Moisés decayó casi hasta la muerte bajo las presiones de conducir al pueblo de Israel (Números 11). Con seguridad todo pastor que ha procurado cumplir su tarea conforme a las Escrituras se ha sentido, en algún momento u otro, como Moisés.

Para empeorar las cosas, el sistema de liderazgo de pastor único es, con frecuencia, despiadadamente cruel e injusto para con los pastores. Muchos pastores sobrecargados están solos y aislados, mientras la junta de la iglesia y la congregación hacen las veces de críticos de primera fila. Esta es una de las razones por las que hay tantos pastores de "corto plazo" en las iglesias. Muchos otros pastores se mantienen en la misma iglesia pero son ineficaces porque sufren de severo agotamiento por la lucha. En un sistema de liderazgo conjunto de ancianos, sin embargo, la pesada carga de la vida pastoral es compartida por varios ancianos pastores calificados y activos. Como lo expresa magistralmente Bruce Staggert, "un ministerio de equipo provee pastores para cada pastor, hombres de quienes se puede esperar pleno apoyo y ayuda".[6] Expresando la misma idea en términos más poéticos, el rey Salomón escribió: "Mejores son dos que uno; porque tienen mejor paga de su trabajo. Porque si cayeren, el uno levantará a su compañero; pero ¡ay del solo! que cuando cayere, no habrá segundo que lo levante. También si dos durmieren juntos, se calentarán mutuamente; mas ¿cómo se calentará uno solo? Y si alguno prevaleciere contra uno, dos le resistirán; y cordón de tres dobleces no se rompe pronto" (Eclesiastés 4:9-12).

Finalmente, el liderazgo plural permite a cada anciano pastor funcionar principalmente de acuerdo con sus dones personales en lugar de verse forzado a hacer de todo y luego ser criticado por no tener todos los dones.

Dar cuentas

El historiador inglés Lord Acton (1834-1902) dijo: "El poder tiende a corromper, y el poder absoluto corrompe absolutamente". En función de nuestras creencias cristianas en la realidad del pecado, Satanás y la depravación humana, deberíamos comprender bien por qué las personas que están en un cargo de poder se corrompen fácilmente. De

40

hecho, cuanto mejor comprendamos la doctrina bíblica del pecado, tanto más firme será nuestro compromiso con la responsabilidad. El liderazgo colectivo de un gobierno bíblico de ancianos provee una estructura formal para la genuina responsabilidad. Sólo cuando hay verdadera responsabilidad entre congéneres en el liderazgo, hay esperanzas de romper con el horrible abuso de autoridad pastoral que domina muchas iglesias.

El liderazgo fraternal compartido provee el freno necesario al orgullo, la codicia y el "hacer el papel de Dios", para citar a Earl D. Radmacher, Rector de un Seminario Bautista en Norteamérica: "Los líderes humanos, incluso los cristianos, son pecadores, y solamente cumplen imperfectamente la voluntad de Dios. Por eso, el grupo de líderes funcionará como 'control y equilibrio' mutuo y servirá de guardia contra la tendencia muy humana de hacer el papel de Dios sobre otras personas".[7]

Nunca fue la voluntad de nuestro Señor que la iglesia local fuera controlada por un individuo. El concepto del pastor como un profesional entrenado solitario —la persona sagrada que está sobre la iglesia y que nunca puede realmente formar parte de la congregación— es totalmente ajeno a las Escrituras. Ese concepto no solamente es ajeno a las Escrituras, es psicológica y espiritualmente perjudicial. Radmacher continúa contrastando las deficiencias de un liderazgo que está en manos de un pastor único con lo saludable del liderazgo compartido con varios pastores:

> Los laicos... son indiferentes porque están demasiado ocupados. No tienen tiempo para ocuparse en los asuntos de la iglesia. En consecuencia, la administración de la iglesia se deja mayormente en manos del pastor. Eso facilita al pastor el desarrollo de una disposición dictatorial y alimenta en su corazón el gusto por el poder autocrático.

> Estoy convencido de que Dios ha provisto una defensa contra estas tentaciones poderosas mediante el concepto de liderazgo múltiple de ancianos. El control y el equilibrio provisto por hombres con la misma autoridad es muy saludable y ayuda a lograr la actitud deseada que Pedro expresara a un grupo de ancianos: "Apacentad la grey de Dios que está entre vosotros, cuidando de ella, no por fuerza sino voluntariamente; no por ganancia deshonesta, sino con ánimo pronto; no como teniendo señorío sobre los que están a vuestro cuidado, sino siendo ejemplos de la grey" (1 Pedro 5:2, 3).[8]

El liderazgo compartido provee la íntima responsabilidad, el compañerismo genuino y las relaciones entre congéneres —precisamente

41

las mismas cosas que los pastores "imperiales" evitan a toda costa.

El liderazgo compartido también provee al pastor de la iglesia local de responsabilidad en relación con su trabajo. Los líderes de iglesia (como todos nosotros) pueden ser perezosos, olvidadizos, temerosos, o estar demasiado ocupados para cumplir con sus obligaciones. Es por eso que necesitan colegas en el ministerio ante quienes deban rendir cuentas de su trabajo. Los entrenadores saben que los atletas que se entrenan juntos se estimulan unos a otros a mayores logros. Cuando hay alguien corriendo al lado, el corredor hará un mayor esfuerzo y aumentará la velocidad. Lo mismo ocurre en la obra del Señor. Esta es una de las razones por las que el Señor envió a sus discípulos de en dos.

Cuando nos dejan solos, somos proclives a hacer mayormente lo que queremos hacer, no lo que deberíamos hacer ni lo que es mejor para otros. Esto es especialmente cierto si enfrentamos situaciones tensas, confrontadoras con miembros descarriados. La mayoría de las personas evaden las confrontaciones desagradables a toda costa. Por eso los líderes de las iglesias necesitan el cariñoso estímulo y el apoyo responsable que pueden proveer los líderes de un equipo, para poder cumplir sus obligaciones con rapidez y responsabilidad.

Los riesgos del liderazgo de un cuerpo de ancianos

Todo esto no implica que el liderazgo compartido esté libre de problemas. ¡Claro que no! El liderazgo de equipo en la familia de la iglesia puede ser penosamente lento y terriblemente irritante. D. E. Hoste (1861-1946), un líder extraordinariamente capaz que sucedió a Hudson Taylor en la Misión en China, nos recuerda que "el liderazgo colectivo requiere una orientación y un método diferente del gobierno directo sobre los jóvenes y los subordinados".[9] La orientación del liderazgo compartido requiere una gran dosis de paciencia, oración perseverante, sabiduría, control propio, humildad, confianza, amor y genuino respeto por los dones y los puntos de vista de otros en el cuerpo de Cristo. Como el liderazgo colectivo es más lento y más difícil que el liderazgo individual, la mayoría de los pastores prefieren trabajar solos o con un equipo subordinado.

El liderazgo de equipo también puede ser un arenal de inacción organizacional, si no se implementan buenos principios de manejo, comunicación y clara delimitación de responsabilidades. Siendo el liderazgo mismo un grupo, como lo es la congregación, requiere una organización o tropezará con la desorganización, la indisciplina y la falta de metas. La forma en que se organice el grupo de líderes para un servicio más eficaz, depende de su tamaño. Un equipo compuesto de veinticinco o más hombres, requerirá necesariamente una mayor estructura y conducción que un equipo de dos ancianos. A pesar de estos problemas potenciales, los beneficios a largo plazo del liderazgo compartido de la iglesia local y la satisfacción personal de trabajar para el Señor con un equipo de buenos pastores, superan por mucho a las dificultades y debilidades.

Primero entre un concilio de iguales: Líderes entre líderes

Un aspecto extremadamente importante pero muy mal interpretado del liderazgo bíblico de ancianos es el principio de "primero entre iguales". No comprender el concepto de "primero entre iguales" (ó 1 Timoteo 5:17), ha sido la causa de que muchos líderes ancianos sean trágicamente ineficaces en el liderazgo y cuidado pastoral. Aunque los ancianos actúan en conjunto como concilio y comparten la misma autoridad y responsabilidad en el liderazgo de la iglesia, no son todos iguales en cuanto a sus dones, conocimiento bíblico, capacidad para dirigir, experiencia o dedicación. Entonces, aquellos entre los ancianos que sean líderes y/o maestros particularmente dotados se destacarán naturalmente entre los demás líderes como líderes y maestros en el cuerpo de líderes. Esto es lo que los romanos llamaban *primus inter pares*, lo que significa "primero entre iguales", o *primi inter pares*, "primeros entre pares".

El principio de "primero entre iguales" se observa en el trato de nuestro Señor con los doce apóstoles. Jesús escogió a doce apóstoles, a todos los cuales dotó de poder para predicar y sanar, pero separó tres de ellos para algo especial—Pedro, Santiago y Juan ("primeros entre iguales"). Entre los tres, lo mismo que entre los doce, Pedro se destacó como el principal ("primero entre iguales"). Consideremos los siguientes hechos:

- Entre los doce apóstoles, Pedro, Santiago y Juan, y a veces Andrés, son los "primeros entre iguales". En algunas oportunidades claves Jesús eligió solamente a Pedro, Santiago y Juan para que lo acompañaran y fueran testigos de su poder, su gloria y su agonía (Lucas 8:51; 9:28; Marcos 14:33).

- Entre los tres, lo mismo que entre los doce, Pedro es incuestionablemente el primero entre sus iguales. En las cuatro listas de los apóstoles, el nombre de Pedro está primero (Mateo 10:2-4; Marcos 3:16-19; Lucas 6:14-16: Hechos 1:13). Mateo en realidad se refiere a Pedro como el "primero" (Mateo 10:2). Al llamar a Pedro el "primero", Mateo quiere decir "primero entre iguales". No debemos desestimar el liderazgo destacado de Pedro entre los doce por reacción a la errada exaltación de Pedro propia del catolicismo romano. Los autores del Evangelio no lo hacen.

- En los cuatro Evangelios, Pedro es indiscutiblemente la figura prominente entre los doce. Aparte de Jesús, es a Pedro a quien más se menciona hablando o actuando. Si tiene dudas, busque el nombre de Pedro en la concordancia bíblica, luego busque los nombres de los otros apóstoles. Inmediatamente verá la prominencia de Pedro entre los doce en los Evangelios y los Hechos.

- Jesús encargó a Pedro: "confirma a tus hermanos" (Lucas 22:32). Jesús reconoció a Pedro como primero entre sus hermanos, como el líder y motivador natural. Sabía que necesitarían el liderazgo de Pedro para ayudarlos a superar los días difíciles que seguirían inmediatamente a la partida de su Señor.

- El libro de los Hechos demuestra ricamente el liderazgo de Pedro. Entre los doce que compartieron el liderazgo de la iglesia primitiva (Hechos 2:14, 42; 4:33, 35; 5:12, 18, 25, 29, 42; 6:2-6; 8:14; 9:27; 15:2-29), Pedro es el principal orador y el líder natural a lo largo de los primeros doce capítulos de Hechos (Hechos 1:15; 2:14; 3:1 y subsiguientes; 4:8 y subsiguientes; 5:3 y subsiguientes; 5:15, 29; 8:14-24; 9:32—11:18; 12:3 y subsiguientes; 15:7-11; Gálatas 2:7-14). Incluso algunos eruditos dividen el libro de Hechos de acuerdo a sus dos figuras centrales: los hechos de Pedro (Hechos 1—12) y los hechos de Pablo (Hechos 13—28). Muchos sólidos comentaristas bíblicos evangélicos interpretan la afirmación de Cristo en Mateo 16:18 como que Pedro es la roca y sobre él Cristo edificaría su Iglesia (pero no exclusivamente sobre él según otros pasajes como Efesios 2:20). Consideran el libro de Hechos como el relato de esa promesa cumplida (especialmente Hechos 10:1—11:18).

- En la carta de Pablo a los Gálatas, Pablo habla de Santiago, Pedro y Juan como los "pilares" reconocidos de la iglesia en Jerusalén (Gálatas 2:9; ver también Gálatas 2:7, 8).

Como líder natural, orador principal, hombre de acción, Pedro desafiaba, fortalecía, entusiasmaba y encendía al grupo. Sin Pedro, el grupo hubiera sido menos eficaz. Rodeado de otros once apóstoles que eran sus iguales, Pedro se fortaleció, se equilibró y fue protegido de su naturaleza impetuosa y de sus temores. A pesar de su destacado liderazgo y habilidad oratoria, *Pedro no poseía ningún rango legal ni oficial por sobre los otros once*. *No eran sus subordinados*. *No era el "pastor mayor" sobre los demás apóstoles*. Pedro era sencillamente el primero entre sus iguales, y eso con la aprobación misma de nuestro Señor.

La relación de liderazgo de "primero entre iguales" también se puede observar entre los Siete que fueron elegidos para relevar a los apóstoles en Hechos 6. Felipe y Esteban sobresalían como figuras prominentes entre los otros cinco hermanos (Hechos 6:8—7:60; 8:4-40; 21:8). Si embargo, hasta donde informa el relato, ninguno de los dos tenía un título o una posición especial por encima de los otros.

El concepto de "primero entre iguales" se evidencia más adelante en la relación entre Pablo y Bernabé en su primer viaje misionero. Estos dos, Pablo y Bernabé, eran apóstoles (Hechos 13:1-3; 14:4; 15:36-39; 1 Corintios 9:1-6), sin embargo Pablo era el primero entre los dos porque era "el que llevaba la palabra", y era el más dinámico (Hechos 13:13; 14:12). Aunque Pablo era claramente el más dotado de los dos apóstoles, no tenía ningún rango especial con relación a Bernabé; trabajaban juntos como compañeros en el evangelio. Una relación similar parece haber habido entre Pablo y Silas, que también era un apóstol (1 Tesalonicenses 2:6).

Finalmente, el concepto de "primero entre iguales" se evidencia por la forma en que las congregaciones deben honrar a sus ancianos. Pablo escribió instrucciones específicas en relación con los ancianos de la iglesia de Efeso: "Los ancianos que gobiernan bien sean tenidos por dignos de doble honor, mayormente los que trabajan en predicar y enseñar. Pues la Escritura dice: No pondrás bozal al buey que trilla"; y: "Digno es el obrero de su salario" (1 Timoteo 5:17-18). Todos los ancianos deberían poder enseñar la palabra, pero no todos desean dedicarse totalmente a la predicación o a la enseñanza. Los que son dotados para la enseñanza y dedican su tiempo para hacerlo, deberían ser reconocidos por la iglesia local. Deberán recibir doble honor (ver capítulo 9, página 213).

Esto no significa, sin embargo, que los ancianos que están primero entre iguales hacen todo el trabajo intelectual y la toma de decisiones en el grupo, o que sean los pastores mientras los demás son simplemente ancianos. Llamar "pastor" a un anciano y a los demás "ancianos", o a un anciano "clérigo" y a los demás "ancianos laicos" es actuar sin base bíblica. Hacerlo no resultará en un liderazgo bíblico de ancianos. *Creará, al menos en la práctica, un oficio superior, separado, por encima del liderazgo, tal como sucedió en el segundo siglo cuando se produjo la división entre el "sobreveedor" y los "ancianos".*

La ventaja del principio de "primero entre iguales" es que permite *la diversidad funcional basada en los dones dentro del equipo de ancianos líderes sin por ello crear un cargo oficial superior sobre los líderes iguales.* Al igual que los apóstoles que lideraban, como Pedro y Juan, no tenían ningún título especial o distinción formal en relación con los otros apóstoles, los ancianos que reciben doble honor no constituyen ninguna clase oficial ni reciben ningún título especial. Las diferencias entre los apóstoles son funcionales, no formales.

Beneficios del principio de primero entre iguales

El principio de "primero entre iguales" permite que un líder (o líderes) y un maestro (o maestros) muy dotados utilicen sus dones dados por Dios en todo su potencial. En muchos casos, no en todos, esto requerirá que la congregación provea apoyo financiero para que el hermano dotado pueda dedicar más tiempo al servicio de la iglesia local. Cuando un hombre tiene que sostenerse mediante un empleo diario, le queda poco tiempo para el estudio serio, la extensión y las tareas administrativas. No sugiero en absoluto que los ancianos que se sostienen ellos mismos o los llamados "fabricantes de tiendas" no sean maestros o líderes eficaces. Con seguridad lo son, pero tienen tiempo y energías limitadas para dedicar a la tarea. La iglesia de la que formo parte fue iniciada por varios ancianos "fabricantes de tiendas" y llegó a tener más de doscientos miembros antes de que alguno de ellos se convirtiera en anciano dedicado totalmente al ministerio, sostenido por la iglesia. Los ancianos a dedicación total y/o parcial aumentan significativamente la eficacia y el rendimiento del liderazgo de ancianos. A su vez, todo el rebaño prospera.

Según el pasaje de 1 Timoteo 5:17, el doble honor se debe especialmente a los que "trabajan en predicar o enseñar". La razón de esto es que Dios ha ordenado que la iglesia local crezca, se fortalezca y sea protegida de las falsas doctrinas por medio de la predicación y la enseñanza de la Palabra. De modo que no debemos descuidar el sostén de quienes trabajan en la Palabra. Como dicen las Escrituras, son verdaderamente "dignos de doble honor".

Además, "primero entre iguales" provee la protección desesperadamente necesaria contra las trampas bien conocidas del egoísmo, la codicia, el desequilibrio, y una ambición perjudicial, a las que pueden sucumbir los líderes y maestros muy dotados. Un líder o maestro excepcionalmente bien dotado puede enseñar y dirigir con todo su celo y su poder como mandan las Escrituras hacerlo (Romanos 12:7-8), y aun así ser responsable ante colegas líderes y maestros. El líder o maestro cristiano que rehusa la responsabilidad fraternal de los hermanos se engaña a sí mismo y se encamina a la autodestrucción. El líder cristiano que conoce realmente su Biblia y tiene una visión honesta de su condición de pecador y de sus debilidades, reconoce la innegable necesidad de control y equilibrio que proveen los compañeros en el liderazgo. Sólo los dictadores temen la responsabilidad frente a los buenos colegas.

Cómo resolver las trampas comunes del "primero entre iguales"

Hay peligros en toda forma de gobierno o estructura de liderazgo administrado por seres humanos pecadores, y el principio de "primero entre iguales" no es una excepción. Hay un peligro muy real de que los ancianos abandonen la responsabilidad dada por Dios del cuidado espiritual de la iglesia a uno o dos hombres especialmente dotados. Este peligro siempre existirá porque las personas somos egoístas y perezosas por naturaleza, especialmente cuando se trata de cuestiones espirituales, y estamos más que dispuestos a pagar a otro para que haga nuestro trabajo. Pero si eso sucediera, los ancianos quedarían reducidos a la condición de consejeros y el concepto de "primero entre iguales" se volvería "primero sin iguales". Entonces el liderazgo bíblico de ancianos desaparecería.

Otro peligro es que algún líder controlador y dominante pueda abusar del principio de "primero entre iguales". Un líder así puede llegar a monopolizar los ministerios claves de la iglesia, seguir su propio camino y evitar a la fuerza cualquier disidencia o desacuerdo. A los líderes controladores no les gustan los colegas: quieren hombres complacientes, sumisos y leales.

Sin embargo, esos peligros se pueden evitar. A continuación hay algunas sugerencias:

- La iglesia local y sus líderes deben tomar en serio las condiciones bíblicas requeridas para los ancianos. Un hombre "obstinado", "dominante", no está calificado para ser un líder de iglesia, según el Nuevo Testamento, y debería ser sacado del equipo (Tito 1:7; 1 Pedro 5:3). Lo mismo los ancianos ineficaces, figuras decorativas, tampoco están calificados para servir como ancianos y deben ser quitados del grupo (1 Pedro 5:2). Si la iglesia local no está sólidamente determinada a tener ancianos calificados bíblicamente, se encontrará impotente para actuar contra los pastores tiránicos u ociosos.

• Los ancianos necesitan trabajar estrechamente unos con otros como equipo unido, consolidando la confianza y creciendo juntos. En consecuencia, las reuniones de ancianos son oportunidades extremadamente importantes para ministrarse unos a otros tanto como para organizar las tareas. Uno de los secretos del éxito en el liderazgo son las reuniones regulares que incluyen una buena parte del tiempo dedicado a trabajar juntos en oración (Hechos 6:4). Los ancianos de la junta administrativa no trabajan juntos en oración, pero los pastores espirituales no pueden dejar de hacerlo. Adaptando un viejo refrán, podemos decir que "Los ancianos que oran juntos permanecen juntos". Además del tiempo de trabajo de los ancianos, también son necesarios algunos momentos de camaradería, para consolidar la amistad, el espíritu de grupo, y la confianza. Summerton comenta: "Es importante que los ancianos (y yo recomendaría, y sus esposas) dediquen tiempo, a pesar de la presión de las demás cosas, a la oración, la camaradería y a relajarse juntos, sin el impedimento de una agenda. El propósito es consolidar los lazos de amor que deben ser evidentes para la congregación y que sobrevivirán a las tensiones inevitables que impone la responsabilidad en un mundo imperfecto".[10]

• Los ancianos necesitan estar comprometidos al esfuerzo de ayudarse mutuamente a edificar sus vidas. Los ancianos mayores, más experimentados, deben hacer de mentores para los ancianos más jóvenes. Deben recomendar períodos de descanso sabático a los colegas agotados. Deben establecer programas de educación permanente para ellos mismos. Necesitan dar pasos prácticos para la consolidación de un liderazgo eficaz, con orientación espiritual, que involucre a todos los líderes que comparten la responsabilidad de pastorear el rebaño de Dios.

48

Capítulo 3

Liderazgo masculino

"Si fueren destruidos los fundamentos, ¿Qué ha de hacer el justo?"

Salmos 11:3

Hay mucho acerca del oficio de los ancianos que ofende a las personas que van a la iglesia hoy en día: el concepto de ancianos que proveen cuidado pastoral, la pluralidad de pastores, y la idea de pastores-ancianos llamados "laicos" o no clérigos. Pero, no hay nada más objetable en las mentes de personas contemporáneas que el concepto bíblico de un cuerpo de ancianos totalmente masculino. Un cuerpo de ancianos bíblico, sin embargo, debe ser un cuerpo de ancianos masculino.

En las mentes de la mayoría de las personas contemporáneas, el excluir a las mujeres del liderazgo de la iglesia, es sexista, discriminatorio y un ejemplo más de dominación masculina. Pero este no debe ser el caso. Nadie que en verdad ame a la gente, que sea sensible a la Palabra de Dios, y que esté consciente de la dolorosa deshumanización que las mujeres han sufrido (y aún sufren) en todo el mundo, deseará discriminar contra las mujeres. Las mujeres han sufrido demasiado bajo hombres crueles e irresponsables y tienen todo el derecho de demandar justicia y cambio. La discriminación contra la mujer es un pecado grave y deshonra a Dios en cuya imagen la mujer fue creada. Sin embargo, en nuestro celo por corregir el mal cometido contra la mujer, no debemos olvidar que Dios diseñó distinciones masculinas/femeninas a fin de que los sexos se pudieran complementar perfectamente entre sí y ejercitar distintas funciones en la sociedad. El negar estas distinciones es tan destructivo y deshonroso como es el pecado de discriminar contra la mujer.

Debemos comprender claramente la enseñanza bíblica en cuanto a la mujer y el hombre siendo perfectamente iguales como personas, en dignidad y valor, pero distintos en roles de género. Estas diferencias deben ser disfrutadas, exploradas al máximo y desarrolladas a través de la vida—no erradicadas ni odiadas. John Piper, pastor y autor, quien es uno de los editores de la importante obra "*Recovering Biblical Manhood and Womanhood*" (Recobrando la masculinidad y la femineidad bíblica), claramente expresa su admiración por las maravillosas diferencias, creadas por Dios, entre el hombre y la mujer. Piper escribe: "A través de los años he llegado a ver en las Escrituras y en la vida diaria que masculinidad y femineidad son el hermoso trabajo de las manos de un Dios bueno y amante. El diseñó nuestras diferencias, y son profundas. No son meramente pre-requisitos fisiológicos para la unión sexual. Ellas van a la raíz misma de nuestra persona".[1]

Sin embargo un gran número de mujeres no están conscientes de estas maravillosas diferencias. No tienen idea de lo que significa ser una mujer a diferencia de un hombre. En nombre de la justicia y la imparcialidad hacia las mujeres, metas que todos con placer debemos tratar de lograr, las mujeres están siendo engañadas en cuanto a su identidad femenina y la santa Palabra de Dios. Una vez más la mujer está siendo explotada, pero esta vez es por falsos filósofos feministas que degradan la femineidad santa y la maternidad y que son contrarios a los niños, la familia y en última instancia contrarios a la mujer.

El restringir a la mujer del liderazgo en la iglesia sería injusto y discriminatorio si fuera decidido arbitrariamente por hombres para sus propios intereses egoístas, pero si tal restricción fue parte del plan de un sabio Creador, entonces no es discriminación—es justo y bueno para el beneficio de la familia, la iglesia local y toda la raza humana. Como cristianos, no podemos acusar a Jesús de discriminación. Sólo él es perfecto; nosotros somos imperfectos. Pero Cristo Jesús nombró sólo a hombres para el oficio fundamental de la Iglesia: el apostolado. Si bien al espíritu feminista de la era actual le repugna tal pensamiento, Jesús es el fundador y el Señor de la Iglesia y nosotros debemos seguir su ejemplo y enseñanza.

EL MODELO DE LIDERAZGO MASCULINO DENTRO DEL APOSTOLADO

Para el creyente que cree en la Biblia, el ejemplo primario de liderazgo masculino se encuentra en la persona de Jesucristo. El punto más obvio es que Cristo vino al mundo como el Hijo de Dios, no la hija de Dios. Su masculinidad no fue una cuestión arbitraria. Fue una necesidad teológica, absolutamente esencial a su persona y obra. Jesús era y debía ser un varón primogénito, "santo al Señor" (Lucas 2:23). Como el "último Adán" y "el segundo hombre", él era el antitipo de Adán, no de Eva. Por lo tanto debía ser varón (1 Corintios 15:45, 47; Romanos 5:14). Debía ser el hijo primogénito de David y Abraham, el verdadero hijo de la promesa del Rey, no la reina, de Israel, y el Señor, no la dama del universo. Según el orden de la creación, Jesús no podía ser una mujer porque en la relación varón/mujer sólo el varón es investido con el ministerio de cabeza y autoridad (Génesis 2:20, 22, 23; 1 Corintios 11:3; 1 Timoteo 2:12) y sólo Jesucristo es cabeza de la Iglesia y Rey de Reyes. El es el modelo para todo líder varón.

Durante su ministerio terrenal, Jesús personalmente entrenó y designó doce hombres a quienes llamó "apóstoles" (Lucas 6:13). La elección de Jesús de un liderazgo masculino era una afirmación del orden de la creación como se presenta en Génesis 2:18-25. Antes de elegir a los doce, Lucas nos dice que Jesús pasó toda la noche en oración con su Padre (Lucas 6:12). Como el Hijo perfecto, en completa sumisión y obediencia a la voluntad de su Padre, Jesús eligió doce hombres para ser sus apóstoles. Es así que estos hombres fueron la elección de Dios el Padre. La elección de Jesús de apóstoles varones estuvo basada en principios y guías divinos.

A pesar de su elección, divinamente inspirada, de un apostolado masculino, los feministas evangélicos dicen que la época no era propicia para designar mujeres-apóstoles. La cultura del primer siglo requería que Jesús nombrara sólo hombres apóstoles, si bien en teoría él hubiera aprobado de mujeres apóstoles.

Según los intérpretes femeninos, en el tiempo del Antiguo Testamento, Dios tuvo que adaptar su Palabra a la cultura patriarcal prevaleciente, a fin de ser comprendido y aceptado. Finalmente ahora viene el Mesías, quien es Dios encarnado y Dios nuevamente se aco-

51

barda ante el temible monstruo de la cultura patriarcal. Jesucristo no debe ofender la cultura patriarcal, eligiendo a una mujer como apóstol.

Pero debemos preguntarnos, ¿cuándo es el tiempo aceptable para levantar la voz? ¿Cuándo estará preparada la sociedad para aceptar mujeres-apóstoles, en 1949 d.C. con la aparición del libro de Simone de Beauvoir, "The second sex" (El segundo sexo)? ¿Sería necesaria la sociedad secular occidental para determinar en qué momento Jesús podía hablar?

La Biblia dice que Jesús vino al mundo y específicamente a una cultura judía, al tiempo y al lugar divinamente designados (Gálatas 4:4). Ese era el momento propicio de actuar y Jesús era la única persona con el poder y la autoridad para actuar en nombrar mujeres-apóstoles, si tal cosa fuera posible.

Si Jesús hubiera deseado abolir los roles de cabeza/subordinación creados a través de su obra de redención, como los feministas alegan, la elección de los doce *era el momento crucial en la historia para actuar y nombrar mujeres al apostolado*. El apostolado es el oficio fundamental de la Iglesia, de modo que los apóstoles debían ser establecidos desde el principio. No se pone el fundamento de la Iglesia en el piso veinte del edificio; se pone abajo, al comienzo de la construcción.

De seguro que la elección de Jesús de los doce apóstoles afectó a la Iglesia durante los 2000 años siguientes. Jesús sabía de las consecuencias a largo plazo de su elección. En efecto, los doce apóstoles varones serán nombrados en las piedras fundamentales de la nueva Jerusalén, la ciudad eterna, para ser recordados por siempre (Apocalipsis 21:14).

Además, los doce apóstoles tienen conexión con los doce hijos de Jacob, las doce tribus de Israel (Apocalipsis 21:12-14). El designar otros doce hombres era una continuación del liderazgo masculino del pasado. Nuevamente, la elección de los doce era el tiempo oportuno para romper con la estructura de liderazgo patriarcal de Israel.

Como el aclamado liberador de la mujer, ¿no debería Jesús haber elegido seis mujeres y seis hombres como apóstoles, o por lo menos una mujer-apóstol? ¿No podría una mujer-apóstol ministrar a las mujeres? Sin embargo, él eligió varones solamente.

Si Jesús es el igualitario supremo que algunos consideran que es, por cierto que decepcionó a las mujeres en un momento crítico de la historia.

Debemos preguntarnos, ¿por qué habría de preocuparse Jesús de que lo rechazarían por elegir mujeres como apóstoles, cuando ya había sido rechazado por sus escandalosas enseñanzas y su comportamiento?

No importa de qué manera lo traten de expresar, los feministas siempre insultan el carácter de Jesucristo cuando explican que la ausencia de mujeres-apóstoles es debido a la concesión que Jesús dio a las costumbres judías del primer siglo. Si Jesús se dejó llevar por su cultura masculina chauvinística en la elección del liderazgo apostólico, lo que dijo o hizo por la mujer, es en su mayor parte inaplicable para nosotros. Jesús está fuera del debate sobre género.

Pero tal no es el caso. Jesús actuó sobre los principios divinos revelados en Génesis 2 al elegir varones como apóstoles. Jesucristo dio a la Iglesia un liderazgo masculino.

Su designación de un apostolado masculino no niega el hecho que Jesús honró la dignidad de la mujer, ministró a las mujeres, viajó con ellas, y estimuló el servicio de las mujeres a Dios y a sí mismo en una manera muy diferente a la de los líderes religiosos de su tiempo. A pesar de su profundo afecto y estrecha relación con un número de mujeres (tales como María y Marta), el hecho es que Jesús estableció un oficio apóstolico-masculino como el fundamento permanente de su Iglesia (Efesios 2:20; 3:5; Apocalipsis 21:14). Aun cuando se hizo necesario un sustituto para Judas, uno de lo doce, sólo "varones" (del griego, *andron*, Hechos 1:21) fueron considerados. Un hombre fue elegido para esa posición por el Señor mismo (Hechos 1:24). No hay un claro ejemplo de una mujer-apóstol en todo el Nuevo Testamento.

Los doce apóstoles siguieron el ejemplo de su Señor y Maestro al designar siete varones, no siete varones y mujeres, cuando se vieron en la necesidad de establecer un cuerpo oficial de siervos para atender a las necesidades de las viudas en la iglesia (Hechos 6:1-6). Aún treinta años después de la ascensión de Jesús al cielo, Pedro escribió a las iglesias del noroeste de Asia Menor y exhortó a sus hermanas creyentes a someterse a sus esposos de la misma manera que las "santas mujeres" del Antiguo Testamento. También exhortó a los maridos a cuidar de sus esposas y les recordó que sus esposas eran co-herederas de "la gracia de vida". Así Pedro siguió tomando el ejemplo de su Señor, enseñando tanto distinción de funciones como igualdad masculina/femenina:

> Asimismo vosotras, mujeres, estad sujetas a vuestros maridos...
> Vuestro atavío no sea el externo... sino el interno, el del corazón en el
> incorruptible ornato de un espíritu afable y apacible, que es de grande
> estima delante de Dios. Porque así también se ataviaban en otro tiempo
> aquellas santas mujeres que esperaban en Dios, estando sujetas a sus

maridos; como Sara obedecía a Abraham, llamándole señor; de la cual vosotras habéis venido a ser hijas, si hacéis el bien, sin temer ninguna amenaza (1 Pedro 3:1-6).

Vosotros, maridos, igualmente vivid con ellas sabiamente, dando honor a la mujer como a vaso más frágil, y como a coherederas de la gracia de la vida, para que vuestras oraciones no tengan estorbo (1 Pedro 3:7).

Notemos que Pedro respalda su enseñanza sobre sumisión con textos del Antiguo Testamento y su entendimiento de los deseos y la voluntad de Dios. Quienes tratan de justificar mujeres-ancianas encuentran muy poca ayuda de los ejemplos y enseñanzas de Jesús y sus doce discípulos.

EL MODELO DE LIDERAZGO MASCULINO EN LAS IGLESIAS DEL NUEVO TESTAMENTO

La tradición bíblica de liderazgo masculino continuó a través de la era del Nuevo testamento. Aun un examen somero de las Escrituras indica que esto es verdad. De modo que viene como una conmoción mental, que después de casi dos mil años de estar de acuerdo con Pablo (y Jesús) en restringir a las mujeres del liderazgo que, hoy en día, muchos cristianos creyentes en la Biblia y eruditos, alegan que el Nuevo Testamento y Pablo son igualitarios. Este punto de vista es a menudo llamado Feminismo Bíblico o Igualitarismo, significando que hombres y mujeres son absolutamente iguales y que el Nuevo Testamento no enseña la tradicional distinción de función masculina/femenina relacionado con dirección y sumisión. Sin embargo, este punto de vista, no es apoyado por la Biblia. Si se permite a la Biblia *hablar por sí misma*, se verá que enseña tanto la igualdad de los sexos como la distinción de función de los géneros.

No es mi propósito en este breve capítulo presentar una discusión completa sobre las funciones masculinas y femeninas. Esto ya ha sido hecho por muchos otros y está presentado en forma exhaustiva en el libro, *"Recovering Biblical Manhood and Womanhood: A Response to Evangelical Feminism"* (Recobrando la masculinidad y femineidad bíblica: una respuesta al Feminismo Evangélico), editado por John Piper y

Wayne Grudem. Mi propósito específico es demostrar que las Escrituras excluyen a las mujeres del liderazgo en la iglesia. Vayamos ahora a la enseñanza de Pablo sobre el tema, que él entregó a las iglesias del Nuevo Testamento y a sus líderes.

Funciones de dirección y sumisión en la relación matrimonial

Respecto a la relación matrimonial, Pablo no podría ser más claro sobre el orden divino o la relación entre marido y mujer. En absoluto acuerdo con las instrucciones de Pedro sobre la sumisión de la esposa, Pablo enseña que el marido tiene la autoridad y es encomendado a ser el líder en la relación matrimonial y que la esposa es instruida a someterse "como al Señor". Los siguientes versículos hablan por sí mismos:

- "Las casadas estén sujetas a sus propios maridos, como al Señor" (Efesios 5:22).

- "Así que, como la iglesia está sujeta a Cristo, así también las casadas lo estén a sus maridos en todo" (Efesios 5:24).

- "Porque el marido es cabeza de la mujer, así como Cristo es cabeza de la Iglesia" (Efesios 5:23).

- "Casadas, estad sujetas a vuestros maridos, como conviene en el Señor" (Colosenses 3:18).

- "Pero tú habla lo que está de acuerdo con la sana doctrina... Que enseñen a las mujeres jóvenes a amar a sus maridos y a sus hijos, a ser prudentes, castas, cuidadosas de su casa, buenas, sujetas a sus maridos, para que la Palabra de Dios no sea blasfemada" (Tito 2:1, 4, 5).

Efesios 5:22-23

En un estilo claro y directo Pablo instruye a las esposas creyentes a que se sometan a sus maridos: "Las casadas estén sujetas a sus propios maridos, como al Señor" (Efesios 5:22).

Sumisión

La palabra sumisión es la palabra clave en el debate de los géneros. El verbo griego para "sumisión" es *hypotasso*. Significa: "estar sujeto a", "estar subordinado a". La palabra implica siempre una relación de sumisión a una autoridad.

En la sociedad contemporánea el aplicar la palabra "S"—sumisión—a una mujer es como considerarla de la edad de piedra o prehistórica. Muchas personas se imaginan que la sumisión de la mujer es lo mismo que los hombres de las cavernas que arrastraban a las mujeres por el cabello, o un regreso a la Edad Media. Por cierto que no es un término popular entre las masas de igualitarias instruidas.

Las feministas evangélicas saben que la sumisión es una virtud cristiana pero creen sólo en la "mutua sumisión" entre marido y mujer. Niegan cualquier función de autoridad única en su género, designada por Dios, reservada para el esposo. Se consideran profundamente ofendidas ante la idea de que la esposa tiene el deber especial de someterse a su marido. Niegan con vehemencia que la esposa cristiana debe someterse a su esposo de un modo que el esposo no debe someterse a ella.

El problema, sin embargo, es que la palabra griega utilizada para "sumisión" significa estar sujeto a una autoridad. Pedro sabe lo que quiere decir, y él elige la palabra correcta para comunicar lo que quiere decir. Wayne Grudem, profesor de teología en Trinity Evangelical Divinity School y un experto en la posición complementaria, dice que el término griego para sumisión "nunca es 'mutuo' en su fuerza de comprensión; siempre es en una dirección en referencia a sumisión a una autoridad".[2] Aun más precisamente, Grudem señala que "(e)n cualquier ejemplo que podamos encontrar, cuando la persona A se dice que *está sujeta* a la persona B, la persona B tiene una autoridad única que la persona A no tiene".[3] He aquí ejemplos del Nuevo Testamento sobre este punto.

- Jesús estuvo sometido a sus padres (Lucas 2:51)
- Los ciudadanos están sometidos al gobierno (Romanos 13:1).
- Los demonios estaban sometidos a los discípulos (Lucas 10:17).
- El universo está sometido a Cristo (1 Corintios 15:27).
- La iglesia está sometida a Cristo (Efesios 4:24).
- Las autoridades celestiales, invisibles, están sometidas a Cristo (1 Pedro 3:22).
- Los creyentes están sometidos a Dios (Santiago 4:7).
- Los creyentes están sometidos a sus líderes espirituales (1 Corintios 16:15, 16).
- Cristo está sometido a Dios el Padre (1 Corintios 15:28).

- Los siervos están sometidos a sus amos (Tito 2:5).
- Las esposas están sometidas a sus maridos (Efesios 5:23).

Ninguna de estas relaciones es alguna vez invertida. Entre estas relaciones de dirección/subordinación, los amos no están sujetos a sus siervos, el gobierno no está sujeto a sus ciudadanos; Cristo no está sujeto a los ángeles; los padres no están sujetos a sus hijos; y los maridos no están sujetos a sus esposas.

Notemos dos puntos cuidadosamente: El Nuevo Testamento nunca ordena al esposo a someterse a su esposa; siempre es el reverso. En el matrimonio cristiano, las funciones de marido-mujer no son intercambiables o irrelevantes.

Segundo, tengamos en cuenta que hay distintas clases de relaciones de subordinación, cada una requiriendo reacciones distintas de parte del subordinado y la cabeza. La relación marido-mujer no es la de un patrón-empleado, comandante-soldado, o maestro-alumno. Es una relación de amor, la más íntima de todas las relaciones humanas. Es una relación convenio/matrimonio en la que dos adultos forman una unión, y dentro de esa unión una parte con amor toma la dirección y la otra parte voluntariamente apoya esa dirección y se somete a ella.

Puesto que la relación matrimonial consiste en ambas cosas: tanto en la unidad como en la diferencia de función (dirección/sumisión), existirá una gran mutualidad e interdependencia. "Dentro de un sano matrimonio cristiano... habrá un gran elemento de consulta mutua y búsqueda de sabiduría, y la mayoría de las decisiones se harán por consenso entre marido y mujer".[4] Ambas partes en el matrimonio deben complementarse, no competir entre sí.

Después de exhortar a las esposas a someterse a sus maridos (Efesios 5:22), Pablo inmediatamente presenta una razón para la sumisión de la esposa: "porque el marido es cabeza de la mujer, así como Cristo es cabeza de la iglesia" (Efesios 5:23). Las Escrituras no dicen que el marido debiera ser la cabeza de la mujer, sino que ES la cabeza de la mujer.

Cabeza

Pero, ¿qué significa la palabra "cabeza"? "Cabeza" es una de las tres palabras claves que manejan el debate sobre los géneros. Para avanzar en el debate, debemos comprender el significado correcto de la palabra.

La palabra griega para "cabeza" es *kephale*. Esta es la palabra griega

ejemplo en todo el griego antiguo donde esta palabra (kephale) es utilizada para referirse a una persona y significa lo que Ud. cree, es decir, 'fuente, sin autoridad'?[7] Grudem concluye:

> Dondequiera se diga que una persona es "cabeza" de otra persona (o personas), la persona que es llamada "cabeza" es siempre la que está en autoridad (tal como el general de un ejército, el emperador Romano, Cristo, los líderes de las tribus de Israel, David como líder de las naciones, etc.). Específicamente, no podemos encontrar ningún texto (en la literatura griega) donde la persona A es llamada "cabeza" de la persona o personas B, y no está en posición de autoridad sobre esa persona o personas.[8]

Finalmente, debemos poner bien en claro que todo el contexto de Efesios 5:21-6:9 referente a sumisión y liderazgo de esposa y esposo, hijos y padres, y siervos y amos, por sí solo debiera resolver la cuestión del significado de la palabra "cabeza". En el versículo 22 se le instruye a la mujer a que se someta a su marido, el cual es llamado "cabeza de la mujer". En el contexto, esto sólo puede significar que el marido es una figura de autoridad (cabeza), de lo contrario la instrucción a la sumisión no tiene sentido. Como un experto, con razón, concluye. "Sólo violando el texto se puede asegurar que la idea de autoridad está ausente del lenguaje sobre liderazgo y sumisión en Efesios 5:22-23".[9]

Pablo además enseña, en Efesios 5, que la relación matrimonial es un cuadro vivo de la relación entre Cristo y la iglesia: "Grande es este misterio; mas yo digo esto respecto de Cristo y de la iglesia" (Efesios 5:32). La relación entre marido y mujer es como un espejo de la relación entre Cristo y su iglesia. Cristo, el esposo, es la Cabeza, y la iglesia, la esposa, está sujeta a él en todo. De la misma manera, el marido es la cabeza en la relación matrimonial y la mujer se somete a él en todo. Por lo tanto, el liderazgo-sumisión en la relación matrimonial no está condicionado por la cultura. Por el contrario, "es parte de la esencia del matrimonio".[10]

Colosenses 3:18

Colosenses 3:18 también declara el principio hallado en Efesios 5: "Casadas, estad sujetas a vuestros maridos, como conviene en el Señor". Comentando sobre los pasajes de Efesios 5 y Colosenses 3, George Knight III, comentarista bíblico y profesor de Nuevo Testamento en el Seminario Teológico Knox, observa: "esta exhortación particular a la mujer de someterse a su esposo es la enseñanza universal del Nuevo Testamento. Todo pasaje que trata de la relación de la mujer hacia su marido, le enseña que debe someterse a él, utilizando el mismo verbo *(hupotasso)*: Efesios 5:22; Colosenses 3:18; 1 Pedro 3:1; Tito 2:4 y siguientes".[11]

Funciones de liderazgo y sumisión en la iglesia local

Así como Pablo enseña liderazgo masculino en la familia, también enseña liderazgo masculino en la familia extendida, la familia de la iglesia local.

Pablo es el único apóstol que da instrucciones repetidas y explícitas sobre las funciones de los hombres y las mujeres en la comunidad de la iglesia y en las reuniones congregacionales de la iglesia. De manera que las enseñanzas de Pablo no pueden ser ignoradas ni puestas de lado como "oscuras" o "sin importancia". Ellas son fundamentales para la comprensión de las funciones de los hombres y las mujeres en la "familia de Dios" (1 Timoteo 3:15).

Una razón por la cual la gente hoy en día no comprende el punto de vista del Nuevo Testamento sobre la mujer en la iglesia, es que no comprende la relación íntima entre la familia individual, a la que a veces se refieren como la "pequeña iglesia", y la familia extendida, es decir, la iglesia local, la familia de Dios.

A Pablo le encanta utilizar la analogía de la familia al hablar de la naturaleza y orden de la iglesia local (1 Timoteo 3:15). Puesto que la familia es la unidad social fundamental y el hombre es el líder familiar establecido, no debe sorprendernos que los hombres deben ser los líderes de familia de la iglesia local.

Stephen Clarck declara de manera convincente este principio:

> Hay otra consideración que indica la conveniencia de tener a los hombres como ancianos de la comunidad cristiana. . . la estructura del liderazgo debe estar formada de tal manera que sostenga toda la estructura social de la comunidad de la iglesia. Si los hombres deben ser cabezas de las familias, deben también ser cabezas de la comunidad. La comunidad debe estar estructurada de tal manera que apoye el modelo de la familia, y la familia debe estar estructurada de tal manera que apoye el modelo de la comunidad. Es en la familia donde aprenden sus funciones en la comunidad. Y viceversa, lo que ven en la comunidad, refuerza lo que aprenden en la familia. Por ello, el adoptar principios diferentes a nivel de la comunidad, debilita la familia, y viceversa.[1]

Por lo tanto, la familia de la iglesia local debe ser un modelo de liderazgo masculino y sumisión femenina, como ejemplo que las familias individuales puedan seguir.

El principio de liderazgo masculino, sin embargo, no disminuye en manera alguna la importancia y necesidad de una activa participación femenina en el hogar y la iglesia. Las mujeres cristianas del primer siglo cumplían una función indispensable en la obra del Señor, y muchos pasajes dan evidencia de mujeres que trabajaron diligentemente en el servicio del Señor. Algunos de los colaboradores de Pablo en su ministerio fueron mujeres (Romanos 16:1-15; Filipenses 4:2,3). Pero sus funciones en el avance del evangelio y el cuidado que ofrecían a los creyentes, era realizado de tal manera que no violaba el liderazgo masculino en el hogar y la iglesia.

Consideremos los tres pasajes siguientes que proveen en forma directa instrucción apostólica sobre liderazgo masculino y sumisión femenina en la familia de la iglesia local: 1 Timoteo 2:8-15; 1 Corintios 14:34-38, y 1 Corintios 11:2-16.

1 Timoteo 2:9-15

De la misma manera que la familia individual es gobernada por ciertas normas de conducta, la familia de la iglesia local es gobernada por ciertos principios de conducta y medidas sociales. La carta de 1 Timoteo trata específicamente el tema de orden y conducta correcta de los hombres, las mujeres y los ancianos de la iglesia local. A su representante en Efeso, Pablo escribe: *"Esto te escribo, aunque tengo la esperanza de ir pronto a verte, para que si tardo, sepas cómo debes conducirte en la casa de Dios, que es la iglesia del Dios viviente, columna y baluarte de la verdad"* (1 Timoteo 3:14, 15).

Un aspecto importante de medida social en la iglesia, concierne el comportamiento de la mujer en la congregación. En la iglesia de Efeso, como resultado de una falsa enseñanza que puede haber desafiado la validez de las funciones tradicionales de los géneros, las mujeres cristianas estaban actuando de manera contraria al comportamiento cristiano aceptable. A fin de combatir el comportamiento impropio de la mujer en la iglesia, Pablo expone nuevamente los principios cristianos de conducta femenina:

- Modestia en el vestir: "Asimismo, que las mujeres se atavíen de ropa decorosa, con pudor y modestia; no con peinado ostentoso, ni oro, ni perlas, ni vestidos costosos, sino con buenas obras, como corresponde a mujeres que profesan piedad" (1 Timoteo 2:9,10).

- Sumisión en la iglesia: "La mujer aprenda en silencio, con toda sujeción. Porque no permito a la mujer enseñar, ni ejercer dominio sobre el hombre, sino estar en silencio. Porque Adán fue formado primero, después Eva; y Adán no fue engañado, sino que la mujer, siendo engañada, incurrió en transgresión" (1 Timoteo 2:11-14).

- Primera Timoteo 2:11-14 por sí solo debiera poner fin a la cuestión de las mujeres ancianas. Pablo prohíbe a las mujeres dos cosas referente a los hombres en la iglesia: (1) enseñar y (2) ejercer autoridad sobre ellos.

Enseñar

En las reuniones de la congregación, las mujeres deben aprender las Escrituras, pero no deben tomar la autoridad de enseñar a la familia de la iglesia. Esta es responsabilidad de los hombres.

Pablo sabía que esta cuestión tan crucial debía ser resuelta con autoridad y rectitud. Por lo tanto, declara con autoridad apostólica personal, en lenguaje explícito e inequívoco: "Porque no permito a la mujer enseñar, ni ejercer dominio sobre el hombre, sino estar en silencio." ¿De qué otra manera podría haberlo dicho más sencilla y claramente? En la familia de la iglesia local las mujeres no deben enseñar ni tener autoridad sobre los hombres de la iglesia local.

El versículo 12 es el reverso del versículo 11. Estos dos versículos son paralelos.

Pablo no prohíbe en forma absoluta que la mujer enseñe (Hechos 18:26; Tito 2:3, 4; 2 Timoteo 1:5; 3:14, 15), sino específicamente que enseñe públicamente a los hombres en reuniones formales de la iglesia.

La enseñanza era sumamente importante en las iglesias primitivas e incluía el ejercicio de autoridad sobre aquéllos que eran enseñados. Clark hace la observación que "...las Escrituras consideran la enseñanza en primer lugar como una función de gobierno, una función realizada por ancianos, maestros y otros en posiciones de gobierno. En este contexto, la conexión entre enseñanza, ejercicio de autoridad y estar en subordinación, se pueden ver más claramente".[13] Puesto que la función de la mujer requiere subordinación, ella no debe enseñar ni dirigir en la iglesia.

Para evitar malentendidos: este pasaje no implica que las mujeres no tienen capacidad de enseñar o dirigir. Todos sabemos que las mujeres pueden ser excelentes maestras y que tienen capacidad y don de dirección. Una mujer creyente puede ser una excelente maestra de escuela, doctora en medicina o dueña de un negocio como Lidia, pero cuando la iglesia se reúne, los hombres toman la dirección en la enseñanza y el gobierno de la familia de la iglesia, no las mujeres. De esta manera la iglesia local demuestra el diseño de Dios para los sexos y la relación de Cristo y la Iglesia de liderazgo y sumisión.

Ejercer autoridad

Además de la restricción sobre enseñar en la iglesia, la mujer cristiana no debe "ejercer autoridad" sobre el hombre en la congregación. No deben dirigir ni gobernar la congregación.

La palabra griega para "ejercer autoridad" es *authenteo*. Este es el tercer término clave en el debate sobre los géneros. Las intérpretes femeninas han creado una gran controversia sobre esta palabra griega. Dicen que el verbo significa "mal uso de la autoridad", "instigar violencia", "dominar", "imponerse", o "usurpar autoridad". De allí es que creen que Pablo prohíbe a la mujer abusar de la autoridad, dominando a los maestros varones, o tratar de usurpar la autoridad de los hombres cuando enseñan. Consideran el término en una forma negativa, un uso destructivo de autoridad.

Esta consideración del término *(authenteo)*, sin embargo, es incorrecta. En el más reciente y más exhaustivo estudio del término *(authenteo)*, utilizando tecnología moderna de computadora, Henry Scott Baldwin, un maestro en el Colegio Bíblico de Singapore, ha demostrado que el significado más probable del término en este contexto es "tener autoridad sobre" (algo o alguien).[14]

Además del estudio exhaustivo de Baldwin sobre *authenteo*, Andreas Kostenberger, profesor de Nuevo Testamento en el Southeastern Baptist Theological Seminary, agrega un notable estudio sintáctico de la estructura gramatical de la oración en el versículo 11 para ayudar a determinar la mejor traducción del término *authenteo* para el contexto presente.[15] La estructura de la oración es la siguiente:

"No permito a una mujer enseñar (verbo 1) o ejercer autoridad (verbo 2) sobre un hombre."

Kostenberger muestra que la estructura gramatical une a los dos verbos ("enseñar" y "ejercer autoridad") de tal modo que requiere que ambos sean positivos o ambos negativos, no uno positivo ("enseñar", verbo 1) y el otro negativo ("dominar ilícitamente", verbo 2) como aseveran los feministas.

Puesto que "enseñar" es ciertamente una fuerza positiva, "ejercer autoridad" debe también ser positiva. El punto en cuestión es que el segundo verbo debe ser traducido "ejercer autoridad" porque va de acuerdo con la estructura gramatical como así también con el significado corriente del término en sí, "tener autoridad".

Juntos, estos dos extensos estudios por Baldwin y Kostenberger, concluyen que la mejor traducción de *authenteo* es: "tener (o ejercer) autoridad". Esta es la traducción aceptada por la gran mayoría de comentaristas bíblicos, y las más importantes traducciones al inglés: The New King James version, New American Standard Bible, New Revised Standard version, y New International Version. Estamos en terreno seguro y firme traduciendo *authenteo* como "ejercer autoridad."

Una nota especial: En una carta que trata sobre los ancianos en la iglesia, más que en ninguna otra carta del Nuevo Testamento, las mujeres son exhortadas a no tomar autoridad sobre los hombres. Inmediatamente después de esta instrucción prohibiendo a la mujer enseñar y dirigir a los hombres (vv. 11 al 15), Pablo describe las calificaciones de aquellos que supervisan la iglesia local (1 Timoteo 3:1-7). Es significativo, que las calificaciones asumen una persona del sexo masculino; es así que el sobreveedor debe ser "marido de una sola mujer" y "que gobierne bien su casa" (1 Timoteo 3:2, 4). Pablo no ofrece ninguna sugerencia de mujeres-ancianas en este pasaje de calificaciones para ancianos.

Siendo que 1 Timoteo 5:17 declara que los ancianos deben dirigir y enseñar a la iglesia y siendo que las mujeres no deben enseñar o dirigir a los hombres de la iglesia, podemos concluir que las mujeres no pueden ser pastores-ancianos en la iglesia local. Primera Timoteo 2:8-15 por sí solo, deja en claro la cuestión de la mujer como pastor-anciano.

Razones Bíblicas

Las restricciones de Pablo respecto a que la mujer no debe enseñar ni dirigir a los hombres, causó una gran crítica, tal como en el día de hoy. De manera que, como en casi todos los otros pasajes sobre diferencia de función masculina-femenina, Pablo inmediatamente corrobora su mandato, con principios y textos bíblicos: "Porque Adán fue formado primero, después Eva; y Adán no fue engañado, sino que la mujer, siendo engañada, incurrió en transgresión" (1 Timoteo 2:13, 14).

No pasemos por alto este punto decisivo del argumento. Pablo basa la restricción sobre las mujeres en cuanto a enseñar y dirigir a los hombres, directamente sobre el relato de Génesis. Al igual que Jesús, lleva a sus oyentes hacia el principio de la creación, hacia Génesis, hacia los sucesos históricos. No toma en cuenta la cultura local, la falta de educación de la mujer o los supuestos problemas por las enseñanzas heréticas de algunas mujeres-maestras. Recurre a la Palabra de Dios. Su argumento en restringir a la mujer para que no ejerza autoridad sobre el hombre en la iglesia está basado sobre el género en sí, como Génesis lo explica.

Por lo tanto, la intención de Pablo es que su prohibición sea permanente y universal, valedera para todos los creyentes y las iglesias.

Pablo primero apela a la creación original en Génesis 2: Adán fue creado primero. La creación precedente de Adán incluye la función de liderazgo y autoridad. Como primera creación, Adán, representando a todos los hombres, era responsable de ser la cabeza en la relación matrimonial. Esta función de liderazgo debe ser mantenida en la comunidad de la iglesia local (la familia extendida), así como también la familia individual. Esto explica por qué las mujeres no deben "enseñar o ejercer autoridad sobre el hombre". Sería una contradicción del diseño divino de creación para los sexos. La iglesia local, "casa de Dios", debe modelar los principios divinos.

Para demostrar aun más este punto, Pablo añade en el versículo 14 un fuerte ejemplo negativo. Utiliza la decepción de Eva en el jardín de Edén, para ilustrar los peligros de invertir las funciones masculinas/femeninas: "Y Adán no fue engañado, sino que la mujer siendo engañada, incurrió en transgresión". Adán no fue engañado por Satanás, dice Pablo, sino Eva.

En Génesis 3, Satanás astutamente pasó por alto a Adán —a quién Dios encomendó la dirección en las relaciones— y fue directamente a Eva, quien, como él percibió, sería la más susceptible de los dos para su decepción. Según su propia confesión, Eva admite haber sido engañada: "Entonces Jehová Dios dijo a la mujer: ¿Qué es lo que has hecho? Y dijo la mujer: La serpiente me engañó, y comí" (Génesis 3:13).

Si bien Dios creó a Adán primero para ser el líder de la pareja, Eva actuó primero en la Caída, llevando a Adán a comer del fruto prohibido. El resultado de su iniciativa no fue la auto-superación, sino engaño, pecado, vergüenza, y dolor. El pueblo de Dios, por tanto, no debe tomar livianamente el mandato de Dios sobre las funciones masculinas y femeninas en la familia y la iglesia. Obedezcamos a la voz de Dios cuando dice: "porque no permito a la mujer enseñar, ni ejercer dominio sobre el hombre..."

Primera Corintios 14:33b-40

Primera Corintios 14 es muy similar a 1 Timoteo 2, de manera que sólo necesitamos hacer unos breves comentarios sobre el pasaje.

Pablo escribió la carta de 1 Corintios a la iglesia en la ciudad de Corinto en el año 56 d.c. Unos seis años después escribió la carta de 1 Timoteo a la iglesia en Efeso (62 d.C.). En ambas cartas Pablo enseña la sumisión de la mujer en la familia de la iglesia.

En ambos pasajes apoya su enseñanza sobre sumisión con el relato de Génesis del Antiguo Testamento. Aquí, de manera significativa, añade más apoyo a la práctica de sumisión, empleando los argumentos de la práctica universal de todas las iglesias y el mandato de Jesucristo.

De ahí que estos dos pasajes deben ser estudiados juntos. Se ayudan mutuamente en la interpretación. Teniendo en cuenta 1 Timoteo 2, lea los siguientes pasajes:

14:33b: Como en todas las iglesias de los santos.

14:34: Vuestras mujeres callen en las congregaciones; porque no les es permitido hablar, sino que estén sujetas, como también la ley lo dice.

14:35: Y si quieren aprender algo, pregunten en casa a sus maridos; porque es indecoroso que una mujer hable en la congregación.

14:36: ¿Acaso ha salido de vosotros la palabra de Dios, o sólo a vosotros ha llegado?

14:37: Si alguno se cree profeta, o espiritual, reconozca que lo que os escribo son mandamientos del Señor.

A causa de la conducta rebelde durante las reuniones de la congregación, por parte de miembros espiritualmente celosos, particularmente los que hablaban en lenguas; Pablo pone en claro principios específicos para el orden y el decoro en la iglesia, versículos 26 a 35. En resumen: "Hágase todo decentemente y con orden" (v. 40).

El último principio de Pablo concierne la participación de la mujer (vv. 33b-38). Lo que Pablo quiere decir por "silencio" se puede interpretar de distintas maneras. No es necesario para nuestro propósito, resolver esta cuestión aquí. El punto es que Pablo nuevamente hace referencia a la función de sumisión de la mujer en la familia de la iglesia.

Pablo utiliza la doctrina de sumisión (del griego, *hypotasso*) para corroborar su instrucción respecto a la función de la mujer en las reuniones de la iglesia. El apóstol escribe: "...sino que estén sujetas, como también la ley lo dice" (14:34). La función de subordinación de la mujer se manifiesta en ciertas maneras específicas. Una manera es en el hablar y en la conducta pública.

El mandato de sumisión es una enseñanza cristiana, pero está en completo acuerdo con la ley de Dios: "sino que estén sujetas... como también la ley lo dice". Por el término ley, Pablo quiere decir la ley de Moisés (1 Corintios 9:8, 9) y específicamente Génesis 2. En dos capítulos anteriores Pablo cita Génesis 2 para confirmar su enseñanza sobre las funciones de los hombres y las mujeres: "Porque el varón no procede de la mujer, sino la mujer del varón, y tampoco el varón fue creado por causa de la mujer, sino la mujer por causa del varón" (1 Corintios 11:8, 9).

Pablo no considera que debe repetir los mismos versículos de Génesis y de 1 Corintios 11:8, 9, nuevamente en el capítulo 14. De que en 14:34 simplemente abrevia diciendo "como la ley también lo dice (ver también 1 Timoteo 2:13, 14). Sírvanse observar que Pablo nunca se cansa de decirnos que sus enseñanzas sobre los géneros están firmemente basadas en las leyes de la creación de Génesis.

De manera que la ley de Moisés está de acuerdo con las enseñanzas cristianas: Hay una función de sumisión diseñada por Dios para la mujer y, correspondientemente, una función de liderazgo diseñada por Dios para el hombre. Por lo tanto, Pablo desea en este pasaje, proteger a sus hermanas de una conducta impropia a la voluntad y el diseño de Dios para ellas.

Pablo es muy firme en este tema. Utiliza la práctica universal de todas las iglesias para reforzar su instrucción. Comienza su instrucción sobre la mujer, diciendo: "como en todas las iglesias de los santos" (v. 33b). Con esta afirmación universal "como en todas las iglesias de los santos", desea fomentar obediencia y reforzar sus directivas sobre sumisión. Específicamente, los creyentes de Corinto no deben actuar independientemente de "todas" las iglesias en esta doctrina.

En el versículo 36 Pablo muestra una gran emoción, considerando el espíritu independiente de las mujeres. Les dirige dos preguntas sarcásticas: "¿Acaso ha salido de vosotros la palabra de Dios, o sólo a vosotros ha llegado?".

Pablo quiere saber si la palabra de Dios se originó en esa iglesia o fue depositada sólo en esa iglesia. Preguntas absurdas, por supuesto. Pero quiere hacerles ver cuán absurda es su manera de pensar y actuar. ¿Cómo llegaron a hacerse tan independientes del evangelio, de Pablo y de las otras iglesias? ¿Se creían ser los fundadores de la fe, la iglesia madre, los autores de las Escrituras, o los únicos depositarios de la fe? La frustración de Pablo ante esa actitud independiente y orgullosa, hace erupción como un volcán en las páginas de esta carta.

Para concluir con sus mal acogidas instrucciones, a través del capítulo 14 en especial, Pablo finalmente apela a su autoridad apostólica (vv. 37, 38): "Si alguno se cree profeta o espiritual, reconozca que lo que os escribo son mandamientos del Señor. Mas el que ignora, ignore".

En el versículo 37 se dirige directamente a aquellos individuos que se creen profetas o personas espirituales. Pablo tenía personas en esa iglesia que lo criticaban. Les dice, si ustedes son personas realmente espirituales, reconocerán que "lo que yo les escribo", como un apóstol en autoridad, es "mandamiento del Señor". "No hay una demanda mayor", escribe el comentarista León Morris.[16]

Las palabras de Pablo representan las palabras de Cristo Jesús. Jesús habla por medio de Pablo. Las enseñanzas de Pablo sobre las funciones de la mujer son las enseñanzas de Jesús sobre las funciones de la mujer. Cualquiera que sea espiritual debe reconocer que lo que Pablo escribe es mandamiento de Cristo. "Algunos de los corintios pensaban que tenían discernimiento espiritual. ¡Que lo demuestren, reconociendo inspiración donde la vean!"[17]

En tono fuerte, el versículo 38 declara que cualquiera que no reconoce la autoridad única en su género y divina de Pablo, no es reconocido como una persona espiritual o profeta, ciertamente por Dios, y es de esperar que por creyentes espirituales con discernimiento.

1 Corintios 11:2-16

Había cierta disensión entre los corintios sobre la práctica de cubrirse o no la cabeza. De manera que Pablo quiere que los Corintios entiendan cuál es la base teológica y bíblica correcta para cubrirse o no la cabeza, y así confirmar la buena práctica de aquellos que se aferraban a "las tradiciones" que él les había enseñado (v. 3).

Pablo comienza el tema con gran fervor teológico: "Pero quiero que sepáis que Cristo es la cabeza de todo varón, y el varón es la cabeza de la mujer, y Dios la cabeza de Cristo" (v. 3).

Notemos los tres pares de declaraciones: Cristo/varón, varón/mujer, y Dios/Cristo.

Hay una relación de liderazgo/subordinación que existe entre Cristo y el varón, entre el varón y la mujer y entre Dios y Cristo. Estas relaciones no pueden ser alteradas para acomodar la filosofía secular e igualitaria de la sociedad. La relación de liderazgo entre el varón y la mujer no es cultural, sino que ha sido divinamente planeada. Tres veces en el versículo 3 utiliza la palabra "cabeza" *(kephale)*.

Cristo/varón

Primeramente, Pablo quiere que sus lectores comprendan que "Cristo es la cabeza de todo varón". Todo hombre (masculino) tiene una cabeza, una figura de autoridad a la que debe someterse. Esa cabeza es Cristo.

Dios no exime al hombre de estar bajo autoridad. Ningún hombre se legisla a sí mismo. Las mujeres creyentes, así como también los hombres creyentes, deben saber que todo hombre tiene una cabeza ante quien debe someterse y obedecer.

Una lección importante emerge aquí para los hombres. Puesto que Cristo es la cabeza, él es el modelo de un liderazgo santo. Cristo nunca se abusa de los que están bajo su mando. "Por lo tanto ellos (los hombres) no tienen libertad para definir y ejercitar su liderazgo de cualquier forma que deseen, sino sólo de acuerdo al modelo de la dirección de Cristo y de acuerdo a las enseñanzas de Cristo sobre el liderazgo masculino, dado por medio de los inspirados apóstoles (Efesios 5:23-33; 1 Pedro 3:7)".[18]

Varón/mujer

Segundo, Pablo desea que sus lectores comprendan que "el varón es cabeza de la mujer". Este no es sólo el par central de los tres, sino también el punto principal de todo el contexto.

Una relación de liderazgo-sumisión existe por diseño, entre el varón y la mujer. Algunos en Corinto pueden haber llevado su nueva libertad y posición en Cristo a conclusiones no-bíblicas. De manera que Pablo dice, "el varón es la cabeza", no la mujer. En efecto, ella es la única que no es llamada "cabeza". El varón es una cabeza; Cristo es una cabeza, y Dios es una cabeza.

69

Los feministas creen que la sumisión de la mujer es el resultado de la caída (Génesis 3:16) y que uno de los resultados de la obra de Cristo en la cruz era abolir la maldición de la relación liderazgo/sumisión entre el hombre y la mujer. Este punto de vista, sin embargo, se hace falso por el mismo versículo. Como el Cristo crucificado, resucitado y exaltado, y cabeza de la nueva creación, él es la cabeza del varón y Dios es la cabeza de Cristo y el varón es cabeza de la mujer. La iglesia local de Cristo Jesús debe ser un modelo de esta relación de mando entre el varón y la mujer por ciertas acciones apropiadas al género.

De ninguna manera es la mujer inferior al hombre porque se someta a él, así como Cristo no es inferior a Dios el Padre porque él se somete a su Padre. De manera que la relación liderazgo/sumisión del varón y la mujer se evidencia no sólo en la creación original de Génesis, sino en el orden mayor, la naturaleza de la Deidad. La autoridad de líder del varón tiene sus raíces en la naturaleza de Dios mismo.

Dios/Cristo

Tercero, Pablo quiere que sus lectores entiendan que "Dios es la cabeza de Cristo." Al declarar que "Dios es la cabeza de Cristo", Pablo enfatiza una relación de autoridad y subordinación entre Dios el Padre y Dios el Hijo, Jesucristo. Cristo se somete a sí mísmo ante Dios el Padre.

Por lo tanto, Cristo ejercita ambas funciones: las de cabeza y de subordinado. Él es un ejemplo de ambos sexos.

Jesucristo es Dios el Hijo. Él es absoluta y eternamente igual con Dios el Padre en esencia, poder, gloria y dignidad, pero diferente en función y misión. En su misión y función como Redentor, enviado por Dios el Padre, funcionalmente está sometido a Dios. De su propia voluntad obedece y se somete a la autoridad y voluntad de Dios el Padre (1 Corintios 15:28; ver también 3:23).

Con extraordinaria precisión, S. Lewis Johnson, ex profesor del Dallas Theological Seminary, resume esta verdad: "La prueba final y reveladora de que la igualdad y la sumisión pueden coexistir en gloriosa armonía, se halla en la misión mediatoria del Hijo de Dios, "Dios de Dios, Luz de Luz, verdadero Dios de verdadero Dios" (Nicea), consumado en la verdadera liberación de sumisión a su Padre (Juan 8:21-47; 1 Corintios 15:24-28; 11:3)".[19]

¡Qué tremendo estímulo es esta verdad! Si Cristo Jesús nuestro Señor es sumiso, y voluntariamente sufrió en obediencia a la voluntad de su Cabeza, luego cada hombre o mujer creyente puede con gozo someterse a su cabeza, aun cuando sea desagradable o difícil. "De ésto aprendemos de cuánta importancia es el liderazgo en el reino de la redención: bajo Dios todos, sea varón, mujer o Cristo mismo, tienen una cabeza".[20]

LA OPOSICION IGUALITARIA AL LIDERAZGO MASCULINO

La ridícula respuesta de todos los feministas religiosos, incluyendo los feministas evangélicos, es: "No hay varón ni mujer". Sacan esta declaración de su texto-lema, Gálatas 3:28.

3:26: Pues todos sois hijos de Dios por la fe en Cristo Jesús.

3:27: Porque todos los que habéis sido bautizados en Cristo, de Cristo estáis revestidos.

3:28: Ya no hay judío ni griego; no hay esclavo ni libre; no hay varón ni mujer; porque todo vosotros sois uno en Cristo Jesús.

3:29: Y si vosotros sois de Cristo, ciertamente linaje de Abraham sois, y herederos según la promesa.

El contexto en que aparece Gálatas 3:28, trata específicamente del tema de la salvación, por cierto el tema central de la teología de Pablo.

Falsos maestros (llamados judaizantes) habían infiltrado las nuevas iglesias de Galacia, enseñando que los creyentes gentiles debían obedecer la ley de Moisés para ser realmente salvos (ver Hechos 15:1). Este falso evangelio es el que Pablo está refutando en Gálatas 3:1-4, 7, el contexto general para nuestro versículo.

El significado de Gálatas 3:28

El contexto en que Gálatas 3:28 aparece, trata del plan divino de salvación, el propósito de la Ley, la iniciación a las bendiciones prometidas a Abraham, las condiciones para recibir la salvación, los derechos de hijos, los derechos de herederos, unidad en Cristo y justificación por fe aparte de la Ley de Moisés. Por ello, el punto del versículo 28 es que las distinciones entre varón y mujer, judío y griego, siervo y libre son completamente impertinentes en cuanto a recibir la salvación. Es la unión

71

de fe con Cristo lo que hace la diferencia, sin tener en cuenta el sexo, el estado social o la raza. El hombre que escribió estas palabras nació como un estricto judío fariseo. Tenía una posición de privilegio por su raza, sexo y como ciudadano libre. Antes de conocer las buenas nuevas de Cristo, Pablo creía que la bendición de Abraham era para los judíos y particularmente aplicable a judíos varones, adultos, nacidos libres. Los tres pares de contrastes que Pablo utiliza, judío/griego, esclavo/libre, y varón/mujer, específicamente destacan que en un tiempo los gentiles, los esclavos y las mujeres no eran ordinariamente los herederos directos de las bendiciones prometidas; los hijos israelitas eran los herederos.

Pero ahora que Cristo ha venido, todos los que creen, califican igualmente para ser hijos de Dios, uno en Cristo, herederos de las bendiciones de Abraham, justificados y llenos del Espíritu Santo, no meramente judíos varones, nacidos libres. Los que son naturalmente distintos, son ahora uno en Cristo y herederos de las bendiciones prometidas por Cristo, no por la ley de Moisés. "Y si vosotros sois de Cristo, ciertamente linaje de Abraham sois, y herederos según la promesa" (v. 29).

Gálatas 3:28 no se refiere a los males sociales que pueden existir entre los dos lados de cada uno de los pares en contraste, judío/griego, esclavo/libre, varón/mujer. Pablo no está hablando de la relación opresiva que puede existir entre varón y mujer, sino que en la herencia prometida *no hay distinción* entre varón y mujer. Cómo llegan a relacionarse un hombre y una mujer, después de la salvación, no se contempla en este pasaje.

El mal empleo de Gálatas 3:28

En su absoluta euforia sobre la frase "no hay varón ni mujer", los intérpretes feministas han extendido Gálatas 3:28 más allá de su significado intencional; hacen alegatos exagerados sobre el versículo. Declaran que es la madre de todos los versículos sobre género, el versículo que tiene prioridad sobre todos los otros versículos sobre género. Lo declaran como la "Carta Magna" del feminismo cristiano y la cancelación de toda distinción de función entre hombres y mujeres.

Pero, ¿cancela en verdad toda distinción sexual Gálatas 3:28? ¿Pueden ahora los hombres casarse con hombres y las mujeres casarse con mujeres? ¿Podemos aprobar matrimonios del mismo sexo, comportamiento travestista? Utilizando la misma metodología de interpretación que los feministas usan, los creyentes-bíblicos homosexuales reclaman el derecho a relaciones con el mismo sexo, porque la Biblia dice "no hay varón ni mujer".

La gran mayoría de los feministas evangélicos, sin embargo, rechazan este punto de vista. Limitan a Gálatas 3:28 diciendo que otros pasajes de las Escrituras describen el homosexualismo como un pecado sexual (Romanos 1:26, 27; 1 Corintios 6:9, 10). Por lo tanto, manifiestan que la frase "no hay varón ni mujer" no elimina por completo toda distinción sexual.

Sin embargo, cuando los no-feministas limitan a Gálatas 3:28 en relación con otros textos de las Escrituras que enseñan diferencias de funciones, los feministas gritan traición, contradicción, interpretación simplística. Quieren aislar a Gálatas 3:28 de cualquier otra limitación. Pero eso no es consecuente. Así como los textos bíblicos referentes al pecado de homosexualidad limitan a Gálatas 3:28, así también los textos sobre las diferencias de funciones masculina/femenina limitan las conclusiones igualitarias de los intérpretes feministas.

El simple hecho es que Gálatas 3:28 y su contexto no se refiere a la función de marido/mujer ni a la función masculina/femenina en la familia de la iglesia. Otros pasajes de las Escrituras tratan directamente sobre las implicaciones sociales para los hombres y las mujeres en la comunidad del nuevo pacto.

El mismo Pablo que escribió "no hay varón ni mujer", también escribe que "el marido es cabeza de la mujer, así como Cristo es cabeza de la iglesia". Estas no son ideas contradictorias. La primera se refiere a la igualdad en la salvación. La segunda se refiere a las funciones de marido/mujer, según Dios los diseñó originalmente. Ambas verdades coexisten en el Nuevo Testamento.

De manera que debemos dar el mismo valor a ambas verdades porque la Palabra de Dios enseña las dos cosas. Bruce Waltke, estudiante del Antiguo Testamento, explica la manera correcta de tratar ambos alegatos bíblicos: "Estas verdades referentes a la igualdad o desigualdad de los sexos deben ser tomadas con tensión dialéctica, otorgándoles el mismo valor al mismo tiempo, y no permitiendo que uno invalide al otro, subordinando uno al otro".[21]

Pedro, por ejemplo, sostiene en "tensión dialéctica" tanto la igualdad esposo/esposa como la distinción de función esposo/esposa. La esposa, de acuerdo a Pedro, es "coheredera de la gracia de vida" con su esposo y al mismo tiempo la compañera "sumisa" en la relación de

73

esposo/esposa (1 Pedro 3:1-7).

Los feministas, por otra parte, promueven una verdad a medias. Enfatizan el lado de igualdad en la relación varón/mujer, sin reconocer el lado de liderazgo/subordinación. La razón es que el concepto fundamental del feminismo es la igualdad. El nuevo onceavo mandamiento es: "No serás desigual." Los feministas rechazan que Dios creó una dimensión desigual de los sexos como así también una dimensión de igualdad. Porque creen tan tenazmente en la completa igualdad, que una relación de sumisión/liderazgo sólo puede ser interpretada como injusta y parcial. Pero su idea de igualdad es un concepto secular, no un concepto bíblico.

Podemos entender correctamente el género bíblico sólo cuando permitimos que las Escrituras hablen con absoluta autoridad, tanto sobre igualdad masculina/femenina como sobre diferencias masculinas/femeninas.

Pero, ¿no hay, sin embargo, implicaciones sociales en la vida diaria de esta unidad en Cristo? Por supuesto que las hay. Todos los cristianos, judío/griego, esclavo/libre, varón/mujer son bautizados, llenos del Espíritu Santo, con dones para ministrar al Cuerpo, y miembros plenos, completos, del Cuerpo de Cristo. Todos son uno y deben amarse y servirse unos a otros con sacrificio.

Personas de antecedentes raciales y sociales completamente distintos, se reúnen juntos en la casa de Dios. Los judíos cristianos deben exhibir amor fraternal por sus hermanos y hermanas gentiles y viceversa. Deben servirse uno al otro, aceptarse uno al otro, comer juntos y compartir camaradería social; romper esa comunión en la mesa era negar el evangelio (ver Gálatas 2:11-14). "Por tanto, recibíos los unos a los otros, como también Cristo nos recibió, para gloria de Dios" (Romanos 15:7).

Esclavos y libres deben servirse uno al otro en amor y considerarse uno al otro de acuerdo con la nueva posición en Cristo. "Porque el que en el Señor fue llamado siendo esclavo, liberto es del Señor; asimismo el que fue llamado siendo libre, esclavo es de Cristo" (1 Corintios 7:22). Amos y esclavos deben tratarse en forma honorable.

Puesto que la esclavitud es una institución humana y no parte del orden de la creación original como el matrimonio (Génesis 1, 2), Pablo puede decir a los esclavos, "si puedes hacerte libre, procúralo más" (1 Corintios 7:21). La esclavitud y el matrimonio no son instituciones comparables.

Los maridos creyentes deben amar a sus esposas con el amor sacrificado de Cristo, sin egoísmo. No deben enseñorearse sobre sus esposas; sólo Cristo es Señor. Una esposa debe ser tratada como "coheredera de la gracia de vida". La esposa tiene potestad sobre el cuerpo del marido, así como el marido tiene potestad sobre el de ella (1 Corintios 7:4). Las mujeres creyentes, como así también los hombres, prestan servicio en proclamar el evangelio y en ministrar al cuerpo de Cristo.

La igualdad de los sexos no es el enfoque de Gálatas 3:28. La Biblia dice muy poco acerca de equidad, pero bastante acerca de igualdad y unidad. Jesús oró por nuestra unidad, no por nuestra igualdad (Juan 17).

Cualquiera sea nuestro género, raza, o estado social; el amor mutuo, honor, servicio y unidad deben caracterizar a los miembros de la nueva comunidad en Cristo. Todos son responsables de manifestar la vida de Cristo entre unos a otros. El orgullo por la raza, el patrimonio, estado social o género es pecado y debe ser confesado como tal y rechazado como incompatible con el carácter de la comunidad cristiana.

La Biblia no es ambigua respecto a esta doctrina tan críticamente importante. De la manera más clara y directa, la Biblia repetidas veces declara la diferencia de función masculina/femenina (liderazgo/sumisión). No sólo los apóstoles Pablo y Pedro expresan claramente esta doctrina, *los apóstoles utilizan los argumentos más fuertes que pueden concebir para probar liderazgo/sumisión:*

(1) las leyes de la creación en Génesis;

(2) la práctica universal de las iglesias;

(3) el orden dentro de la Deidad;

(4) el mandamiento de Cristo Jesús; y

(5) la relación entre Cristo y la iglesia.

En resumen, el Nuevo Testamento enseña que Dios creó a los hombres y las mujeres iguales, pero diferentes, y Cristo dio a su iglesia liderazgo masculino.

Capítulo 4

Liderazgo idóneo

"Es necesario que el obispo sea irreprensible".

1 Timoteo 3:2a

En una carta a un joven presbítero de nombre Nepotiano, fechada el año 394 d.c., Jerónimo (345-419 d.C.) reprendió a las iglesias de su época por su hipocresía en mostrar más preocupación por la apariencia de los edificios de las iglesias que por la cuidadosa selección de los líderes de la iglesia: "En estos días muchos construyen iglesias, sus paredes y columnas de lustroso mármol, sus bóvedas resplandecientes de oro, sus altares tachonados de joyas. Sin embargo para la elección de los ministros no se presta ninguna atención".[1]

Hoy en día se comete el mismo error en numerosas iglesias. Muchas iglesias parecen desconocer los requerimientos bíblicos para sus líderes espirituales lo mismo que la necesidad de que la congregación examine a todos los candidatos para el liderazgo a la luz de los patrones bíblicos (1 Timoteo 3:10). Esta falla fue dramáticamente puesta en evidencia cuando un destacado periódico evangélico de Norteamérica reunió a cinco pastores divorciados y les pidió que compartieran sus sentimientos, experiencias y puntos de vista sobre el divorcio y el ministerio. El equipo del periódico publicó el debate porque creían que el creciente problema del divorcio entre ministros tenía que ser enfrentado abierta y honestamente. En efecto, el artículo afirmaba que un reciente estudio sobre el porcentaje de divorcios en los Estados Unidos mostraba que los pastores estaban en tercer lugar en la escala, ¡superados únicamente por los doctores en medicina y los policías![2]

Las ideas de los pastores sobre el divorcio se presentaron en el periódico en un formato abierto al debate. Junto a ellas se publicaron las respuestas de siete conocidos líderes evangélicos a los comentarios de los pastores divorciados. Lo que llama la atención del artículo es que ninguno de los siete líderes mencionó los requisitos necesarios para los líderes que se establecen en 1 Timoteo y en Tito. Este artículo revela una extendida ignorancia en la comunidad cristiana en relación con la firme insistencia de las Escrituras en los requisitos de Dios para los líderes de las iglesias locales. También demuestra que las iglesias y las denominaciones han reemplazado los patrones bíblicos por los propios.

LA NECESIDAD DE ANCIANOS CAPACITADOS COMO PASTORES

El error más frecuente que cometen las iglesias que desean establecer el liderazgo de ancianos es designar a hombres no calificados bíblicamente. Como siempre hay necesidad de más pastores, es tentador permitir que hombres no calificados ni preparados asuman el liderazgo en la iglesia. Sin embargo, esta es una receta para el fracaso ya largamente comprobada. El liderazgo bíblico de ancianos requiere ancianos bíblicamente calificados.

La principal preocupación del Nuevo Testamento con respecto al liderazgo de la iglesia se relaciona con los hombres que son adecuados para ministrar como ancianos y diáconos. Los oficios en la Iglesia de Dios no son cargos de honor concedidos a individuos que han asistido fielmente a la iglesia o de edad mayor. Ni son posiciones de juntas directivas para acomodar a buenos amigos, contribuyentes ricos o personalidades carismáticas. Tampoco son posiciones que solamente pueden ocupar los graduados de seminarios teológicos. Los oficios de la iglesia, tanto liderazgos como diaconías, están abiertos a cualquiera que cumpla con los requisitos bíblicos y apostólicos. El Nuevo Testamento es inequívocamente enfático en este aspecto.

- A la problemática iglesia de Efeso, Pablo le recalca que una iglesia cristiana bien constituida (1 Timoteo 3:14, 15) debe tener líderes calificados y aprobados:

    Palabra fiel: si alguno anhela obispado, buena obra desea. *Pero es necesario que el obispo* sea irreprensible, marido de una sola mujer, sobrio, prudente, decoroso, hospedador, apto para enseñar; no dado al vino, no pendenciero, no codicioso de ganancias deshonestas, sino amable, apacible, no avaro; que gobierne bien su casa, que tenga a sus hijos en sujeción con toda honestidad (pues el que no sabe gobernar su propia casa, ¿cómo cuidará de la iglesia de Dios?); no un neófito, no sea que envaneciéndose caiga en la condenación del diablo. *También es necesario* que tenga buen testimonio de los de afuera, para que no caiga en descrédito y en lazo del diablo (1 Timoteo 3:1-7, cursivas del autor).

• Pablo también insiste en que los futuros ancianos y diáconos sean públicamente examinados a la luz de los requisitos establecidos. Escribe: "Y éstos (los diáconos) también (como los ancianos) sean sometidos a prueba primero (examinados); y entonces ejerzan el diaconado, si son irreprensibles" (1 Timoteo 3:10; cf. 5:24, 25).

• Cuando daba instrucciones a Tito acerca de cómo organizar las iglesias en la isla de Creta, Pablo le recuerda que designe solamente a los hombres moral y espiritualmente calificados para ser ancianos. Al establecer los requisitos para los ancianos en una carta, Pablo hace una lista pública para guiar a la iglesia local en la elección de los ancianos y para dotarla de poder para mantener responsables a sus ancianos:

Por esta causa te dejé en Creta, para que corrigieses lo deficiente, y establecieses ancianos en cada ciudad, *así como yo te mandé; el que fuere irreprensible*, como administrador de Dios; marido de una sola mujer, y que tenga hijos creyentes que no estén acusados de disolución ni de rebeldía. Porque *es necesario que el sobreveedor sea* irreprensible, como administrador de Dios; no soberbio, no iracundo, no dado al vino, no pendenciero, no codicioso de ganancias deshonestas, sino hospedador, amante de lo bueno, sobrio, justo, santo, dueño de sí mismo, retenedor de la palabra fiel tal como ha sido enseñada, para que también pueda exhortar con sana enseñanza y convencer a los que contradicen (Tito 1:5-9, cursivas del autor).

• Al escribir a las iglesias dispersas por el noroeste de Asia Menor, Pedro habla del tipo de hombre que deberían ser los ancianos. Exhorta a los ancianos a pastorear el rebaño "no por fuerza, sino voluntariamente; no por ganancia deshonesta, sino con ánimo pronto; no como teniendo señorío sobre los que están a vuestro cuidado, sino siendo ejemplos de la grey" (1 Pedro 5:2, 3).

Es muy significativo que el Nuevo Testamento provea más instrucciones sobre las condiciones de los ancianos líderes que sobre cualquier otro aspecto del liderazgo. Esas condiciones no se exigen de todos los maestros ni evangelizadores. Uno puede tener el don de la evangelización y ser usado por Dios en esa capacidad, pero no estar capacitado para ser anciano. Una persona puede evangelizar inmediatamente después de su conversión, pero las Escrituras dicen que un recién convertido no puede ser un anciano (1 Timoteo 3:6). Hay tres razones críticamente importantes por las que Dios exige esos requisitos por parte de los ancianos de la iglesia.

Primero, la Biblia dice que un anciano debe tener una personalidad moral intachable y estar capacitado para el uso de las Escrituras, porque es "administrador de Dios", es decir, mayordomo de Dios (Tito 1:7). A un anciano se le confían las posesiones más preciadas y valiosas para Dios, sus hijos. Por eso tiene una posición de solemne autoridad y confianza. Actúa en función de los intereses de Dios. Ningún monarca terrenal sería capaz de contratar una persona inmoral o incapaz para administrar su propiedad. Ni los padres pensarían en confiar sus hijos o las finanzas familiares a una persona incompetente o irresponsable. De la misma manera, el Altísimo y Santísimo no permitiría que un mayordomo inadecuado o incapaz se ocupara de sus preciosos hijos.

Como mayordomos de la casa de Dios, los ancianos tienen acceso a los hogares de la gente y a los detalles más íntimos de su vida. Tienen acceso a las personas más vulnerables al engaño y al abuso. También tienen la mayor influencia sobre la dirección doctrinal de la iglesia. En consecuencia, los ancianos de la iglesia deben ser hombres bien conocidos por la comunidad, tener una integridad demostrada y ser doctrinalmente sólidos.

En segundo lugar, los ancianos deben ser ejemplos vivos que la gente pueda imitar (1 Pedro 5:3). Deben desarrollar el carácter y la conducta que Dios desea para todos sus hijos. Dios llama a su pueblo a ser "irreprensibles y sencillos, hijos de Dios sin mancha, en medio de una generación maligna y perversa" (Filipenses 2:15), por eso es necesario que aquellos que dirigen a su pueblo estén moralmente por encima de todo reproche y lleven adelante vidas santas.

John MacArthur, escritor y predicador radial conocido, subraya este punto al escribir: "Tal como son los líderes, llegará a ser el pueblo. Como dijo Oseas 'Y será el pueblo como el sacerdote' (4:9). Jesús dijo: 'Todo el que fuere perfeccionado, será como su maestro' (Lucas 6:40). La historia bíblica demuestra que raras veces las personas van más allá del nivel espiritual de su líder".[3] Debido a que las personas son como ovejas, los ancianos pastores tienen un impacto extraordinariamente poderoso sobre la conducta, las actitudes y el pensamiento de ellas:

- Si los ancianos tienen un espíritu contencioso, las personas se volverán inevitablemente contenciosas (1 Timoteo 3:3; Tito 1:7).

- Si los ancianos carecen de hospitalidad, las personas serán frías y hostiles (1 Timoteo 3:2, Tito 1:8).

- Si los ancianos son codiciosos, las personas se volverán codiciosas (1 Timoteo 3:3).

- Si los ancianos no son sensibles, equilibrados y dueños de sí mismos, sus juicios se caracterizarán por el exceso, lo que hará que la gente sea extremista y desequilibrada (1 Timoteo 3:1, 2; Tito 1:8).

- Si los ancianos no son esposos fieles de una sola mujer, animarán sutilmente a otros a no ser fieles (1 Timoteo 3:2; Tito 1:6).

- Si los ancianos no se sujetan fielmente a la autoridad de la Palabra, las personas tampoco se sujetarán a ella (Tito 1:9).

Gran parte de la debilidad y desviación de nuestras iglesias hoy se debe directamente a nuestro fracaso en exigir que los ancianos-pastores de la iglesia cumplan con las normas de Dios para el oficio. Si queremos que nuestras iglesias locales sean espiritualmente idóneas, debemos exigir que nuestros ancianos-pastores sean espiritualmente idóneos.

En tercer lugar, los requisitos bíblicos protegen a la iglesia de los líderes incompetentes o moralmente inadecuados. Algunas personas se abren camino hacia posiciones de liderazgo en la iglesia para satisfacer sus egos impíos. Otros están lamentablemente engañados acerca de su propia capacidad o carácter. Y algunos son hacedores de maldad motivados por Satanás para infiltrarse en las iglesias y arruinarlas. Los requisitos públicos, objetivos, dados por Dios para el liderazgo de la iglesia, protegen a la congregación de esas personas inadecuadas.

Estas normas, observables, objetivas para los ancianos, son especialmente importantes cuando las iglesias deben enfrentar líderes dominantes y obstinados que son incapaces de ver realmente sus pecados o herejías y por ello deben ser separados del oficio. Los requisitos para el anciano facultan a cada congregación y a sus líderes con los medios objetivos y correctos para evitar o quitar del liderazgo a líderes inadecuados. Por otra parte, negarse a separar a un anciano pecador o doctrinalmente dudoso, es una deliberada desobediencia a la Palabra de Dios que finalmente socavará la vitalidad moral y espiritual de toda la iglesia, así como la integridad del concilio de ancianos (ver pág. 224). El negarse a separar a un anciano que ha caído también dañará la credibilidad de la congregación y el testimonio del evangelio frente a la comunidad no creyente, cosa que es asunto de gran preocupación para Pablo (1 Timoteo 3:7). Por lo tanto, las normas dadas por Dios para los ancianos son imprescindibles para proteger el bienestar espiritual y el testimonio evangelístico de la iglesia.

Las iglesias de hoy necesitan mayormente hombres parecidos a Cristo en el liderazgo espiritual. Las mejores leyes y constituciones son impotentes sin hombres "justos", "prudentes", "sensibles", "con dominio propio", "pacientes", "no pendencieros" y fieles para con la sana doctrina. Estas son precisamente las cualidades que Dios requiere de aquellos que guían a su pueblo. Prestemos atención entonces a la advertencia del fallecido escritor y apologista cristiano Francis Schaeffer (1912-1984) quien escribió: "La iglesia no tiene ningún derecho a disminuir estas normas para los ministros de la Iglesia, ni tiene derecho alguno de elevar ninguna otra al mismo nivel de éstas que son establecidas por Dios mismo. Estas (normas), y solamente éstas, tienen carácter absoluto".[4]

LOS REQUISITOS PARA LOS ANCIANOS PASTORES

Cuando hablamos de los requisitos de los ancianos, la mayoría de las personas piensa que estos requisitos son diferentes de los del clero. Sin embargo, el Nuevo Testamento no tiene normas diferentes para los clérigos profesionales y los ancianos laicos. La razón es simple. No hay tres oficios distintos—pastor, anciano y diácono—en la iglesia local del Nuevo Testamento. Hay solamente dos oficios, ancianos y diáconos. Desde la perspectiva del Nuevo Testamento, cualquier hombre de la congregación que desee pastorear al pueblo del Señor y que cumpla con los requerimientos de Dios para el oficio, puede ser un anciano pastor.

Como lo muestran las tres listas que siguen, Dios no requiere riqueza, condición social, edad madura, grados académicos superiores, ni siquiera grandes dones espirituales de quienes desean pastorear a su pueblo. Hacemos un gran daño a la congregación y a la obra de Dios cuando agregamos nuestros requisitos arbitrarios a los que Dios ha establecido. Los requerimientos puestos por el hombre inevitablemente excluyen a los hombres calificados y necesarios, del liderazgo pastoral de la iglesia. Rolland Allen (1868-1947), conocido misionero anglicano en la China e influyente escritor misionero, lamentaba en su tiempo este problema:

Estamos tan enamorados de los requisitos que hemos añadido a los apostólicos, que negamos las aptitudes de cualquiera que posee solamente los apostólicos, mientras pensamos que un hombre plenamente calificado es quien posee solamente los nuestros. Un joven estudiante recién salido de un seminario teológico carece de muchas de las aptitudes que los apóstoles consideraban necesarias para un líder de la casa de Dios: la edad, la experiencia, la posición y reputación establecidas, aun cuando tenga todas las demás. A éste lo consideramos calificado. Al hombre que posee todos los requisitos apostólicos lo descalificamos, porque no puede volver al seminario y aprobar un examen.[5]

Para ser fieles a las Sagradas Escrituras y al plan de Dios para la iglesia local, debemos abrir el liderazgo pastoral de la iglesia a todos los hombres de la iglesia llamados por el Espíritu Santo (Hechos 20:20) y que cumplen con los requisitos apostólicos. Aunque este plan pueda ser detestable para quienes tienen una mentalidad clerical, representa una mentalidad auténticamente apostólica. Según el Nuevo Testamento, los ancianos de la iglesia son todos los hombres de la iglesia local que desean dirigir el rebaño y que están bíblicamente calificados para hacerlo.

Los requisitos bíblicos se pueden dividir en tres categorías amplias en relación al carácter moral y espiritual, las habilidades y la motivación dada por el Espíritu. Examinemos cada una de estas categorías.

Comparación de los requisitos de los ancianos

1 Timoteo 3:2-7	Tito 1:6-9	1 Pedro 5:1-3
1. Irreprensible	1. Irreprensible	1. Que apaciente el rebaño de Dios, no por fuerza, sino voluntariamente
2. Marido de una sola mujer	2. Marido de una sola mujer	2. No por ganancia deshonesta, sino con ánimo pronto
3. Sobrio (de dominio propio, equilibrado)	3. Que tenga hijos creyentes	3. No imponiendo señorío sobre el rebaño, sino siendo ejemplo de la grey

1 Timoteo 3:2-7	Tito 1:6-9	1 Pedro 5:1-3
4. Prudente (sensible, de buen juicio)	4. No soberbio	
5. Decoroso (de buenos modales, virtuoso)	5. No iracundo	
6. Hospedador	6. No dado al vino	
7. Apto para enseñar	7. No pendenciero	
8. No dado al vino	8. No codicioso de ganancias deshonestas	
9. No pendenciero (no agresivo)	9. Hospedador	
10. Amable (indulgente)	10. Amante de lo bueno	
11. Apacible (no contencioso)	11. Sensible (véase prudente)	
12. No codicioso de ganancias deshonestas	12. Justo (de conducta recta, que respeta la ley)	
13. Que gobierne bien su casa	13. Santo (devoto, que agrada a Dios, leal a su Palabra)	
14. No un neófito	14. Dueño de sí mismo	
15. Que tenga buen testimonio de los de afuera	15. Retenedor de la palabra fiel, para exhortar y refutar	

Carácter moral y espiritual

La mayoría de los requisitos bíblicos se relacionan con las cualidades morales y espirituales. El primer y más importante requisito es el de ser "irreprensible". Lo que significa "irreprensible" se define por las cualidades de carácter que siguen al término. En ambas listas de Pablo de los requisitos para los ancianos, la primera virtud específica de carácter que se enumera es "marido de una sola mujer". Esto significa que un anciano debe ser irreprensible en su vida matrimonial y sexual (ver pág. 194). Señalando el acento bíblico en la fidelidad matrimonial y la pureza sexual, Robertson McQuilkin, autor del excelente libro *An Introduction to Biblical Ethics* (Introducción a la ética bíblica), escribe:

> Las normas de Dios sobre la sexualidad humana son tratadas en las Escrituras como las reglas más importantes para las relaciones entre las personas. En el Antiguo Testamento, la enseñanza contra el adulterio aparece segunda después de la enseñanza sobre la idolatría. En el Nuevo Testamento, tanto Cristo como los apóstoles insistieron en la fidelidad matrimonial. Pablo incluye los pecados sexuales en cada una de sus muchas listas de pecados, y en la mayoría de los casos encabezan la lista y reciben un fuerte énfasis.[6]

Desde el comienzo, Dios advirtió severamente a su pueblo contra las prácticas sexuales corruptas de las naciones paganas. Ordenó a su pueblo que fueran santos y separados de las naciones, fieles al pacto del matrimonio, y sexualmente puros. En el capítulo dieciocho de Levítico, Moisés detalla todos los pecados sexuales de las naciones paganas que pronto rodearían a Israel. Dios advierte a su pueblo contra la práctica de tales pecados: "En ninguna de estas cosas (prácticas sexuales depravadas) os amancillaréis; pues en todas estas cosas se han corrompido las naciones que yo echo de delante de vosotros... Guardad, pues, mi ordenanza, no haciendo las costumbres abominables que practicaron antes de vosotros, y no os contaminéis con ellas. Yo Jehová, vuestro Dios" (Levítico 18:24, 30). La necesidad de mantener la pureza también se enseñó en la comunidad del nuevo pacto. Pablo escribe: "Pero fornicación y toda inmundicia, o avaricia, *ni aun se nombre entre vosotros, como conviene a los santos*" (Efesios 5:3, cursiva del autor).

Una de las estrategias más antiguas y eficaces de Satanás para destruir al pueblo de Dios es adulterar los matrimonios de quienes dirigen el pueblo de Dios (Números 25:1-5; 1 Reyes 11:1-13; Esdras 9:1, 2). Satanás sabe que si puede profanar los matrimonios de los pastores, las ovejas lo seguirán. Los requisitos matrimoniales y familiares específicos que Dios requiere de los ancianos son para proteger a toda la iglesia. Por eso la iglesia debe insistir en que sus líderes cumplan con los requisitos antes de servir y mientras sirven. Si la iglesia local no insiste en estos requerimientos, la gente se hundirá en la tierra yerma de las prácticas sexuales y matrimoniales actuales.

Lo trágico es que muchas grandes denominaciones cristianas no han aprendido nada del Antiguo Testamento acerca de las consecuencias seguras de acomodarse a las normas de conducta sexuales seculares. En casi cada gran denominación cristiana, las leyes de Dios en relación con el matrimonio, el divorcio, la sexualidad y las diferencias de género están siendo descartadas y reemplazadas por la aceptación de las prácticas humanas más corruptas. Entre los líderes cristianos, el adulterio y otros pecados sexuales han llegado a niveles epidémicos.[7] Entre las grandes denominaciones los divorcios y nuevos matrimonios entre clérigos difícilmente se consideren como cuestiones importantes. Como la revista *Time* acertadamente describe el campo religioso de hoy en día, "Las denominaciones que una vez no toleraban ministros divorciados, ahora se encuentran debatiendo si aceptar ministros que son lesbianas reconocidas".[8]

Las otras cualidades de carácter insisten en la integridad, el dominio propio y la madurez espiritual de los ancianos. Como los ancianos gobiernan el cuerpo de la iglesia, deben tener control propio en el uso del dinero, del alcohol, y del ejercicio de su autoridad pastoral. Puesto que deben ser modelos de vida cristiana, deben ser espiritualmente santos, justos, amantes de la verdad, hospitalarios y moralmente irreprensibles frente a la comunidad de no cristianos. En el trabajo pastoral, el poseer capacidades para cultivar relaciones es un factor fundamental. Por eso los ancianos pastores deben ser amables, estables, prudentes y no disputadores. Los hombres enojosos, violentos, hieren a las personas. De modo que un anciano no debe tener un espíritu dictatorial ni ser irascible, pendenciero u obstinado. Finalmente, un anciano no debe ser un cristiano nuevo. Debe ser un discípulo de Jesucristo espiritualmente maduro, humilde y experimentado.

Al examinar los candidatos para el liderazgo de ancianos, la mayoría de las iglesias se fijan en las cualidades morales personales sólo superficialmente, en el mejor de los casos. John H. Armstrong, editor de la *Reformation and Revival Journal* (Revista de Reforma y Avivamiento) y autor de *Can Fallen Pastors Be Restored?* (¿Pueden ser restaurados los pastores caídos?) expresa su frustración por la falta de preocupación que muestran las iglesias cuando averiguan las cualidades morales personales de los candidatos. Escribe:

> En todos mis años de servicio en concilios y comités, rara vez he escuchado que se le preguntara a un candidato: "¿Qué hay de su vida moral?" Podríamos discutir del matrimonio de un hombre, y eso frecuentemente de una manera superficial. Prácticamente nunca he escuchado que se le preguntara a un candidato: "¿Está usted en estos momentos sexualmente puro delante de Dios?" . . . Sencillamente no sondeamos en profundidad el asunto del carácter probado y la pureza

personal.

En una época en que la mala conducta sexual es cosa común, tanto en la cultura como en gran parte de la iglesia, siento la necesidad de preguntar: "¿Por qué no hacemos esas preguntas antes de ordenar a un hombre?" Vivimos en una época en que las estadísticas sugieren que los hábitos en la iglesia no son tan distintos de los de la población general...

En los procedimientos de examen profesional tal vez hacemos una docena de preguntas de orientación doctrinal por cada una de carácter ético o moral. No estoy rebajando las preguntas doctrinales, ya que hay demasiados pastores dudosos y poco claros en este aspecto también, pero ¿por qué ignoramos casi absolutamente el aspecto sexual, el dinero y el poder? ¿Acaso no es en estas áreas donde aflorarán la mayoría de los fracasos éticos y morales?[9]

Armstrong comenta además:

Hace algunos años se me pidió que presidiera una comisión en mi denominación evangélica donde las tareas incluían las entrevistas a los hombres que serían ordenados, antes de que se reuniera el consejo. . . . Nuestra tarea era examinar, preguntar y luego recomendar. Cada año examinábamos un buen número de hombres. Más de la mitad de ellos no estaban preparados—doctrinal y/o personalmente—según mi punto de vista. Varias veces recomendamos a la iglesia que no ordenara a un hombre.

Con frecuencia la iglesia local ignoraba nuestro consejo y procedía sin nuestra aprobación, ordenando finalmente al hombre en alguna otra oportunidad. *Lo que era particularmente preocupante era lo poco frecuente que el candidato o su congregación local se molestaban en averiguar nuestras razones para no recomendarlo* (cursiva agregada).[10]

Capacidades

En las listas de requisitos para los ancianos, tres de ellos se relacionan con las capacidades del anciano para realizar la tarea. Debe ser capaz de administrar su hogar bien, proveer un modelo de vida cristiana para otros, y enseñar y defender la fe.

Capacidad para administrar bien el hogar

Un anciano debe ser capaz de administrar bien su hogar. Las Escrituras afirman: "Que gobierne bien su casa, que tenga a sus hijos en sujeción con toda honestidad (pues el que no sabe gobernar su propia casa, ¿cómo cuidará de la iglesia de Dios?)" (1 Timoteo 3:4, 5). Los puritanos se referían al hogar familiar como la "pequeña iglesia". Esta perspectiva está de acuerdo con el razonamiento de las Escrituras de que si un hombre no puede pastorear su familia, no puede pastorear la familia extendida de la iglesia.

El manejo de la iglesia local se parece más a administrar una familia que a administrar una empresa o el estado. Un hombre puede ser un exitoso empresario, un competente funcionario público, un jefe genial de ministerio o un militar de alto rango, y ser un anciano de iglesia o padre desastroso. Por eso, la capacidad de un hombre para supervisar bien su hogar es un prerrequisito para supervisar la casa de Dios.

Pero, ¿qué pasa con los hombres solteros o los casados pero sin hijos? ¿Pueden ser ancianos esos hombres? ¡Con toda seguridad (1 Corintios 7:8-35)! Como veremos en la parte expositiva de este libro, las capacidades en relación con el matrimonio y con los hijos no se deben tomar como mandamientos a casarse y tener niños (ver capítulo 9, pág. 190). Más bien, como la mayoría de los hombres son casados y tienen hijos, las Escrituras establecen la norma que Dios ha establecido para los líderes de iglesia que son esposos y padres. Establecer normas para hombres casados que tienen hijos es algo muy diferente a ordenar el matrimonio y la paternidad, cosa que no siempre es un asunto de elección. Los hombres solteros y los casados sin hijos con seguridad pueden ser ancianos pastores. Donde carezcan de experiencia por su condición de soltería o falta de hijos, los ancianos colegas que estén casados y tengan hijos pueden llenar el vacío. Los hombres solteros y sin hijos tienen una contribución única en su género para hacer al rebaño y al equipo de ancianos. Por supuesto, la conducta sexual y el manejo del hogar de los solteros y sin hijos debe ser irreprensible, tan irreprensible como la de los hombres casados que tienen hijos.

Capacidad para proveer un modelo para otros

Un anciano debe ser un ejemplo de vida cristiana que otros quieran seguir, Pedro recuerda a los ancianos de Asia que sean "ejemplos de la grey" (1 Pedro 5:3b). Si un hombre no es un modelo santo que otros puedan imitar, no puede ser un anciano aunque sea un buen maestro o empresario. Al igual que Pedro, Pablo también reconoció la importancia de asemejarse a Cristo. Hizo lo más posible por asemejarse a Cristo y esperaba que la gente lo siguiera:

- Hermanos, sed imitadores de mí, y mirad a los que así se conducen según el ejemplo que tenéis en nosotros (Filipenses 3:17).

- Sed imitadores de mí, así como yo de Cristo (1 Corintios 11:1).

- Porque vosotros mismos sabéis de qué manera debéis imitarnos; pues nosotros no anduvimos desordenadamente entre vosotros... por daros nosotros mismos un ejemplo para que nos imitaseis (2 Tesalonicenses 3:7, 9b).

- Por tanto, os ruego que me imitéis (1 Corintios 4:16; cf. Gálatas 4:12; 1 Tesalonicenses 1:5, 6; 1 Timoteo 4:12; Tito 2:7).

La principal manera de inspirar e influir a la gente para Dios es por medio del ejemplo personal. El carácter y las obras, no la posición oficial ni los títulos, es lo que realmente influye en las personas para la eternidad. Una cita de Samuel Brengle en relación con el poder del ejemplo personal, citada por J. Oswald Sanders en su obra clásica *Spiritual Leadership* (Liderazgo espiritual), merece repetirse: "Una de las más notables ironías de la historia es el total desprecio a los rangos y títulos que los hombres se pasan de unos a otros en el juicio final.... La evaluación final de los hombres demuestra que a la historia no le importa un ápice el rango o el título que un hombre haya obtenido, o el oficio que haya desempeñado, sino solamente la calidad de sus obras y el carácter de su mente y su corazón".[11] Los hombres y las mujeres de hoy piden ejemplos auténticos de verdadero cristianismo en acción. ¿Quién puede proveer mejor un ejemplo de largo plazo, semana tras semana, de vida familiar, vida laboral y vida de iglesia que los ancianos de la iglesia local? Es por eso que es tan importante que los ancianos, como imitadores vivos de Cristo, guíen el rebaño de Dios en su camino.

Capacidad para enseñar y defender la fe

Un anciano tiene que ser capaz de enseñar y defender la fe. No importa lo exitoso que sea un hombre en su negocio, la elocuencia con la que hable, o lo inteligente que sea. Si no está firmemente comprometido con la doctrina apostólica histórica y no es capaz de instruir a la gente en la doctrina bíblica, no está calificado para ser un anciano bíblico (Hechos 20:28 y ss; 1 Timoteo 3:2; Tito 1:9).

El Nuevo Testamento requiere que el anciano pastor sea "retenedor de la palabra fiel como ha sido enseñada" (Tito 1:9a). Esto significa que un anciano debe adherirse firmemente a la enseñanza ortodoxa, histórica y bíblica. Un comentarista dice, "Los ancianos no deben ser elegidos de entre los que han estado experimentando con nuevas doctrinas".[12]

Siendo la iglesia local "columna y baluarte de la verdad" (1 Timoteo 3:15b), sus líderes deben ser pilares de doctrina bíblica sólidos como la roca, de lo contrario la casa se vendrá abajo. Puesto que la iglesia local es también como un pequeño rebaño que viaja por terreno traicionero, infestado de "lobos salvajes", solamente aquellos pastores que conocen el camino y ven los lobos, pueden conducir el rebaño a destino seguro. Por eso un anciano debe caracterizarse por la integridad doctrinal.

Es fundamental que el anciano esté firmemente comprometido en la doctrina apostólica bíblica "para que también pueda exhortar con sana enseñanza y convencer a los que contradicen" (Tito 1:9b). Esto requiere que un futuro anciano se haya dedicado durante algunos años a la lectura y el estudio de las Escrituras, para que pueda razonar inteligentemente y discutir lógicamente los temas bíblicos, que haya formulado las creencias doctrinales, y que tenga la habilidad verbal y la disposición para enseñar a otros. Entonces no debería haber confusión acerca de lo que está llamado a hacer un anciano según el Nuevo Testamento: tiene que enseñar y exhortar a la congregación en la sana doctrina y defender la verdad frente a los falsos maestros. Esta es la gran diferencia entre el anciano de una junta y el anciano pastor. Los ancianos del Nuevo Testamento son guardianes y maestros de la sana doctrina.

Por ese motivo, el libro de Dios, la Biblia, debe ser el curso de estudio permanente del futuro anciano. La Biblia es el manual de preparación completo de Dios para todos los líderes espirituales. Pablo recuerda a Timoteo que "desde la niñez has sabido *las Sagradas Escrituras, las cuales te pueden hacer sabio para la salvación* por la fe que es en Cristo Jesús" (2 Timoteo 3:15; cursiva agregada). Pablo afirma más adelante que "Toda la Escritura es inspirada por Dios, y útil para enseñar, para redargüir, para corregir, para instruir en justicia; a fin de que *el hombre de Dios, sea perfecto, enteramente preparado para toda buena obra*" (2 Timoteo 3:16, 17; cursiva agregada). Entonces un hombre no está preparado para la tarea de pastorear si no está bien formado en las Sagradas Escrituras inspiradas por Dios. Un anciano que no conoce la Biblia es como un pastor sin piernas; no puede guiar ni proteger al rebaño. Vale la pena repetir el comentario de P. T. Forsyth (1848-1921), influyente teólogo británico de principios del siglo veinte: "La verdadera fuerza de la Iglesia no es la cantidad de obras sino la calidad de su fe. Un hombre que realmente conoce su Biblia vale mucho más para la verdadera fuerza de la Iglesia que una multitud de obreros que no la conocen".[13]

¿Cómo deben prepararse en el libro de Dios los futuros ancianos? **Primero,** si han sido criados en buenos hogares cristianos, habrán tenido años de instrucción en la doctrina y la vida santa de parte de los maestros más eficaces del mundo, sus madres y padres (Deuteronomio 6:7; 11:19; Proverbios 1:8; 4:1-5; Efesios 6:4; 1 Tesalonicenses 2:11; 1 Corintios 14:35; 2 Timoteo 1:5; 3:15). John Gresham Machen (1881-1937) fue un conocido erudito y educador presbiteriano que defendió bri-llantemente la doctrina ortodoxa de Cristo y la validez de las Escrituras durante la famosa controversia fundamentalista-modernista de comienzos del siglo veinte. Sus libros sobre el nacimiento virginal de Cristo y sobre la continuidad teológica entre Pablo y Jesús todavía son clásicos. Sobre el valor del hogar cristiano para enseñar la Biblia, Machen escribió:

> La ausencia de enseñanza y predicación doctrinal es ciertamente una de las causas de la lamentable ignorancia actual en la iglesia. Pero una causa todavía más influyente se encuentra en el fracaso de las más importantes instituciones de educación cristiana. La más importante institución cristiana de educación no es el púlpito ni la escuela, por importantes que sean estas instituciones; sino la familia cristiana. Y esa institución ha dejado en gran medida de cumplir con su labor. ¿De dónde hemos obtenido nuestro conocimiento de la Biblia aquellos de nosotros que hemos llegado a la mediana edad? Supongo que mi experiencia es la misma que la de muchos de nosotros. No obtuve mi conocimiento de la Biblia de la escuela dominical o de la otra escuela, sino los domingos por la tarde con mi madre en casa. Y me aventuro a decir que aunque mi capacidad mental ciertamente no era nada extraordinaria, yo tenía más conocimiento de la Biblia a los catorce años del que se supone que tienen muchos estudiantes en los seminarios teológicos de nuestros días. Los estudiantes de teología vienen en su mayor parte de hogares cristianos; en realidad en gran proporción son hijos de la casa parroquial. Sin embargo, cuando terminan el ciclo básico de la universidad y entran al seminario teológico, muchos de ellos son bastante ignorantes de los contenidos de la Biblia.[14]

En segundo lugar, si la iglesia local cumple con su papel como escuela de enseñanza de la doctrina apostólica, los futuros ancianos habrán aprendido la Palabra de Dios de maestros dotados. La Biblia dice que la iglesia local es "columna y baluarte de la verdad" y "casa de Dios" (1 Timoteo 3:15). Es por eso que Pablo encarga a Timoteo que se ocupe "en la lectura, la exhortación y la enseñanza" (1 Timoteo 4:13). Timoteo también debía preparar a otros "hombres fieles que sean idóneos para enseñar también a otros" (2 Timoteo 2:2b). Cuando Timoteo se fue de Efeso, esperaba que "hombres fieles", como los ancianos de Efeso, enseñaran a los futuros maestros y ancianos pastores que a su vez enseñarían a otros.

Además, la iglesia local no es solamente un lugar para aprender las Escrituras, es el mejor lugar para aprender las pericias requeridas para pastorear a otros. Es en la iglesia local que los líderes aprenden a aplicar el libro de Dios a las situaciones de la vida real. En consecuencia, la iglesia local debe ser la escuela de Dios para el desarrollo espiritual de sus hijos y el aprendizaje de las Escrituras (Hechos 2:42; 11:26).

En tercer lugar, un futuro anciano aprende grandes verdades de Dios por medio de la lectura sistemática y el estudio de las Escrituras y el ministerio del Espíritu Santo (1 Corintios 2:12 y ss; 1 Tesalonicenses 4:9; 1 Juan 2:27). No hay sustituto para un encuentro disciplinado y persistente con Dios por medio del estudio y la meditación personal de la Sagradas Escrituras. Además de estudiar las Escrituras, un cristiano en crecimiento debería leer material doctrinal sólido escrito por buenos maestros de la Palabra.

Lamentablemente, muchas iglesias (y hogares cristianos) no tienen ninguna idea sobre la enseñanza y la instrucción seria en las Escrituras y la doctrina. Otras iglesias simplemente no tienen medios para preparar a sus líderes; luchan para sobrevivir como cuerpo de iglesia. Pero los creyentes comprometidos tienen hambre de una enseñanza en profundidad de las Escrituras. Es por eso que siempre se necesitarán las escuelas bíblicas y los seminarios. Aunque hay problemas con las instituciones religiosas que provocan dudas sobre la autoridad de las Escrituras o reinterpretan la Biblia para estar de acuerdo con el espíritu de la época, una buena escuela con doctrina bíblica puede proveer una formación excelente y en profundidad en las Escrituras.

Sin embargo, debo advertir contra el requerimiento arbitrario que muchas denominaciones imponen a sus pastores en cuanto a obtener un título antes de permitirle servir en la iglesia como pastores. Dios no requiere títulos académicos superiores como requisito para el liderazgo espiritual. Cuando establecemos normas académicas formales, profesionalizamos el gobierno de la iglesia y creamos, al menos en la práctica, un oficio pastoral separado del liderazgo de ancianos. No tenemos la autorización de Dios para establecer semejantes normas.

No olvidemos que nuestro Señor y Maestro, Jesucristo, no tenía preparación formal en la escuela de rabinos, aunque ese tipo de preparación estaba disponible y era muy valorada en su tiempo. A pesar de su falta de preparación formal en religión, Jesús tenía una eminente formación en las Escrituras. Efectivamente, la gente estaba tan sorprendida del conocimiento y las enseñanzas de Jesús como laico sin instrucción formal que comentaron: "¿Cómo sabe éste letras, sin haber estudiado?" (Juan 7:15b). La misma observación hicieron en relación con los discípulos más cercanos de Jesús: "Viendo el denuedo de Pedro y de Juan, y sabiendo que eran hombres sin letras y del vulgo, se maravillaban; y les reconocían que habían estado con Jesús" (Hechos 4:13).

Lamentablemente, muchos cristianos hoy dependen tanto del clero que no pueden imaginar cómo hombres y mujeres sin la preparación teológica y los títulos formales que la acompañan pueden conocer la Biblia y enseñarla con eficacia. Debemos recordar que los títulos se requieren en el mundo empresarial y académico, pero no se requieren para ministrar en la casa de Dios. Algunas personas que no pueden asistir a la escuela reciben enseñanza de Cristo mismo por medio del Espíritu Santo. Son educados en su Palabra y por eso, de acuerdo con las normas de Dios, están calificados para dirigir y enseñar a su pueblo.

La motivación del Espíritu para la tarea

Un requisito obvio, pero no menos significativo, es el deseo personal del pastor de amar y cuidar del pueblo de Dios. Pablo y los primeros cristianos mostraron el valor de ese deseo creando un dicho popular cristiano: "Si alguno desea obispado, buena cosa desea" (1 Timoteo 3:1). Pedro también insistió en que el anciano debía pastorear el rebaño en forma voluntaria y por propia decisión (1 Pedro 5:2). Sabía por años de experiencia personal que la tarea de pastorear no podía ser hecha por alguien que ve el cuidado espiritual como una obligación impuesta. Los ancianos que sirven a desgano, o bajo presión, son incapaces de tener un cuidado genuino por la gente. Se mostrarán infelices, impacientes, culpables, temerosos e ineficaces. Pastorear el pueblo de Dios en medio de este mundo cargado de pecado es una tarea demasiado difícil—llena de problemas, peligros y exigencias—para ser confiada a alguien que carece de la voluntad y el deseo de hacer la obra.

Un verdadero deseo de dirigir la familia de Dios es siempre un deseo generado por el Espíritu. Pablo recordó a los ancianos de Efeso que era el Espíritu Santo—y no la iglesia, ni los apóstoles—quien los había puesto como supervisores en la iglesia para pastorear el rebaño de Dios (Hechos 20:28). Era el Espíritu quien los había llamado a pastorear la iglesia y quien los había motivado para cuidar del rebaño. El Espíritu había plantado en su corazón el deseo pastoral. Él les había dado la motivación y la fuerza para hacer la obra y la sabiduría y los dones apropiados para cuidar del rebaño. Los ancianos habían sido su sabia elección para la obra. En la iglesia de Dios, lo que importa no es la voluntad del hombre sino la voluntad y los planes de Dios. De manera que los únicos hombres que cumplen los requisitos para el liderazgo de ancianos son aquellos a los que el Espíritu Santo ha provisto de la motivación y los dones para la tarea. Un liderazgo bíblico de ancianos entonces, es un equipo de pastores líderes bíblicamente calificados. Un grupo de ancianos no calificados no sirve de nada en la iglesia local. Estoy plenamente de acuerdo con el consejo de Jon Zens, editor del periódico *Searching Together* (Buscando juntos). Escribe: "Mejor no tener ancianos que tener los equivocados".[15] La iglesia local debe insistir fervorosamente en los líderes bíblicamente calificados, incluso si lleva años desarrollar esa clase de hombres.

Capítulo 5

Liderazgo de siervos

"Pues si yo, el Señor y el Maestro, he lavado vuestros pies, vosotros también debéis lavaros los pies los unos a los otros. Porque ejemplo os he dado, para que como yo os he hecho, vosotros también hagáis".

Juan 13:14,15

Un domingo por la mañana, después de haber comisionado y orado públicamente por un recién nombrado anciano en nuestra iglesia, un hermano de otro país que había estado asistiendo a nuestra iglesia durante el último año me llamó y me preguntó con entusiasmo: "¿Cómo hacen para trabajar armoniosamente juntos, como aparentan hacerlo, seis dinámicos líderes como ustedes?". Su pregunta había sido motivada por el nombramiento de un nuevo anciano que era un líder dinámico por sí mismo. El recién nombrado anciano había plantado iglesias en España durante doce años y previamente había plantado iglesias en Norteamérica. De manera que no era un hombre servil. Su personalidad fuerte y firme motivación tenían el potencial para producir conflicto en el equipo de ancianos.

No tuve que ponerme a pensar la respuesta. "Cada uno de nuestros ancianos", le expliqué, "está comprometido para trabajar juntos, por el poder del Espíritu Santo, en el humilde amor de Cristo". Habíamos pensado y discutido el asunto de trabajar juntos en unidad y amor durante más de veinte años. No pensábamos que teníamos opción en cuanto a cómo relacionarnos unos a otros en nuestro trabajo para el Señor. Jesucristo vivió y enseñó los principios del amor, la humildad, la unidad, la oración, la confianza, el perdón y el servicio. Después de su ascensión al cielo, los doce apóstoles pusieron esos principios en práctica trabajando juntos humildemente y en amor como equipo de líderes. De este modo se convirtieron en el primer modelo de liderazgo colectivo de siervos.

Por supuesto que tenemos desacuerdos, discutimos, nos ofuscamos y por momentos pensamos mal unos de otros. Librados a nosotros mismos destruiríamos nuestro equipo de liderazgo en poco tiempo. Pero los principios de Cristo de paciencia, perdón, humildad, unidad, y amor, gobiernan en definitiva nuestras actitudes y conductas de unos hacia otros. Cuando no actuamos unos con otros como discípulos imitadores de Cristo (y lo hacemos), nos arrepentimos, confesamos y empezamos de nuevo. El liderazgo nunca funcionará si los ancianos no comprenden o carecen de un total compromiso en los principios de Cristo de amor abnegado y servicio humilde. Para descubrir cómo un grupo de ancianos funciona en conjunto, hay que mirar y escuchar a Jesucristo.

LAS ENSEÑANZAS DE JESUS SOBRE EL LIDERAZGO DE SIERVOS

A la vez que el cristianismo influyó en el imperio romano, el mundo greco romano afectó también el curso del cristianismo. El conocido historiador de la iglesia y profesor en misiones cristianas Kenneth Scott Latourette (1884-1968), al referirse a las influencias paganas en el cristianismo primitivo, afirma que la concepción romana del poder y la autoridad corrompieron la organización y la vida de las primeras iglesias. Observa que "la iglesia fue siendo infiltrada por ideales completamente contrarios al Evangelio, especialmente la concepción y el uso del poder que estaban en franca contradicción con el tipo expresado en la vida y las enseñanzas de Jesús y en la cruz y la resurrección".[1] Eso, sigue diciendo Latourette, resultó ser "la amenaza más próxima al desastre" para el cristianismo.[2]

Creo que es más preciso decir que los cambios conceptuales y estructurales que ocurrieron durante los primeros siglos del cristianismo fueron desastrosos. El cristianismo, la más humilde de todas las creencias, degeneró en la religión más jerárquica y sedienta de poder de la tierra. Después que el emperador Constantino elevó el cristianismo a la condición de religión estatal en el año 312 d.C., la fe una vez perseguida se convirtió en una feroz perseguidora de toda su oposición. Surgió una casta sacerdotal no bíblica consumida por la búsqueda de poder, posición y autoridad. Hasta los emperadores romanos tenían un brazo ordenador en el desarrollo de las iglesias cristianas. Se perdió el carácter prístino de comunidad de la iglesia del Nuevo Testamento.

Sin embargo, cuando leemos los Evangelios, vemos que los principios de hermandad, comunidad, amor, humildad y servicio están en el corazón mismo de las enseñanzas de Cristo. Lamentablemente, al igual que muchos de los primeros cristianos, hemos sido lentos en comprender estas grandes virtudes y especialmente lentos en aplicarlas a la estructura y el liderazgo de la iglesia. Sin embargo, como el amor, la humildad y el servicio son básicos para el auténtico liderazgo cristiano y para la vida interior de la comunidad cristiana, estudiaremos brevemente las enseñanzas de nuestro Maestro sobre el tema.

Mateo 11:29: Mansos y humildes. En contraste con los líderes religiosos severos y ensimismados de su tiempo, Jesús se dirigió a la gente diciendo: "Llevad mi yugo sobre vosotros, y aprended de mí, que soy manso y humilde de corazón". Por medio de esta significativa afirmación, Jesús nos dice quién es él como persona: es manso y humilde. Demasiados líderes religiosos, sin embargo, no son ni mansos ni humildes. Son orgullosos y controladores. Usan a la gente para satisfacer su propio ego. Pero Jesús es alentadoramente diferente. Ama verdaderamente a las personas, las sirve y da su vida por ellas generosamente. Espera que sus seguidores —especialmente los ancianos que guían a su pueblo— sean humildes y mansos como él.

Marcos 9:33-35: Servidores de todos. En la primera oportunidad registrada en que los discípulos discutieron quién de ellos era el mayor, Jesús, el principal maestro, respondió a su pregunta ancestral por medio de esta afirmación paradójica ahora famosa: "Si alguno quiere ser el primero, será el postrero de todos, y el servidor de todos". Aquí Jesús comienza a transformar las ideas de sus discípulos acerca de la grandeza personal. Declara que la verdadera grandeza no se logra luchando por sobresalir entre los demás ni aferrándose al poder, sino mostrando una actitud humilde, modesta, de servicio a *todos*—incluso hacia las personas más bajas.

Charles Colson, que sirvió como Consejero Especial del Presidente de los Estados Unidos desde 1969 hasta 1973, sabe por su experiencia personal de la seducción mágica del poder y las posiciones encumbradas. Describe hábilmente la diferencia entre el punto de vista mundano del poder y la posición y el punto de vista cristianos: "Nada distingue más el reino del hombre del reino de Dios que su visión diametralmente opuesta del ejercicio del poder. Uno procura controlar a la gente, el otro servirle; uno promueve al yo, el otro lo humilla; uno busca prestigio y posición, el otro levanta al humilde y al despreciado".[3]

La sabia advertencia de Colson a los líderes cristianos merece repetirse: "El poder es como el agua salada, cuanto más se bebe, más sed se tiene. El ansia de poder puede alejar al más resuelto cristiano de la verdadera naturaleza del liderazgo cristiano, que es el servicio a los otros. Es difícil estar sobre un pedestal y lavar los pies de los que están abajo".[4]

Marcos 10:35-45: Sacrificio, servicio y sufrimiento Con el más descarado despliegue de ambición egoísta y total desprecio por el bien de sus compañeros, Jacobo y Juan le piden a Jesús que les dé los dos principales asientos de su Reino: "Concédenos que en tu gloria nos sentemos el uno a tu derecha, y el otro a tu izquierda". El pedido suscita inmediatamente los malos sentimientos entre los otros apóstoles, como siempre lo hace la ambición egoísta. Marcos relata que "cuando lo oyeron los diez, comenzaron a enojarse contra Jacobo y contra Juan".

Contrariamente a la gloria que Jacobo y Juan buscaban para ellos mismos, Jesús llama a los doce, en los versículos 38-45 al "sacrificio, al servicio y al sufrimiento".[5] John Stott, escritor y ex rector de la iglesia All Souls Church de Londres, contrasta lúcidamente las actitudes de Jacobo y Juan con las de Jesús, quien caminó la senda de la cruz:

> Sin embargo, el mundo (e incluso la iglesia) está lleno de Jacobos y Juanes, emprendedores y buscadores de posición, sedientos de honor y prestigio, que miden la vida por las realizaciones, y los interminables sueños de éxito. Son agresivamente ambiciosos para sí mismos.
>
> Esta mentalidad es incompatible con el camino de la cruz. "El Hijo del Hombre no vino para ser servido, sino para servir, y para dar...". Renunció al poder y la gloria del cielo y se humilló a sí mismo para ser esclavo. Se dio a sí mismo sin reservas y sin temor, a los despreciados y olvidados de la comunidad. Su obsesión fue la gloria de Dios y el bien de los seres humanos que son su imagen. Para promover eso, estuvo dispuesto a soportar hasta la vergüenza de la cruz. Ahora nos llama a seguirlo, no a buscar grandes cosas para nosotros, sino más bien a buscar primero la voluntad y la justicia de Dios.[6]

Mateo 23:1-12: El que se humilla será enaltecido. Nadie entiende el orgullo religioso tan bien como lo hace Cristo. En Mateo 23, Jesús expone el espantoso orgullo, el mezquino egoísmo, la superioridad, el legalismo y el engaño de los hipócritas religiosos que se aman a sí mismos:

> "Y aman los primeros asientos en las cenas, y las primeras sillas en las sinagogas, y las salutaciones en las plazas, y que los hombres los llamen: Rabí, Rabí. Pero vosotros no queráis que os llamen Rabí; porque uno es vuestro Maestro, el Cristo, y todos vosotros sois hermanos" (Mateo 23:6-8).

> "El que es mayor de vosotros, sea vuestro siervo. Porque el que se enaltece será humillado, y el que se humilla será enaltecido" (Mateo 23:11,12).

Los líderes religiosos de los que Jesús hablaba se apartaban y se exaltaban a sí mismos por encima de la gente. Buscaban títulos, vestimentas y tratamiento especiales para sí mismos, los primeros lugares entre sus congéneres. Les agradaban los ministerios públicos de alto nivel. Les gustaban las posiciones notorias y la celebridad. En marcado contraste, Jesús prohibió a sus discípulos el uso de títulos honoríficos, el llamarse Rabí uno al otro, enaltecerse entre ellos de ninguna forma que pudiera amenazar su relación de hermanos, o usurpar el lugar único en su género que Cristo y el Padre tienen sobre todo creyente.[7]

A pesar de las repetidas enseñanzas de nuestro Señor sobre la humildad, debemos convenir con Andrew Murray (1828-1917), el amado escritor de devocionales y estadista misionero de Sud Africa, que la humildad sigue siendo una virtud descuidada entre muchos cristianos:

> Cuando miro atrás en mi experiencia religiosa, o a la Iglesia de Cristo en el mundo, me quedo sorprendido ante lo poco que buscamos la humildad como la característica distintiva del discipulado de Jesús. Al predicar y vivir, en las actividades diarias del hogar y la vida social, en la camaradería especial con los cristianos, en la dirección y realización de la obra de Cristo—cuánta evidencia hay de que la humildad no se considera la virtud fundamental.[8]

Lucas 22:24-27: El que sirve. Por increíble que parezca a la luz de las enseñanzas claras y repetidas de Cristo, los discípulos volvieron a discutir durante la cena de Pascua respecto a quién de ellos sería considerado el mayor (Lucas 22:24). Nuevamente vemos a nuestro Señor enseñándoles pacientemente a no pensar ni actuar como los líderes mundanos:

> "Los reyes de las naciones se enseñorean de ellas, y los que sobre ellas tienen autoridad son llamados bienhechores; mas no así vosotros; sino sea el mayor entre vosotros como el más joven, y el que dirige, como el

99

que sirve. Porque, ¿cuál es mayor, el que se sienta a la mesa, o el que sirve? ¿No es el que se sienta a la mesa? Mas yo estoy entre vosotros como el que sirve" (Lucas 22:25-27).

Lamentablemente, el mismo espíritu competitivo, egoísta manifestado por los discípulos sigue vivo hoy. Tal vez su forma más común se expresa por medio de la pregunta: "¿Quién tiene la iglesia más grande?". David Prior, en su libro *Jesus and Power* (Jesús y el poder), ilustra la competencia carnal entre las iglesias a causa de la envidia o el orgullo por cuál de ellas es más grande o mejor:

Esa rivalidad entre sus discípulos era un aguijón constante en el costado de Jesús. Era una actitud endémica en la iglesia de Corinto (cf. 1 Corintios 3:1-15). Se la ve frecuentemente hoy entre y dentro de las grandes congregaciones evangélicas que luchan por ser más grandes, mejores, y más conocidas que las demás. El tamaño mismo de esas congregaciones con frecuencia produce una actitud envidiosa entre las iglesias no tan grandes, una actitud que revela precisamente el mismo espíritu competitivo en aquellas iglesias también. Durante los últimos veinte años he sido miembro de cuatro congregaciones con asistencias que casualmente eran mucho más altas que la mayoría de las iglesias de la zona. Al ser yo anglicano, esas cuatro iglesias fueron anglicanas. Uno de los obstáculos más difíciles de superar ha sido la combinación impía del orgullo por el número de miembros en la iglesia local por un lado, con la envidia por el éxito en la diócesis, por el otro. La competitividad es un cáncer. Jesús la consideró completamente hostil a la realidad del poder que estaba enseñando y demostrando".[9]

Juan 13:3-17: Lavarse los pies unos a otros. Esa misma noche de Pascua en que los discípulos discutían quién sería el más grande entre ellos, Jesús ejemplificó el ministerio humilde y sirviente que es tan básico a su ministerio como al ministerio de quienes lo siguen. Demostró ese ministerio lavando los pies de sus discípulos:

"Así que, después que les hubo lavado los pies, tomó su manto, volvió a la mesa, y les dijo: ¿Sabéis lo que os he hecho? Vosotros me llamáis Maestro, y Señor; y decís bien, porque lo soy. Pues si yo, el Señor y el Maestro, he lavado vuestros pies, vosotros también debéis lavaros los pies los unos a los otros" (Juan 13:12-14).

Aquí vemos que el símbolo de nuestro Señor es la toalla del siervo, no la sotana clerical. Si nuestro amado Maestro y Señor se detuvo por amor a lavar los pies de sus discípulos, entonces nosotros deberíamos detenernos con gusto a ministrar para las necesidades y la restauración de nuestros hermanos y hermanas. Solamente cuando aprendamos lo que significa lavarnos los pies unos a otros y vestirnos en humildad, ten-

"Cuando reflexionamos
en la historia de la Iglesia,
¿nos sentimos impulsados a
confesar que ha dejado de seguir
el ejemplo de su Fundador?
Con demasiada frecuencia ha
vestido el manto de gobernante,
en lugar del delantal de servidor.
Incluso en nuestros días apenas se
puede decir que la 'reputación de
la marca' de la Iglesia, es la de
una sociedad unida en el amor por
Jesús y dedicada al abnegado
servicio a otros".

Michael Green
Called to Serve (Llamados a Servir), 16

dremos alguna esperanza de vivir juntos en paz y unidad.

Juan 13:34, 35: Tener amor. El secreto de un buen equipo de ancianos, una iglesia saludable y buenas relaciones con nuestros hermanos y hermanas es el nuevo mandamiento de Cristo:

"Un mandamiento nuevo os doy: Que os améis unos a otros; como yo os he amado, que también os améis unos a otros. En esto conocerán todos que sois mis discípulos, si tuviereis amor los unos con los otros " (Juan 13:34, 35).

Por eso debemos amarnos unos a otros con la misma intensidad con que Cristo nos amó.

Tres lecciones

La repetida instrucción de nuestro Señor en el amor, la humildad y el servicio, nos enseña tres lecciones importantes. **Primero,** Dios detesta el orgullo. En la lista de los siete pecados que Dios detesta especialmente, el orgullo está a la cabeza (Proverbios 6:16-19). Proverbios dice: "Abominación es a Jehová todo altivo de corazón" (Proverbios 16:5a). Estas son palabras duras. Las Escrituras también dicen: "Cuando viene la soberbia, viene también la deshonra; *mas con los humildes está la sabiduría*" (Proverbios 11:2; cursiva agregada). Santiago reflexiona sobre una idea similar en sus escritos: "Dios resiste a los soberbios, y da gracia a los humildes" (Santiago 4:6). Dios detesta de tal manera el orgullo que a Pablo le puso un aguijón en la carne para evitar que se enalteciera y para obligarlo a depender de su Creador (2 Corintios 12:7-10).

Una de las cosas feas del orgullo es que nos engaña; podemos pensar que estamos sirviendo a Dios y a otros, pero en realidad nos estamos sirviendo solamente a nosotros mismos. John Stott está realmente en lo cierto cuando dice: "El orgullo es, sin lugar a dudas, el principal riesgo laboral del predicador".[10] El líder de iglesia que es orgulloso es una ofensa al evangelio de Jesucristo, un blanco directo para el diablo y—no importa lo talentoso e indispensable que se piense de sí mismo—es un líder inadecuado para el pueblo de Dios.

Segundo, la persistente enseñanza de Cristo en cuanto al amor y al servicio humilde demuestra lo difícil que es para la gente entender y poner en práctica ese principio. El orgullo y el egoísmo luchan continuamente por dominar y engañar el corazón humano. Lamentablemente, muchos cristianos se sienten más cómodos con la *República* de

Platón y su estilo de liderazgo singular y dominante que con el estilo de humilde servidor del liderazgo de Jesús. Los dos siglos pasados de historia del cristianismo muestran que hemos avanzado poco en nuestra comprensión del nudo de la enseñanza de Cristo. Muchas de las escandalosas divisiones, desagradables luchas de poder, sentimientos heridos y celos mezquinos de nuestras iglesias y relaciones personales, existen porque el orgullo y el egoísmo motivan mucho de nuestro pensamiento y nuestra conducta. El líder de iglesia que no comprende el espíritu de humildad, el amor y servicio de Cristo, está condenado a la disputa y la división perpetuas.

Tercero, las repetidas enseñanzas de nuestro Señor muestran que la humildad, el servicio y el amor son las cualidades esenciales de la Iglesia cristiana. Expresan la mente y la disposición de Cristo: "Haya, pues, en vosotros este sentir que hubo también en Cristo Jesús, el cual... se despojó a sí mismo, tomando forma de siervo... se humilló a sí mismo" (Filipenses 2:5,7,8). Toda iglesia local debe ser una comunidad de servicio que se identifique por el amor de Cristo. Por eso los líderes cristianos deben ser líderes servidores, no personajes importantes mundanos e impíos.

EL EJEMPLO DE PABLO SOBRE EL LIDERAZGO SERVICIAL

Si no puede imaginar cómo un líder fuerte y dotado puede también ser un siervo humilde y manso, considere la vida de Pablo. El que una vez fuera un indoblegable y orgulloso fariseo se convirtió en un amable y manso siervo de Jesús (2 Corintios 10:1). Dios había dotado a Pablo de enormes poderes intelectuales y celo indomable. También le había conferido extraordinaria autoridad. Sin embargo, después de su conversión, Pablo percibió sus dones y su autoridad como medios para edificar y proteger a otros, no como medios para controlar u obtener posición o ventajas materiales para sí mismo (2 Corintios 10:8; 2 Corintios 1:24).

La forma en que Pablo se restringe en el uso de su autoridad es un ejemplo notable de su espíritu humilde y servicial. Pablo prefería sufrir que arriesgarse a herir a sus hijos en la fe (2 Corintios 1:23-2:4;

13:7). Prefería solicitar en lugar de ordenar, elegía tratar a la gente con amor y amabilidad en lugar de "con una vara" (1 Corintios 4:21; 2 Corintios 10:1, 2; 13:8-10; Gálatas 4:20). Aunque usaba su autoridad y poder cuando necesitaba detener a los falsos maestros, su paciencia con los convertidos descarriados era extraordinaria. Se identificaba de tal manera con sus convertidos que sentía como propios sus castigos, sus debilidades y sus humillaciones (2 Corintios 11:29; 12:21; Gálatas 4:12). Estaba dispuesto a rebajarse y humillarse para elevar a otros en la fe y la madurez (2 Corintios 11:7, 21; 13:9). Sacrificó toda ganancia y ventajas personales por otros (1 Corintios 10:33). En toda circunstancia, el bienestar espiritual de sus convertidos estaba primero en su mente.

Como siervo humilde, Pablo evitaba el ascenso y el enaltecimiento personales. Siempre exaltaba a Cristo, nunca a sí mismo: "Porque no nos predicamos a nosotros mismos, sino a Jesucristo como Señor, y a nosotros como vuestros siervos por amor a Jesús" (2 Corintios 4:5). Consideremos el siguiente ejemplo de su humilde servicio. Aunque había vivido en Corinto durante un año y medio, nunca había mencionado a sus nuevos convertidos su extraordinaria experiencia de haber sido llevado al paraíso para escuchar "palabras inefables que no le es dado al hombre expresar" (2 Corintios 12:4). Reveló su experiencia celestial unos cuatro años después sólo cuando se sintió obligado a hacerlo a causa del orgullo de los corintios que habían caído presa de la exaltación de los falsos maestros (2 Corintios 12:1-13). No habló de su experiencia celestial antes de eso porque sabía que los corintios lo hubieran idolatrado falsamente. Pablo quería que exaltaran a Cristo, no a él mismo.

La pecaminosa tendencia de los corintios de idolatrar a los maestros poderosos y formar grupos alrededor de ellos se comenta en los primeros cuatro capítulos de 1 Corintios. Allí Pablo dice: "Así que, ninguno se gloríe en los hombres" (1 Corintios 3:21a; cf. 4:6, 7). Pablo les recuerda a los corintios que él y Apolos son siervos, no dioses de metal: "¿Qué, pues, es Pablo, y qué es Apolos? Servidores por medio de los cuales habéis creído; y eso según lo que a cada uno concedió el Señor. Yo planté, Apolos regó; pero el crecimiento lo ha dado Dios. Así que ni el que planta es algo, ni el que riega, sino Dios, que da el crecimiento" (1 Corintios 3:5-7).

Sin embargo, el despliegue servicial de Pablo de su autoridad apostólica fue mal interpretado por muchos corintios, lo que muestra cuán difícil es entender la humildad piadosa. Algunos de ellos incluso lo consideraron débil y cobarde (1 Corintios 4:18-21; 2 Corintios 10:1-11). Pero, como lo demuestra claramente la vida de Jesucristo, humildad no es debilidad ni cobardía. Jesús fue manso y humilde, sin embargo enseñó a grandes multitudes, enfrentó agotadores debates intelectuales, enseñó con gran autoridad, y denunció con dura crítica a los funcionarios religiosos hipócritas de su época. Con ira justa, tomó un látigo y echó a los cambistas del templo. La humildad no es síntoma de debilidad o incompetencia, sino de verdadero conocimiento de sí mismo, sabiduría compasiva y control propio.

El humilde siervo, Pablo, era un valiente y fuerte guerrero y líder para Cristo. Servía a Dios y se ocupaba de su pueblo con todas sus fuerzas y su celo. Durante su vida enfrentó muchos conflictos, discusiones y luchas. El hombre que podía decir que "servía a Dios con humildad" entregó un creyente impenitente a Satanás para la destrucción de su cuerpo, castigó con ceguera al falso maestro Elimas, reprendió a Pedro y Bernabé por su hipocresía, y se mantuvo firme ante los tribunales y jueces romanos. A pesar de los muchos problemas que enfrentó, Pablo respondió sistemáticamente a sus hermanos con humildad y amor. Sabía que actuar con orgullo haría más difíciles las cosas y dividiría al pueblo de Dios. Esa es una de las razones por las que las cartas de Pablo, así como las de Pedro, Juan y Santiago, están saturadas de mandamientos respecto al amor, la paciencia, la amabilidad, la oración, el perdón, la mansedumbre y la compasión.

LOS ANCIANOS COMO LIDERES SERVIDORES

Los ancianos deben ser líderes servidores, no gobernantes ni dictadores. Dios no quiere que su pueblo sea usado por tiranos mezquinos que viven para sí mismos. Los ancianos servidores han elegido una vida de servicio a otros. Como el siervo Cristo, sacrifican su tiempo y energía por el bien de otros. Solamente los ancianos que son siervos amables y humildes pueden expresar genuinamente la incomparable vida de Jesucristo a sus congregaciones y al mundo que los observa.

Sin embargo, un grupo de ancianos puede convertirse en un cuerpo de líderazgo autocrático, que sólo sirve a sus propios intereses. Por eso Pedro, usando la misma terminología que Jesús, advierte a los ancianos de Asia contra el liderazgo señorial y abusivo: "No como teniendo señorío sobre los que están a vuestro cuidado, sino siendo ejemplos de la grey" (1 Pedro 5:3). Pedro también insta a los ancianos, lo mismo que a todos en la congregación, a vestirse de humildad tal como Jesús se revistió de humildad: "Revestíos de humildad; porque: Dios resiste a los soberbios, y da gracia a los humildes" (1 Pedro 5:5). Con similar preocupación, Pablo les recuerda a los ancianos de Efeso de su ejemplo de humildad. En Hechos 20:19, describe su manera de servir "al Señor con toda humildad", sugiriendo que ellos también deben servir al Señor de esa manera. A causa de la constante tentación del orgullo, la Escritura dice que un nuevo cristiano no debe ser anciano: "no un neófito, no sea que enveneciéndose caiga en la condenación del diablo" (1 Timoteo 3:6).

Además de pastorear a otros con un espíritu de servicio, los ancianos deben relacionarse unos a otros con amor y humildad. Deben poder lograr pacientemente el consenso y el compromiso, persuadir, escuchar, administrar los desacuerdos, perdonar, aceptar la reprensión y la corrección, confesar sus pecados y apreciar la sabiduría y la perspectiva de otros—incluso de aquellos con los que están en desacuerdo. Deben poder someterse unos a otros, hablar con amabilidad y bondad entre ellos, ser pacientes con sus compañeros, aceptarse unos a otros, decir lo que piensan abiertamente en verdad y en amor. Los ancianos más fuertes y dotados no deben usar sus capacidades, como lo suelen hacer las personas talentosas, para abrirse camino amenazando con abandonar la iglesia y llevarse a sus seguidores con ellos. Ese tipo de egoísmo produce luchas de poder carnales y muy feas que ponen en peligro la unidad y la paz de toda la congregación.

El conflicto entre los líderes es un problema serio y muy común. Es lamentable la poca consideración que tienen algunos líderes cristianos por la santidad de la unidad del cuerpo de Cristo y la facilidad con que dividirían el cuerpo con tal de hacer su propia voluntad. Al final puede ser que logren seguir su propio camino, pero no será el camino de Dios. Sin embargo, la solución al problema es no someterse a la autoridad de un solo hombre ni abandonar la iglesia. Esa es la salida fácil. La solución del cristiano es humillarse a sí mismo, amar como Cristo amó, lavarse los pies unos a otros, arrepentirse, someterse, orar, alejarse del orgullo, evitar la impaciencia y honrarse y amarse unos a otros. Creo firmemente que si los ancianos pasaran tanto tiempo orando unos por otros como lo hacen quejándose unos de otros, la mayoría de sus problemas y quejas desaparecerían. Este es el tipo de liderazgo que Dios quiere que los ancianos ejerzan en su pueblo.

Los ancianos deben comprender que las angustiantes frustraciones, problemas y conflictos de la vida pastoral son las herramientas que Dios usa para modelarlos a la imagen del Buen Pastor, el Señor Jesucristo. Si responden a esas dificultades en obediencia y fe , serán modelados a la imagen de Cristo. Y pocas cosas en la vida son más conmovedoras que saber que uno está siendo transformado en un pastor parecido a Cristo.

Sin embargo, el carácter de humilde siervo de liderazgo no implica ausencia de autoridad. Los términos del Nuevo Testamento que describen la posición y el trabajo del líder—"mayordomo de Dios", "sobreveedor", "pastor", "guía"—implican autoridad tanto como responsabilidad. Pedro no podría haber advertido a los ancianos de Asia contra tener "señorío sobre los que están a vuestro cargo" si no hubieran tenido autoridad. Como pastores de la iglesia, los ancianos han recibido autoridad para guiar y proteger la iglesia local (Hechos 20:28-31). La clave es la actitud con que los ancianos ejercen esa autoridad.

Siguiendo el modelo cristiano, los ancianos no deben empuñar con mano dura la autoridad que se les ha dado, ni mostrarse arrogantes o distantes. Nunca deben pensar que son incuestionables frente a sus hermanos o frente a Dios. Los ancianos no deben ser autoritarios, lo que es incompatible con su servicio humilde. J. I. Packer, conocido autor y profesor de teología en el Regent College de Vancouver, Canadá, define el autoritarismo y describe sus males:

El ejercicio de la autoridad en sus diversos campos no es necesariamente autoritarismo. Hay entre ellos una diferencia fundamental. El autoritarismo es la autoridad corrompida, echada a perder. El autoritarismo aparece cuando la sumisión exigida no se puede justificar en términos de verdad o moralidad. Toda forma de autoridad humana puede degenerar en ese sentido. Hay autoritarismo en el estado cuando el régimen utiliza el poder sin escrúpulos para perpetuarse a sí mismo. Se lo ve en las iglesias cuando los ancianos pretenden controlar la conciencia de sus seguidores. Se lo ve en un trabajo académico en la escuela media, la universidad o el seminario cuando se nos pide que estemos de acuerdo con el profesor en lugar de seguir por cuenta propia la evidencia de la verdad. Se lo ve en la familia cuando los padres restringen o dirigen a sus hijos de manera irracional. Las experiencias desagradables con la autoridad con frecuencia son experiencias con la autoridad degenerada, es decir, de autoritarismo. El hecho de que esas experiencias dejen un sabor amargo y un escepticismo hacia la autoridad en todas sus formas, es triste pero no sorprendente.

El autoritarismo es pernicioso, es antisocial, antihumano y en definitiva anti-Dios (el orgullo autoendiosador está en su base), y no tengo nada que decir en su favor.[11]

Cuando consideramos el ejemplo de Pablo y el de nuestro Señor, la mayoría estamos de acuerdo en que los ancianos bíblicos no mandan, sino que dirigen. Los verdaderos líderes no gobiernan la conciencia de sus hermanos, sino que apelan a sus hermanos para que sigan fielmente la Palabra de Dios. Los verdaderos líderes sufren y soportan en amor el embate de personas y problemas difíciles, para no herir a las ovejas. Soportan la incomprensión y el pecado de otros para que la congregación siga en paz. Se desvelan para que otros puedan dormir. Hacen grandes sacrificios personales de tiempo y energía por el bien de otros. Se ven a sí mismos como hombres que están bajo autoridad. Dependen de la sabiduría y ayuda de Dios, no de su propio poder y capacidad. Enfrentan los feroces ataques de los falsos maestros. Protegen la libertad en Cristo de la comunidad para que los santos se sientan estimulados a desarrollar dones, madurez y a servirse unos a otros.

En resumen, usando el gran capítulo del amor de Pablo, podemos decir que un anciano siervo es "sufrido, es benigno... no tiene envidia... no es jactancioso, no se envanece... no es indecoroso, (un anciano siervo) no busca lo suyo, no se irrita, no guarda rencor, no se goza de la injusticia, mas se goza de la verdad. (Un anciano siervo) todo lo sufre, todo lo cree, todo lo espera, todo lo soporta" (1 Corintios 13:4-7).

Segunda parte

LA DEFENSA DEL LIDERAZGO BIBLICO

Capítulo 6

La estructura del liderazgo basado en la Biblia

"...para que corrigieses lo deficiente, y establecieses ancianos en cada ciudad, así como yo te mandé".

Tito 1:5b

Para muchas personas, el asunto del gobierno de la iglesia (al que también se hace referencia como estructura de la iglesia, organización de la iglesia, orden de la iglesia o ministerio) es un asunto tan inaplicable como el color de los bancos de la iglesia. En realidad, para muchas personas ¡el color de los bancos es mucho más interesante! A estas personas realmente no les interesa la estructura organizacional de la iglesia. Sin embargo, el desinterés general de los miembros de la iglesia respecto a cómo está gobernada la iglesia, necesita ser desafiado. El gobierno de la iglesia es un asunto extremadamente significativo desde el punto de vista práctico y teológico. Por eso les pido a quienes no han pensado mucho sobre este asunto, o no le han dado importancia, que consideren los puntos siguientes.

Algunos de los peores estragos causados a la fe cristiana han sido el resultado directo de formas de estructuras eclesiales no bíblicas. Por ejemplo, apenas unos siglos después de la muerte de los apóstoles, las iglesias cristianas comenzaron a asimilar los conceptos de categoría, poder y sacerdocio, tanto romanos como judíos. Como resultado, el gobierno de la iglesia se clericalizó y sacralizó. Bajo el nombre de Cristo, surgió una institución elaboradamente estructurada que corrompió la sencilla y familiar estructura de las iglesias apostólicas, privó al pueblo de Dios de su encumbrada posición y ministerio en Cristo, y reemplazó la supremacía de Cristo sobre su pueblo por la supremacía de la iglesia institucional.

Además, la estructura organizacional de la iglesia importa porque la estructura determina cómo piensa y actúa la gente. En definitiva, la estructura determina cómo se hacen las cosas en la iglesia local. Me parece una ironía que algunos líderes evangélicos en Norteamérica estén más preocupados por la estructura del gobierno de los Estados Unidos que por la estructura de la iglesia local. Dudo que muchos líderes evangélicos dijeran: "No importa cómo esté estructurado el gobierno de los Estados Unidos mientras haya alguna forma de liderazgo". Sin embargo, eso es precisamente lo que he oído decir a algunos líderes evangélicos acerca de la iglesia local.

En la realidad práctica, la estructura de la iglesia con frecuencia tiene primacía sobre la teología. En su libro, *Liberating the Laity* (Liberando al laicado), R. Paul Stevens muestra cómo intentó formar a la gente de su iglesia para llevar adelante el ministerio de la iglesia, y cómo fracasó porque —como descubrió— la estructura gubernamental de la iglesia requería que *él* cumpliera "el ministerio". Escribe: "He descubierto que la estructura es importante; no tiene objeto decir que todos los miembros son ministros si la estructura del cuerpo 'dice' exactamente lo opuesto —haciendo difícil que la gente descubra sus dones o ejerza un servicio de amor".[1]

El hecho es que ninguna sociedad —religiosa o secular— jamás se puede dar el lujo de descuidar la estructura de su gobierno. Esto es especialmente cierto en la comunidad cristiana porque están en juego principios grandes y preciosos. Las personas que están profundamente implicadas en el funcionamiento real de la iglesia local saben por experiencia personal que el gobierno de la iglesia afecta cada aspecto de la vida interior de la iglesia y este es un punto extremadamente pertinente.

Hay cuestiones doctrinales sumamente críticas involucradas en la forma de gobierno de la iglesia que los cristianos comprometidos y reflexivos no pueden evitar sin convertirse en cristianos impertinentes. ¿Quién osaría decir que el asunto de la ordenación de mujeres está fuera de lugar? Este es sin duda uno de los temas más importantes en la política de la iglesia hoy. Es interesante que justamente el tema recurrente que ha provocado el mayor obstáculo a la unión del movimiento ecuménico mundial sea el asunto de la organización de la iglesia. El punto es que la estructura de la iglesia refleja, y a la vez determina, nuestra teología y nuestras creencias.

Ya que la estructura de la iglesia es importante tanto en sentido práctico como teológico, debemos preguntarnos si hay una base bíblica para insistir en la forma de gobierno de la iglesia. Creo que hay tal base y que se puede demostrar razonable y honestamente que el gobierno de la iglesia por una pluralidad de ancianos es la enseñanza del Nuevo Testamento.

Al hablar de la estructura organizacional de la iglesia local, he utilizado, a falta de una terminología mejor, la expresión tradicional *gobierno de la iglesia*. Para mucha gente, la expresión *gobierno* puede comunicar conceptos burocráticos y judiciales. Sin embargo, la estructura de gobierno que contempla el Nuevo Testamento para la iglesia local es principalmente pastoral y familiar e involucra el cuidado espiritual de todos los miembros de la congregación.

LA BASE BIBLICA PARA EL GOBIERNO DE UNA PLURALIDAD DE ANCIANOS

Las personas que profesan que la Biblia es la Palabra infalible de Dios, están de acuerdo en que deben establecer las prácticas y doctrinas de su iglesia sobre las enseñanzas de la Biblia. Sin embargo, muchos eruditos contemporáneos dicen que el Nuevo Testamento es ambiguo o no dice nada en relación al tema del gobierno de la iglesia y concluyen que nadie puede insistir en un único modelo bíblico de gobierno de la iglesia para todas las iglesias porque la misma Biblia no lo hace. George Eldon Ladd (1911-1982), autor de *A Theology of the New Testament* (Una teología del Nuevo Testamento) y ex profesor del Fuller Theological Seminary, expresa esa visión en forma concisa: "Parece probable que no había ningún modelo normativo de gobierno de la iglesia en la era apostólica, y que la estructura organizacional de la iglesia no es un elemento esencial en la teología de la iglesia".[2] Aunque esta es una idea ampliamente sostenida por los eruditos de hoy, debe ser desafiada porque sencillamente no se adapta a las evidencias bíblicas.

En sus rasgos principales, el liderazgo está plena y ampliamente presentado por los escritores del Nuevo Testamento. J. Alec Motyer, ex rector del Trinity College de Bristol, Inglaterra, capta el verdadero espíritu del Nuevo Testamento cuando escribe: "Ni siquiera se insinúa en el Nuevo Testamento que la iglesia alguna vez necesitaría —menos todavía querría o toleraría— algún otro liderazgo local que el del grupo de ancianos".[3]

El Nuevo Testamento no solamente registra la existencia de ancianos en numerosas iglesias, también da instrucciones acerca de los ancianos y a los ancianos. En efecto, el Nuevo Testamento ofrece más instrucciones en relación a los ancianos que sobre otros aspectos importantes de la iglesia como la cena del Señor, el Día del Señor, el bautismo, o los dones espirituales. Cuando se considera la falta característica de ordenanzas detalladas y procedimientos de iglesia (en comparación con el Antiguo Testamento), la atención prestada a los ancianos es sorprendente. "Es por eso", escribe Jon Zens, "que necesitamos considerar seriamente la doctrina del liderazgo; nos salta a la vista desde las páginas del Nuevo Testamento, sin embargo ha caído en desgracia y no está siendo practicada en el conjunto de las iglesias locales".[4]

Un modelo consistente de pluralidad de ancianos entre las primeras iglesias

Al escuchar hablar a algunos eruditos, uno pensaría que la Biblia no dice una palabra acerca de los ancianos y el gobierno de la iglesia. Pero eso no es cierto. El Nuevo Testamento registra evidencias de control pastoral por parte de un consejo de ancianos en casi todas las primeras iglesias. Estas iglesias locales estaban dispersas en un amplia área geográfica y cultural—desde Jerusalén hasta Roma. Consideremos el modelo constante de liderazgo plural de ancianos que existió entre las primeras iglesias cristianas como está registrado en el Nuevo Testamento:

- Vemos ancianos en las iglesias de Judea y el área circundante (Hechos 11:30; Santiago 5:14, 15).

- Los ancianos gobernaban la iglesia de Jerusalén (Hechos 15).

- Entre las iglesias paulinas, el liderazgo por una pluralidad de ancianos fue establecido en las iglesias de Derbe, Listra, Iconio y Antioquía (Hechos 14:23); en la iglesia de Efeso (Hechos 20:17; 1 Timoteo 3:1-7; 5:17-25); en la iglesia de Filipos (Filipenses 1:1); y en las iglesias de la isla de Creta (Tito 1:5).

- Según la circulada carta de 1 Pedro, los ancianos existieron en las iglesias dispersas por el noroeste de Asia Menor: Ponto, Galacia, Capadocia, Asia y Bitinia (1 Pedro 1:1; 5:1).

- Hay fuertes indicaciones de que existieron ancianos en las iglesias de Tesalónica (1 Tesalonicenses 5:12) y de Roma (Hebreos 13:17).

A pesar de las evidencias de un gobierno de pluralidad de ancianos, es una idea común entre muchos cristianos que Timoteo, Epafras y Santiago son ejemplos de liderazgo pastoral local por parte de un individuo, pero no es así. Timoteo no era pastor de una iglesia local en el sentido tradicional del término. Fue principalmente —como Tito, Erasto y Títico— un delegado apostólico. Sirvió como compañero y colega de Pablo en la propagación del evangelio y el fortalecimiento de las diferentes iglesias que estaban bajo el cuidado de Pablo (Hechos 19:22). Timoteo era un evangelista (1 Tesalonicenses 3:2; 2 Timoteo 4:5) y realizó el trabajo pastoral en el mismo sentido que lo hizo Pablo, pero siempre estaba bajo la autoridad y la dirección de Pablo (1 Tesalonicenses 3:2; Filipenses 2:19, 20; 1 Corintios 16:10, 11; 1 Timoteo 1:3).

Al igual que Timoteo, Epafras también era un delegado apostólico de Pablo. Ministró en lugar de Pablo en el valle de Licia mientras Pablo residía en la iglesia de Efeso (Colosenses 1:7). Epafras fue probablemente el pastor original de la iglesia de Colosas (Colosenses 1:7, 8; 4:12, 13; Filemón 23)[5], pero para la época en que se escribió Colosenses (61 d.C.), estaba con Pablo en Roma y no tenía planes seguros de volver a Colosas (Colosenses 4:7, 8). Aunque Epafras hacía trabajo pastoral entre las iglesias de Colosas, Laodicea e Hierápolis (Colosenses 4:13), no hay evidencias claras de que era el único pastor de la iglesia.

Santiago fue un apóstol que ministró únicamente a los judíos (Gálatas 1:19; 2:9). Junto con Pedro y Juan, Santiago fue considerado uno de los "pilares" de la iglesia (Gálatas 2:9), no "el pilar". Fue uno de los principales líderes entre los líderes de la iglesia de Jerusalén y entre todos los cristianos judíos (Santiago 1:1; Gálatas 2:12). Aun así, el Nuevo Testamento nunca identifica claramente su posición oficial en la iglesia de Jerusalén. Lucas y Pablo no revelan la naturaleza de su relación formal con los doce y con los ancianos de Jerusalén. Yo concluyo con Bruce

Stabbert que: "Santiago ha sido una persona difícil de encasillar cómodamente en las categorías del ministerio en la iglesia primitiva".[6]

A la luz de la visión de Juan en la que ve siete candeleros de oro y siete estrellas (Apocalipsis 1:12, 16, 20), algunos eruditos afirman que los ángeles de las siete iglesias del Apocalipsis eran pastores de las diferentes iglesias locales. Sin embargo, el significado de estos símbolos lo interpreta para nosotros el mismo Señor: los siete candelabros "son las siete iglesias" y las estrellas "son los ángeles de las siete iglesias" (Apocalipsis 1:20; comparar con 1 Corintios 11:10). De manera que "las estrellas" son "ángeles" (Job 38:7), no pastores humanos ni mensajeros.[7] Incluso si se pudiera demostrar que "las estrellas" representan seres humanos, aun así la cita no revela la posición oficial de los representantes humanos (o mensajeros) o si los representantes son o no los únicos líderes de sus iglesias locales.

Todavía otros eruditos se llevan del Antiguo Testamento para enseñar que las iglesias deberían seguir lo que se llama el "Modelo de Moisés". No es raro escucharlos decir: "¿Acaso no fue Moisés el único líder de Israel y los ancianos sus asistentes?". "¿No es el pastor local como Moisés y los ancianos como sus asistentes?". Pero el pastor de la iglesia local ciertamente no representa a Moisés. Si hay un Moisés hoy en día es el Señor Jesucristo. El es quien nos guía en todo lo que hacemos y está siempre presente con nosotros (Mateo 18:20; 28:20). Cristo es nuestro Moisés, nuestro gran Libertador.

Debemos recordar que Moisés fue un libertador único en su género, una vez, para la nación de Israel. No fue una institución permanente. Es un ejemplo para todos los líderes espirituales, sin embargo es difícil describir su ministerio y su posición (Deuteronomio 34:10-12; Números 12:6-8; Exodo 33:11). Después que el pueblo de Israel se estableciera en ciudades, ya no sería liderado por Moisés ni su sucesor Josué. Serían guiados principalmente por sus ancianos y la familia sacerdotal, con Dios como Rey y Pastor. Lamentablemente, Israel nunca apreció esta bendita verdad (1 Samuel 8).

Argumentar en favor de la supervisión de una pluralidad de líderes calificados no significa negar que Dios levanta hombres extraordinariamente dotados para enseñar y guiar a su pueblo. Ciertamente hay grandes evangelistas, misioneros, maestros, predicadores y fundadores de iglesias a quienes Dios levanta para plantar iglesias, recuperar la verdad, escribir y corregir a su pueblo. Pero esto es un asunto diferente de la estructura organizacional o gubernativa de la iglesia. La supervisión organizacional y pastoral de la iglesia local debe estar en manos de un grupo de ancianos pastores calificados, no de una sola persona. Los siervos de Dios que tienen muchos dones, descritos anteriormente, pueden o no ser líderes locales; en muchos casos no lo son. Los ancianos locales tienen que contar con la ayuda de esos hombres dotados para la evangelización, la enseñanza y para forjar la visión de la iglesia.

Instrucciones para las iglesias acerca de los ancianos

El Nuevo Testamento no solamente provee ejemplos de iglesias dirigidas por ancianos, sino que incluye instrucciones explícitas a las iglesias acerca de cómo cuidar, proteger, disciplinar, seleccionar, restaurar, obedecer y llamar a ancianos. Los apóstoles esperaban que esas instrucciones se obedecieran y que se consideraran enseñanzas normativas para todas las iglesias y todos los tiempos.

- Santiago instruye a los enfermos a llamar a los ancianos de la iglesia (Santiago 5:14).

- Pablo instruye a la iglesia de Efeso a apoyar económicamente a los ancianos que trabajan "en predicar y enseñar" (1 Timoteo 5:17, 18).

- Pablo instruye a la iglesia local sobre cómo proteger a los ancianos de las falsas acusaciones, disciplinar a los ancianos que pecan y restaurar a los ancianos que han pecado (1 Timoteo 5:19-22).

- Pablo instruye a la iglesia sobre las aptitudes necesarias para ser anciano (1 Timoteo 3:1-7; Tito 1:5-9).

- A la iglesia en Efeso, Pablo les dice que quien aspire el llegar a ser anciano desea un trabajo noble (1 Timoteo 3:1).

- Pablo instruye a la iglesia a examinar cuáles son las aptitudes de los posibles ancianos (1 Timoteo 3:10; 5:24,25).

- Pedro instruye a los hombres jóvenes de la iglesia a someterse a los ancianos (1 Pedro 5:5).

- El escritor de Hebreos instruye a sus lectores a obedecer y someterse a los ancianos (Hebreos 13:17).

- Pablo enseña que los ancianos son los administradores, líderes, instructores y maestros de la iglesia local (Tito 1:7; 1 Tesalonicenses 5:12; Tito 1:9).

- Pablo instruye a la iglesia a reconocer, amar y vivir en paz con los ancianos (1 Tesalonicenses 5:12, 13).

Instrucciones y exhortaciones dadas directamente a los ancianos

No solamente se le da a la iglesia instrucciones acerca de los ancianos, sino que Pablo, Pedro y Santiago dan instrucciones directamente a los ancianos.

- Santiago dice a los ancianos que oren y unjan con aceite a los enfermos (Santiago 5:14).

- Pedro encarga directamente a los ancianos que pastoreen y supervisen la congregación local (1 Pedro 5:1, 2).

- Pedro advierte a los ancianos que no sean demasiado autoritarios (1 Pedro 5:3).

- Pedro promete a los ancianos que cuando el Señor Jesús regrese recibirán "la corona incorruptible de gloria" (1 Pedro 5:4).

- Pedro exhorta a los ancianos a revestirse de humildad (1 Pedro 5:5).

- Pablo recuerda a los ancianos de Efeso que el Espíritu Santo los puso en la iglesia como sobreveedores para pastorear la iglesia de Dios (Hechos 20:28).

- Pablo exhorta a los ancianos a proteger a la iglesia de los falsos maestros (Hechos 20:28) y a estar alerta a la permanente amenaza de la falsa doctrina (Hechos 20:31).

- Pablo recuerda a los ancianos que deben trabajar arduo, ayudar a los necesitados y ser generosos como el Señor Jesucristo (Hechos 20:35).

- Pablo exhorta a los ancianos a vivir en paz con su congregación (1 Tesalonicenses 5:13).

Estas instrucciones contradicen a los eruditos que tratan de definir la misión del anciano del Nuevo Testamento en base al anciano judío del Antiguo Testamento.[8] Ya que, como lo ven los eruditos, los ancianos del Antiguo Testamento eran principalmente gobernantes y jueces, concluyen que los ancianos cristianos deberían ser los dirigentes de la iglesia más que pastores y maestros. Claro que hay paralelismos legítimos e instructivos entre los ancianos del Antiguo y del Nuevo Testamento, pero el anciano apostólico no es el anciano del Antiguo Testamento en una nueva época. Tratar de definir el anciano del Nuevo Testamento (el anciano paulino) según el anciano del Antiguo Testamento o el anciano de la sinagoga judía (del que sabemos muy poco) es tergiversar las enseñanzas del Nuevo Testamento sobre el liderazgo de ancianos. El trabajo y las aptitudes del anciano cristiano están definidos más claramente que las del anciano del Antiguo Testamento.

Los ancianos cristianizados del Nuevo Testamento no son simples representantes del pueblo; son, como lo muestran los pasajes anteriores, pastores espiritualmente calificados que protegen, guían y enseñan al pueblo. Proveen cuidado espiritual a todo el rebaño. Son los pastores oficiales de la iglesia.

El liderazgo de ancianos armoniza mejor con la verdadera naturaleza de la iglesia del Nuevo Testamento y la promueve

La estructura de gobierno de la iglesia local es una afirmación sobre la naturaleza y la filosofía de su ministerio. La iglesia local no es una masa indefinida de gente; es un grupo particular de personas que tiene una misión y un propósito particulares. Estoy convencido de que la estructura de gobierno de ancianos armoniza mejor y promueve la verdadera naturaleza de la iglesia local como se revela en el Nuevo Testamento. En el Capítulo 2 enumeramos tres razones prácticas para la conveniencia de una pluralidad de ancianos: (1) equilibrar las debilidades de las personas, (2) aliviar la carga del trabajo y (3) proveer confiabilidad. Ahora consideraremos cuatro formas en las que la estructura de gobierno de ancianos complementa la naturaleza de la iglesia.

La iglesia es una familia de hermanos y hermanas

De los términos del Nuevo Testamento usados para describir la naturaleza de la iglesia —cuerpo, novia, templo, rebaño— el más frecuentemente usado es el de familia, particularmente el aspecto fraternal de la familia, los *hermanos*. Robert Banks, un prominente líder del movimiento mundial de iglesias en el hogar, hace la siguiente observación en su libro *Paul's Idea of Community* (La idea de Pablo sobre la comunidad):

> Aunque en los últimos años las metáforas de Pablo para la comunidad han sido sometidas a intensos estudios, especialmente su descripción de la misma como un "cuerpo", la aplicación de Pablo a la comunidad de la terminología de "hogar" o "familia" ha sido descuidada con demasiada frecuencia o mencionada sólo superficialmente.[9]

Más adelante Banks comenta la frecuencia y el significado de estas expresiones del ámbito familiar:

> Son tan numerosas, y aparecen con tanta frecuencia que la comparación de la comunidad cristiana con la "familia" debe ser considerada, metafóricamente, como la más significativa de todas... Más que ninguna de las otras imágenes utilizadas por Pablo, revela la esencia de su pensamiento en relación con la comunidad.[10]

El motivo de su preferencia por el aspecto familiar de la iglesia es que solamente la más íntima de las relaciones humanas podía expresar el amor, la proximidad, los privilegios y las relaciones que existen entre Dios y el hombre, y entre los hombres como resultado de la encarnación y muerte de Cristo. La iglesia cristiana local, entonces, debe ser una familia unida de hermanos y hermanas.

La realidad de esta comunidad familiar fuerte aparece muchas veces en el Nuevo Testamento. Los escritores del Nuevo Testamento se refieren más comúnmente a los creyentes como *hermanos*. Pedro se refiere a la comunidad mundial como a *"los hermanos"* (1 Pedro 2:17; 5:9). Los términos *hermanos, hermano, o hermana*, aparecen alrededor de 250 veces a lo largo del Nuevo Testamento. Estos términos son particularmente abundantes en las cartas de Pablo.

El Nuevo Testamento expresa el carácter familiar de la comunidad cristiana de hermanos de muchas maneras prácticas:

- Los primeros cristianos se reunían en hogares familiares (Romanos 16:5; 1 Corintios 16:19; Colosenses 4:15; Filemón 2).

- Compartían posesiones materiales (Hechos 2:44, 45; 4:32; 11:29; Romanos 12:13, 20; 15:26; 1 Corintios 16:1; 2 Corintios 8; Gálatas 2:10; 6:10; Hebreos 13:16; Santiago 2:15,16; 1 Juan 3:17).

- Comían juntos (Hechos 2:46; 20:11; 1 Corintios 11:20 y subsiguientes; Judas 12).

- Se saludaban unos a otros con un beso santo (Romanos 16:16: 1 Corintios 16:20; 2 Corintios 13:12; 1 Tesalonicenses 5:26; 1 Pedro 5:14).

119

- Mostraban hospitalidad (Hechos 16:15; 21:8, 16; Romanos 12:13; 1 Timoteo 3:2; 5:10; Hebreos 13:12; 1 Pedro 4:9; 3 Juan 5-8).
- Cuidaban a las viudas (Hechos 6:1-6; 9:39; 1 Timoteo 5:1-16).
- Cuando era necesario, disciplinaban a sus miembros (1 Corintios 5-6; 2 Corintios 2:1-11; 2 Tesalonicenses 3:6-15; 1 Timoteo 5:19, 20).

La fraternidad también proveyó un principio clave para el manejo de las relaciones entre cristianos (Romanos 14:15, 21; 1 Corintios 6:8; 8:11-13; 2 Tesalonicenses 3:14, 15; Filemón 16; Santiago 4:11). Jesús insistió en que sus seguidores fueran verdaderos hermanos y hermanas y en que ninguno de ellos actuara como los rabinos de su época quienes se elevaban por encima de sus compatriotas:

"Antes, hacen todas sus obras para ser vistos por los hombres. Pues ensanchan sus filacterias, y extienden los flecos de sus mantos; y aman los primeros asientos en las cenas, y las primeras sillas en las sinagogas, y las salutaciones en las plazas, y que los hombres los llamen: Rabí, Rabí.

Pero vosotros no queráis que os llamen Rabí; porque uno es vuestro Maestro, el Cristo, y *todos vosotros sois hermanos"* (Mateo 23:5-8; cursiva agregada).

En completa obediencia a las enseñanzas de Cristo sobre la humildad y la fraternidad, los primeros cristianos y sus líderes resistieron los títulos especiales, las vestiduras sagradas, los asientos principales y la terminología señorial para describir a los líderes de la comunidad. También eligieron una estructura de liderazgo apropiada para sus congregaciones locales—el liderazgo de un consejo de ancianos. Los primeros cristianos encontraron en su patrimonio bíblico una estructura de gobierno compatible con su nueva familia y creencias teológicas. Israel era una gran familia, compuesta de muchas familias individuales y encontraron en el liderazgo de una pluralidad de ancianos una forma adecuada de autogobierno que proveía una representación equitativa para sus miembros. Lo mismo es válido para la iglesia cristiana local. La estructura de gobierno de ancianos se adapta a una organización de familia extendida como es la iglesia local. Permite que cualquier hermano de la comunidad que desee y esté calificado, pueda participar plenamente en el liderazgo de la comunidad.

La iglesia es una comunidad no clerical

La iglesia local no solamente es una cariñosa familia íntima de hermanos y hermanas redimidos, sino que es una familia no clerical. A diferencia de Israel, que estaba dividida en miembros sacerdotales sagrados y miembros laicos, la iglesia cristiana del primer siglo era un movimiento popular. La marca distintiva del cristianismo no estaba en una jerarquía clerical, sino en el hecho de que el Espíritu de Dios vino a morar entre gente común y corriente y que por medio de ellos el Espíritu comunicó la vida de Jesús a la comunidad de creyentes y al mundo.

Es una verdad muy profunda que en el Nuevo Testamento no aparezca ninguna clase sacerdotal especial o clerical distinta de todo el pueblo de Dios. Bajo el nuevo pacto ratificado por la sangre de Cristo, todo miembro de la Iglesia de Jesucristo es un santo, un sacerdote real, y un miembro del cuerpo de Cristo dotado por el Espíritu. Pablo enseñó que en el cuerpo de Cristo existe una amplia variedad de dones y servicios (1 Corintios 12), pero no dice absolutamente nada acerca de una brecha mística entre un clero sagrado y un laicado común. Es evidente que algo tan fundamental para la Iglesia como la división entre el clero y el laicado debería estar mencionado en el Nuevo Testamento. Sin embargo, el Nuevo Testamento afirma la unidad del pueblo de Dios (Efesios 2:13-19) y el desmantelamiento del concepto de lo sagrado y lo secular que existía entre el sacerdote y el pueblo bajo el antiguo pacto (1 Pedro 2:5-10; Apocalipsis 1:6).

Sin embargo está profundamente arraigada en la mente de muchos protestantes la idea de que solamente un clérigo ordenado está calificado para pastorear la iglesia, dirigir la adoración, administrar la Cena del Señor, pronunciar una bendición, predicar y bautizar, y que la comunidad de creyentes como un todo es incapaz de llevar adelante estas funciones. Marjorie Warkentin, en un estudio imparcial y en profundidad sobre la doctrina de la ordenación, está en lo cierto cuando advierte que las prácticas de muchos protestantes en relación con los clérigos ordenados están peligrosamente próximas al concepto sacramental de la ordenación: "La insistencia de algunos en que solamente los ordenados pueden administrar el bautismo y dirigir la Cena del Señor, demuestra la persistencia de la visión sacramental de la ordenación".[11] Ejemplos del clericalismo sacramental que describe Warkentin abundan, incluso entre protestantes conservadores.

Observemos cómo David y Vera Mace, destacados en el campo de la consejería matrimonial, se refieren al pastor protestante en su libro *What's Happening to Clergy Marriages?* (¿Qué está ocurriendo con los matrimonios del clero?):

> ... El pastor no es simplemente un líder, una autoridad. También ejerce funciones sacerdotales que están prohibidas a todos los demás miembros de la iglesia. Administra los sacramentos, recibiendo el poder para hacerlo mediante la ordenación. En base a esa habilitación actúa directamente como representante de Cristo, y eso le confiere un manto especial de santidad.[12]

En un artículo del boletín del Seminario Teológico de Dallas, *Bibliotheca Sacra*, John E. Johnson, un pastor bautista, afirma que el pastor encuentra su identidad y sus roles en los oficios del Antiguo Testamento de profeta, sacerdote, rey y sabio. En relación con el ministerio del pastor como sacerdote, Johnson dice: "Al igual que los sacerdotes del Antiguo Testamento, los pastores son parte de un ministerio formalmente designado y consagrado, la naturaleza del cual exige actos sacerdotales en sus niveles más profundos".[13] Sin el más mínimo apoyo bíblico, comenta más adelante:

> Al igual que los sacerdotes del Antiguo Testamento, son los pastores en definitiva quienes tienen la responsabilidad del servicio de adoración. Mientras otros cumplen ciertas responsabilidades, desde disponer los arreglos florales hasta organizar el coro, el pastor tiene la responsabilidad de preservar la dignidad de la casa de Dios. Es responsable de presidir los servicios de adoración, ayudando a otros a prepararse para el encuentro con Dios.[14]

En cuanto a la misión del pastor como rey, Johnson escribe: "Parte de la identidad pastoral está asociada con ascender a la montaña, estudiar el horizonte, trazar el derrotero y reunir al pueblo en el camino".[15] Las afirmaciones de Mace y Johnson acerca del pastor no son bíblicas, son torpemente exageradas y totalmente degradantes para el pueblo de Dios en el que mora el Espíritu, y para la obra y la posición de Jesucristo sobre su pueblo.

El clericalismo no representa el cristianismo bíblico y apostólico. En realidad, el verdadero error al que hay que hacer frente no es simplemente que un hombre provea liderazgo para la congregación, sino que una persona en toda la comunidad de los santos haya sido sacralizada y separada de los hermanos, y elevada a una posición no bíblica. En la práctica, el clérigo ordenado —el ministro, el reverendo— *es el sacerdote protestante.*

El liderazgo bíblico de ancianos no puede existir en un ambiente de clericalismo. El empleo que hace Pablo de la estructura de gobierno de ancianos para la iglesia local es una evidencia clara y práctica contra el clericalismo, porque el liderazgo de ancianos es por naturaleza anticlerical. Los ancianos son siempre vistos en la Biblia como "ancianos del pueblo", o como "ancianos de la congregación", nunca como "ancianos de Dios". Los ancianos representan al pueblo como miembros dirigentes salidos del pueblo mismo.

Al establecer iglesias, Pablo nunca ordenó un sacerdote o clérigo para realizar el ministerio de la iglesia. Cuando establecía una iglesia, dejaba un consejo de ancianos escogidos de entre los creyentes para supervisar en conjunto la comunidad local (Hechos 14:23; Tito 1:5). Evidentemente pensaba que eso era todo lo que necesitaba la iglesia local. Puesto que la congregación local estaba compuesta de santos, sacerdotes, y siervos dotados de poder por el Espíritu, y puesto que Cristo estaba presente en cada congregación en la persona del Espíritu Santo, no se necesitaban ninguno de los adornos religiosos tradicionales como los lugares sagrados, los edificios sagrados o el personal sagrado (sacerdotes, clérigos o santos). Ni se los podría tolerar. Para satisfacer la necesidad de liderazgo y protección de la comunidad, Pablo proveyó una estructura de gobierno no clerical de ancianos —una forma de gobierno que no rebajaría el señorío de Cristo sobre su pueblo, ni la gloriosa categoría de un cuerpo sacerdotal y santo de personas en que cada uno de los miembros ministraba.

La iglesia es una comunidad de humildes servidores

Estoy convencido de que uno de los motivos por los que los apóstoles eligieron el sistema de gobierno de ancianos, fue porque acrecentaba el carácter de siervo amable y humilde de la familia cristiana. El Nuevo Testamento provee un ejemplo constante de liderazgo compartido como la estructura ideal de liderazgo en una congregación donde el amor, la humildad y el servicio son supremos. Cuando funciona adecuadamente, el liderazgo compartido requiere mayor ejercicio de servicio humilde que el liderazgo unitario. Para que el liderazgo de ancianos funcione en forma eficaz, los ancianos deben mostrar consideración unos por otros, someterse unos a otros, esperar pacientemente unos de otros, considerar genuinamente los intereses y las perspectivas de cada uno, y darse lugar unos a otros. Entonces, el liderazgo de ancianos acrecienta el amor fraternal, la humildad, la mutualidad, la paciencia, y la interdependencia cariñosa —cualidades que deben distinguir a la iglesia que sirve.

Además, el liderazgo compartido es con frecuencia más arduo que el liderazgo unitario. Pone de manifiesto nuestra impaciencia de unos para con otros, nuestro obstinado orgullo, nuestra testarudez, nuestra inmadurez egoísta, nuestra disposición dominante, nuestra falta de amor y comprensión hacia los demás y nuestra falta de oración. También muestra lo poco desarrollados e inmaduros que somos realmente en la humildad, el amor fraternal, y el verdadero espíritu de servicio. Al igual que los santos en Corinto, somos rápidos para desarrollar nuestra sabiduría y nuestros dones públicos, pero lentos para madurar en el amor y la humildad.

Creo que nuestras iglesias hoy necesitan desesperadamente un reavivamiento en el amor, la humildad y el espíritu de servicio. Tal avivamiento debe comenzar en nuestros líderes, y el liderazgo bíblico de ancianos provee la estructura por medio de la cual los líderes aprenden a trabajar juntos en amor y humildad. Puesto que el liderazgo de ancianos representa un microcosmos de toda la iglesia, provee un modelo viviente de relaciones de amor y servicio para todo el cuerpo. De esa manera, el liderazgo de un grupo de ancianos se adapta idealmente a la iglesia que sirve con humildad.

La Iglesia está bajo el liderazgo de Cristo

Lo más importante es que el liderazgo bíblico protege y promueve la preeminencia y la posición de Cristo sobre la iglesia local. Jesús dejó a sus discípulos con la preciosa promesa de que "donde están dos o tres congregados en mi nombre, allí estoy yo en medio de ellos" (Mateo 18:20). Como los apóstoles sabían que Jesucristo, por medio del Espíritu Santo estaba singularmente presente entre ellos como Autoridad, Cabeza, Señor, Pastor, Jefe, Sobreveedor, Sumo Sacerdote y Rey, escogieron una forma de gobierno que reflejara esta verdad cristiana distintiva y fundamental. Este concepto no era ninguna idea teórica para los primeros cristianos—era una realidad. Las primeras iglesias eran verdaderamente Cristo céntricas, y Cristo dependientes. Sólo Cristo proveía todo lo que necesitaban para estar en plena comunión con Dios y unos con otros. La persona y la obra de Cristo eran tan infinitamente grandes, definitivas y completas, que nada—ni siquiera en apariencia—debía disminuir la centralidad de su presencia entre su pueblo y su suficiencia para su pueblo.

Por lo tanto, en el primer siglo, ningún cristiano se hubiera atrevido a tomar la posición o el título de autoridad, sobreveedor o pastor único de la iglesia. Sin embargo, los cristianos de hoy estamos tan acostumbrados a hablar de "el pastor" que no nos detenemos a pensar que el Nuevo Testamento no lo hace. Este hecho es profundamente significativo, y no debemos permitir que nuestras prácticas acostumbradas encubran nuestra mente de esta importante verdad. Hay solamente un rebaño y un Pastor (Juan 10:16), un cuerpo y una Cabeza (Colosenses 1:18), un sacerdocio santo y un gran Sumo Sacerdote (Hebreos 4:14 y ss.), una fraternidad y un Hermano mayor (Romanos 8:29), un edificio y una sola Piedra Angular (1 Pedro 2:5 y ss.), un Mediador y un Señor. Jesucristo es el "Príncipe de los pastores" y todos los demás son sus pastores auxiliares (1 Pedro 5:4).

Para simbolizar la realidad del liderazgo y la presencia de Cristo sobre la iglesia local y sus líderes, una iglesia que conozco pone una silla vacía al lado de la mesa del que preside durante las reuniones de ancianos. Es un recordatorio visual para los ancianos, de la presencia y el señorío de Cristo, de la posición de ellos como pastores auxiliares, y de su dependencia en él por medio de la oración y la Palabra.

CONCLUSION:
UNA DIRECTIVA APOSTOLICA

Puesto que la estructura de gobierno de ancianos fue establecida por Pablo entre las iglesias gentiles (Hechos 14:23) y probablemente por los doce entre las iglesias judías (Hechos 15:6; Santiago 5:14), los autores del Nuevo Testamento supusieron que el liderazgo de ancianos era una institución apostólica fija. En Tito 1:5, Pablo dice a Tito y a las iglesias, que una iglesia no está organizada adecuadamente mientras no hayan sido designados los ancianos (plural) calificados. De manera que ordena a Tito que instale los ancianos: "y establecieses ancianos en cada ciudad, así como yo te mandé" (Tito 1:5). Al hacerlo, Pablo iba en contra de las prácticas culturales acostumbradas porque, tanto en la sinagoga judía como en la sociedad grecorromana, el control por parte de una sola persona era la práctica común. Por lo tanto, la elección de Pablo de una estructura de gobierno de ancianos fue intencional. No se estaba acomodando simplemente a las normas sociales corrientes. Sus instrucciones a Tito establecieron una directiva apostólica que debería ser seguida por los cristianos de hoy.

Sin embargo muchos eruditos afirman que solamente las instrucciones acerca de los ancianos, no la estructura de ancianos, son universalmente obligatorias para las iglesias. Dicen que las instrucciones de Pablo en relación con las aptitudes de los ancianos son obligatorias, pero que la estructura no lo es. Al hacer esta distinción, pueden eliminar de la iglesia la estructura de liderazgo de ancianos y aplicar las instrucciones bíblicas a sus instituciones establecidas por ellos mismos—la estructura clerical o el pastorado singular. Pero esta es una distinción errónea. Por ejemplo, ¿cómo se aplicaría un pasaje críticamente importante como 1 Timoteo 5:17, 18 al pastorado singular? Esta instrucción tiene sentido solamente en el contexto de una pluralidad de ancianos.

Por eso llego a la conclusión de que las instrucciones dadas a los ancianos y acerca de los ancianos, lo mismo que la estructura del liderazgo de ancianos misma, deben ser consideradas como directivas apostólicas (Tito 1:5) normativas para las iglesias de hoy. Ladd está muy equivocado cuando afirma que: "no había ningún modelo normativo de gobierno de iglesia en el tiempo de los apóstoles, y la estructura organizacional de la iglesia no es un elemento esencial de la teología de la iglesia".[16]

Haríamos bien en prestar atención a la seria advertencia contra dudar de la plena suficiencia de las Escrituras para dirigir las prácticas de nuestras iglesias hoy, que nos ofrece Alfred Kuen, profesor de Biblia en el Instituto Bíblico Emmaus de Suiza:

> ¿Acaso la historia de veinte siglos de cristianismo no ha demostrado que el plan de la iglesia primitiva es el único que se adapta a todo tiempo y lugar, es más flexible en su adaptación a las más diversas condiciones, es el más capaz de resistir y soportar las persecuciones, y que ofrece el máximo de posibilidades para el pleno desarrollo de la vida espiritual?

> Cada vez que el hombre se ha creído más inteligente que Dios, que ha desarrollado laboriosamente un sistema religioso "mejor adaptado a la psicología del hombre", más acorde con el espíritu del tiempo presente, en lugar de seguir simplemente el modelo neotestamentario, su intento ha tenido corta vida por el fracaso debido a alguna dificultad imprevista.

> Todas las herejías y desviaciones de la iglesia surgen del abandono de las Escrituras y del modelo de iglesia que ellas ofrecen.[17]

En resumen, como concluye Alfred Kuen, "las iglesias establecidas por los apóstoles siguen siendo los modelos válidos para las iglesias de todos los tiempos y lugares".[18]

Tercera parte

LA EXPOSICION DE
LAS ESCRITURAS

Capítulo 7

Los Hechos de los Apóstoles

"Y constituyeron ancianos en cada iglesia".

Hechos 14:23

El libro de los Hechos, según el comentarista del Nuevo Testamento F. F. Bruce (1910-1990) es "el segundo tomo de *History of Christian Origenes* (Historia de los orígenes del cristianismo)".[1] El Evangelio de Lucas, por supuesto, es el primer tomo. Debido a que registra la historia inspirada del cristianismo primitivo y es el único telón de fondo histórico de las epístolas, el libro de los Hechos es el punto de partida lógico para el estudio de los ancianos cristianos. El libro de los Hechos provee el material básico para nuestro estudio e incluye dos de los textos más significativos sobre el liderazgo: Hechos 14:23 y 20:17-38. Hechos también provee ejemplos útiles de los primeros ancianos cristianos en acción y es indispensable para comprender las prácticas de establecimiento de iglesias de Pablo y su enseñanza cristiana y singular sobre el liderazgo de ancianos.

ANCIANOS JUDEOCRISTIANOS

Al comienzo, los doce apóstoles fueron los sobreveedores oficiales de la comunidad cristiana. Pero en alguna fecha temprana, no registrada,

128

surgió un grupo de ancianos plenamente reconocido por la congregación y los apóstoles, como líderes de la comunidad. Existe la idea general de que los primeros cristianos adoptaron la estructura de gobierno de ancianos de la sinagoga. Es difícil decir con certeza si eso es cierto o no, pero en realidad no es sumamente importante.[2] No importa lo mucho o poco que se haya imitado, las primeras congregaciones cristianas evidentemente no fueron sinagogas reorganizadas. Por ejemplo, el funcionario en jefe que presidía la sinagoga era llamado "el principal de la sinagoga" (Lucas 8:49; 13:14; Hechos 18:8, 17), pero las congregaciones cristianas nunca adoptaron esa práctica. Las iglesias cristianas estaban dirigidas por un grupo de ancianos, no por un funcionario en jefe.

El liderazgo de un consejo de hombres llamados *ancianos* es anterior a la sinagoga y era muy familiar para los judíos y para todos los lectores del Antiguo Testamento griego. El concilio de ancianos era una de las instituciones más antiguas y básicas de Israel. Era casi tan básica como la familia. Los ancianos de Israel eran los representantes oficiales del pueblo. Por lo tanto, se les llamaba los "ancianos del pueblo" (Exodo 19:7) o "ancianos de la congregación" (Jueces 21:16). Los ancianos eran los ojos, los oídos y la voz del pueblo. Hablar con los ancianos de Israel era hablar con el pueblo (Exodo 4:29, 31; 12:3, 21, 27; 19:7, 8; Levítico 4:13-15; Deuteronomio 21: 3-8; 2 Samuel 5:1, 3; 17:4, 14; 1 Crónicas 15:25, 28).

Los ancianos de Israel no eran meras figuras decorativas. Aunque no hay explicación sobre su origen, designación o calificaciones, los ancianos de Israel se mencionan alrededor de cien veces en el Antiguo Testamento. Su misión vital de liderazgo se expresa por su compromiso activo en todos los acontecimientos significativos de la historia de Israel. Desde la época en que eran esclavos en Egipto, los ancianos asumieron el liderazgo del pueblo. Dios reconoció su misión de liderazgo enviándoles a Moisés antes para anunciar la liberación del pueblo (Exodo 3:16). El gobierno de ancianos se adecuaba particularmente bien a una sociedad patriarcal orientada hacia la familia como era Israel y continuó existiendo después que Moisés y Josué terminaron su tarea de conducir la nación a la Tierra Prometida.

Cuando Israel se instaló en la Tierra Prometida, cada ciudad, cada tribu y la nación como un todo tenían un concilio de ancianos. Como líderes de la comunidad, los ancianos debían proteger al pueblo, ejercer disciplina, hacer cumplir la ley de Dios y administrar justicia. Según la ley de Moisés, así como también por la práctica tradicional, los ancianos ejercían una autoridad de amplio alcance en cuestiones civiles, domésticas y religiosas. El papel de los ancianos como cuerpo judicial se describe en las partes legislativas del Antiguo Testamento. El libro de Deuteronomio relata especialmente las situaciones específicas que requerían el juicio y el consejo de los ancianos —desde atender casos de asesinato hasta juzgar los asuntos familiares más íntimos (Deuteronomio 19:11, 12; 21:1-8, 18-20; 22:16-19; 25:7-9; Josué 20:2-4). Los ancianos debían conocer la ley, tenían la responsabilidad (junto con los sacerdotes) de comunicar la ley al pueblo en forma regular y pública, y de asegurar que se obedeciera (Deuteronomio 27:1-8; 31:9-11).

Los ancianos del Antiguo Testamento eran principalmente hombres de consejo y de sabiduría. El concepto de sabiduría y discernimiento está implícito en la palabra *anciano* misma: "En los ancianos está la ciencia, y en la larga edad la inteligencia" (Job 12:12, también 1 Reyes 12:8, 13). Ser un anciano es ser un hombre sabio y consejero. El profeta Ezequiel escribió que las visiones pertenecen al profeta, la ley a los sacerdotes y el consejo a los ancianos: "Quebrantamiento vendrá sobre quebrantamiento, y habrá rumor sobre rumor; y buscarán respuesta del profeta, mas la ley se alejará del sacerdote, y de los ancianos el consejo" (Ezequiel 7:26). Job se refiere al Dios soberano que quita el discernimiento de los ancianos (Job 12:20; comparar Salmos 105:22; 119:100; Lamentaciones 2:10; 5:14).

En la época de Cristo, había ancianos judíos locales y nacionales. Lucas menciona ancianos judíos locales solamente una vez: "Y el siervo de un centurión, a quien éste quería mucho, estaba enfermo y a punto de morir. Cuando el centurión oyó hablar de Jesús, *le envió unos ancianos de los judíos*, rogándole que viniese y sanase a su siervo. Y ellos vinieron a Jesús y le rogaron con solicitud, diciéndole: Es digno de que le concedas esto; porque ama a nuestra nación, y *nos edificó una sinagoga*" (Lucas 7:2-5; cursiva del autor). Sin embargo no sabemos exactamente quiénes eran estos ancianos locales y cuál era su relación con la sinagoga.

Todas las demás referencias a ancianos judíos no cristianos que aparecen en los Evangelios y los Hechos están asociadas con el Sanedrín de Jerusalén. El Sanedrín era la corte suprema del pueblo judío, y el Nuevo Testamento indica una clasificación de sus miembros en tres partes: sumos sacerdotes, escribas y ancianos. La frecuencia con que aparecen se debe a su papel determinante en el rechazo y la muerte de Cristo: "Y comenzó a enseñarles que le era necesario al Hijo del Hombre padecer mucho, y ser desechado por los ancianos, por los principales sacerdotes y por los escribas" (Marcos 8:31). En base a la escasa información histórica disponible, parece que estos ancianos eran parte de la nobleza no sacerdotal, cabezas de familias judías ricas e importantes. José de Arimatea, a quien Mateo identifica como "un hombre rico de Arimatea" era uno de esos ancianos (Mateo 27:57). Además, se hace referencia a todo el Sanedrín tres veces en el Nuevo Testamento como un consejo de ancianos (*presbyterion*, Lucas 22:66; Hechos 22:5; *gerousia*, Hechos 5:21). La estructura de gobierno de ancianos, entonces, era muy familiar a los cristianos judíos.

Al adoptar esta forma de gobierno familiar, podemos tener la seguridad de que la elección de los apóstoles no fue una decisión arbitraria. La oración y la guía del Espíritu llevaron a los doce apóstoles y a la primera comunidad cristiana judía a establecer el liderazgo de un concilio de ancianos. Como líderes comunitarios oficiales de la iglesia, los ancianos recibían dinero para los pobres y eran responsables de su adecuada administración. Juzgaban en asuntos doctrinales, proveían consejo, y hablaban en nombre de la congregación.

Lucas menciona a estos ancianos cristianos judíos tres veces en su historia de los comienzos del cristianismo. Examinemos ahora lo que Lucas revela acerca del papel de los ancianos en estos acontecimientos históricos.

Reciben y administran dinero

Lucas menciona ancianos de iglesia cristiana por primera vez en Hechos 11:30:

> En aquellos días unos profetas descendieron de Jerusalén a Antioquía. Y levantándose uno de ellos, llamado Agabo, daba a entender por el Espíritu, que vendría una gran hambre en toda la tierra habitada; la cual sucedió en tiempo de Claudio. Entonces los discípulos, cada uno conforme a lo que tenía, determinaron enviar socorro a los hermanos que habitaban en Judea; lo cual en efecto hicieron, enviándolo a los ancianos (*presbyterous*) por mano de Bernabé y Saulo (Hechos 11:29-30).

Fue a los ancianos cristianos judíos que los cristianos de Antioquía enviaron su contribución para los pobres (47 d.C.). Lucas no explica el papel concreto de los ancianos en la distribución de los fondos, pero el hecho de que se depositara dinero a su cuidado revela que eran los representantes oficiales de la iglesia. Como tales, recibían la ofrenda en

131

lugar de la iglesia y eran responsables de su adecuada administración.

Estudio del término Presbyteros

La palabra griega para "anciano" es *presbyteros*, que deriva del adjetivo *presbys*, que significa "viejo". *Presbyteros* es la forma comparativa, que significa "más viejo" (Lucas 15:25). Sin embargo, en muchos casos desaparece la fuerza comparativa, y *presbyteros* sencillamente significa "viejo" u "hombre viejo". El término *presbyteros* también tiene otro sentido como título de oficio, además de la designación de una edad. En unos pocos contextos resulta difícil saber cuál de esos significados se pretende, pero en la mayoría de los casos el significado pretendido es claro. Dependiendo del contexto, entonces, *presbyteros* puede significar:

(1) "hombre más viejo" u "hombre viejo" como en 1 Timoteo 5:1: "No reprendas al anciano *(presbyteros)*".

(2) un título para un funcionario oficial, un "anciano", como en 1 Timoteo 5:17: "Los ancianos *(presbyteroi)* que gobiernan bien, sean tenidos por dignos de doble honor".

Aunque el sentido estricto de edad avanzada queda eliminado del sentido de anciano cuando se refiere al líder de una comunidad, se retienen ciertas connotaciones como las de madurez, experiencia, dignidad, autoridad y honor. Entonces el término anciano comunica conceptos positivos de madurez, respeto y sabiduría. Cuando se usa *presbyteros* en relación con un líder de comunidad, se usa con más frecuencia en la forma plural, *presbyteroi*. Esto es así porque la estructura de liderazgo de ancianos es un liderazgo de un concilio de ancianos.

Juzgan en cuestiones doctrinales

Jerusalén fue el primer centro y eje del cristianismo. También fue la base de los doce apóstoles. Pero para el año 41 d.C., el mensaje del evangelio se había extendido hasta la gran ciudad de Antioquía en Siria, la tercera gran ciudad del imperio Romano (Hechos 11:19-22). Antioquía estaba a 560 kilómetros al norte de Jerusalén. La iglesia de Antioquía estaba compuesta tanto de judíos como de una gran proporción de gentiles. Era, como dice F. F. Bruce, "la ciudadela de la cristiandad de los gentiles".[3] Dos de sus principales maestros eran Pablo y Bernabé, los destacados pioneros de la misión evangélica a los gentiles (Hechos 13:1 a 14:27; Gálatas 2:7-10).

Surgieron problemas entre estos dos grandes centros del cristianismo primitivo. En Jerusalén y Judea, judíos legalistas y celosos se preocupaban acerca de la salvación de los gentiles fuera de la ley y la circuncisión (Hechos 15:5; 21:20-26; Gálatas 2:1-12). Finalmente, algunos de estos agitadores fueron hasta Antioquía. Su llegada produjo la segunda mención de Lucas acerca de los ancianos cristianos judíos:

> "Entonces algunos que venían de Judea enseñaban a los hermanos: Si no os circuncidáis conforme al rito de Moisés, no podéis ser salvos. Como Pablo y Bernabé tuviesen una discusión y contienda no pequeña con ellos, se dispuso que subiesen Pablo y Bernabé a Jerusalén, y algunos otros de ellos, a los apóstoles y los ancianos, para tratar esta cuestión" (Hechos 15:1, 2).

Alarmados por estas enseñanzas en tierra de Antioquía, Pablo y Bernabé debatieron esforzadamente a estos maestros judaizantes. Pero como estos maestros judaizantes eran de Judea y afirmaban que la iglesia de Jerusalén era su hogar, y posiblemente su autoridad (Hechos 15:24) la iglesia de Antioquía decidió llevar el debate hasta su base: Jerusalén.

> "Y llegados a Jerusalén, fueron recibidos por la iglesia y los apóstoles y los ancianos, y refirieron todas las cosas que Dios había hecho con ellos" (Hechos 15:4).

> "Y se reunieron los apóstoles y los ancianos para conocer de este asunto" (Hechos 15:6).

"Fue verdadera sabiduría", afirma el comentarista bíblico William Kelly (1821-1906), "transferir la discusión del asunto a la fuente desde donde había surgido la confusión".[4]

Es fundamental observar que la decisión de ir a Jerusalén fue una decisión voluntaria de parte de la iglesia de Antioquía. No hay evidencia bíblica de que hubiera una corte suprema en Jerusalén ante la cual debían responder todas las iglesias cristianas. Más bien, los líderes de la iglesia de Jerusalén necesitaban clarificar públicamente su posición y su política en relación con la evangelización y la comunión de los gentiles. Así que por amor a la unión entre las iglesias, el respeto por Jerusalén y los apóstoles, por la futura misión a los gentiles, y la derrota del falso evangelio, la iglesia de Antioquía envió sus líderes clave a Jerusalén para seguir debatiendo el asunto (Hechos 15:2). Fue Antioquía, no Jerusalén, la que inició el debate.

A esa reunión decisiva en Jerusalén en el año 49 d.C. a veces se la llama "Concilio apostólico". Esta terminología puede implicar para algunos lectores que solamente deliberaron los apóstoles. Sin embargo ese no fue el caso. Lucas escribe que "se reunieron los apóstoles y los ancianos para conocer de este asunto" (Hechos 15:6). Claramente "los apóstoles y los ancianos" juntos como líderes oficiales de la iglesia, participaron en las deliberaciones.

La íntima asociación de los ancianos con los apóstoles demuestra su posición y papel significativos en la iglesia de Jerusalén. Aunque los ancianos no podían pretender la misma distinción que los apóstoles, en ese momento representaban el liderazgo de la iglesia de Jerusalén. La comisión extraordinaria, universal de los apóstoles requería que viajaran. De modo que a medida que los apóstoles iban dejando Jerusalén, la supervisión diaria de la iglesia se convirtió en responsabilidad de los ancianos. En consecuencia, el papel de los ancianos era absolutamente esencial para combatir cualquier error legalista que pudiera surgir de Jerusalén (Hechos 15:5).

A causa de la íntima asociación de los ancianos con los doce apóstoles, su liderazgo de la primera iglesia cristiana, y su carácter judío conservador, poseían una condición y una influencia única en su género entre las iglesias. El rechazo del evangelio legalista de los judaizantes por parte de los apóstoles y los ancianos de Jerusalén fue de la mayor importancia para los cristianos gentiles. Sin embargo no hay evidencias claras en el Nuevo Testamento de que los ancianos de Jerusalén tuvieran jurisdicción formal sobre las iglesias gentiles.

Además, la decisión a la que se llegó en esa conferencia fue la decisión de los apóstoles, los ancianos y la iglesia de Jerusalén.[5] No fue una decisión conjunta de todas las iglesias de Judea, Siria o Cilicia. La "iglesia" mencionada en los versículos 4 y 22 es la iglesia de Jerusalén, no la de Antioquía. La carta resultante aclara este punto:

"Entonces pareció bien a los apóstoles y a los ancianos, con toda la iglesia, elegir de entre ellos varones y enviarlos a Antioquía con Pablo y Bernabé: a Judas que tenía por sobrenombre Barsabás, y a Silas, varones principales entre los hermanos; y a escribir por conducto de ellos: Los apóstoles y los ancianos y los hermanos, a los hermanos de entre los gentiles que están en Antioquía, en Siria y en Cilicia, salud. Por cuanto hemos oído que algunos que han salido de nosotros, a los cuales no dimos orden, os han inquietado con palabras, perturbando vuestras almas, mandando circuncidaros y guardar la ley, nos ha parecido bien, habiendo llegado a un acuerdo, elegir varones y enviarlos a vosotros con nuestros amados Bernabé y Pablo... Porque ha parecido bien al Espíritu Santo, y a nosotros, no imponeros ninguna carga más que estas cosas necesarias" (Hechos 15:22-25, 28).

Destaco estos hechos históricos porque generalmente se usa mal Hechos 15 para justificar la autoridad de los concilios de iglesia y de tribunales permanentes de iglesia, por encima de la iglesia local. Por ejemplo, el erudito presbiteriano James Bannerman (1807-1868) escribió: "Ahora bien, en este relato (Hechos 15) tenemos todos los elementos necesarios para figurarnos un tribunal eclesiástico supremo, con autoridad, no solamente sobre los miembros y funcionarios dentro de los límites locales de las congregaciones representadas, sino también sobre los presbiterios de tribunales inferiores de iglesia incluidos en los mismos límites".[6]

Sin embargo, las conclusiones de Bannerman representan un dogma eclesiástico, más bien que un hecho histórico bíblico. Sus conclusiones ciertamente no tienen apoyo en las enseñanzas de las epístolas. Primera Timoteo es la principal epístola del Nuevo Testamento sobre la organización de la iglesia. Sin embargo no dice nada acerca de una estructura organizacional o tribunal que tenga autoridad sobre una congregación local. Cuando uno considera el grave desorden doctrinal en la iglesia de Efeso, la ausencia de alguna mención sobre un tribunal eclesiástico que esté sobre la iglesia local (si tal cosa hubiera existido) es inconcebible.

Es un hecho histórico que ninguna federación formal entre iglesias, o unión denominacional, o algún marco organizacional fijo mantuviera unidas las iglesias durante los dos primeros siglos de la era cristiana. En su obra clásica *The Organization of the Early Christian Churches* (La organización de las iglesias cristianas primitivas), el renombrado historiador de la iglesia y erudito clásico Edwin Hatch (1835-1889) demuestra que ningún cuerpo individual u organizacional regía sobre las congregaciones cristianas locales. Cada congregación se gobernaba a sí misma y era independiente, con la jurisdicción de sus ancianos limitada a la congregación local.

En el curso del segundo siglo la costumbre de reunirse en asambleas representativas comenzó a prevalecer sobre las comunidades cristianas... .

Al comienzo esas asambleas eran más o menos informales. Algún obispo destacado e influyente invitaba algunas comunidades vecinas a dialogar con la suya: el resultado de las deliberaciones de esas reuniones se expresaba a veces en una resolución, a veces en una carta destinada a otras iglesias. Se acostumbraba recibir con respeto esas cartas: el sentido de fraternidad era muy intenso, y había pocos motivos para el desacuerdo. Pero en cuanto a que esas cartas tuvieran un carácter de fuerza sobre otras iglesias, ni siquiera las resoluciones de las conferencias eran obligatorias sobre una minoría disidente de sus miembros. Cipriano (muerto en el año 258 d.c.), en cuyos días estas conferencias se volvieron importantes, y quien era a la vez uno de los más entusiastas predicadores primitivos de la unidad católica —ambas circunstancias que podrían haberlo convertido en un defensor del carácter autoritativo de las mismas— afirma en términos explícitos y enfáticos una absoluta independencia para cada comunidad. Dentro de los límites de su propia comunidad, un obispo no tiene otro superior que Dios.

Pero no bien el cristianismo fue reconocido por el Estado, esas conferencias tendieron a multiplicarse, a pasar de ser ocasionales a ordinarias, y a elevar resoluciones que se consideraban obligatorias para las iglesias dentro del distrito de donde habían venido los representantes, y la aceptación de las cuales se consideraba como condición para otras provincias.

Fue por medio de estos pasos graduales que las iglesias cristianas pasaron de su condición original de independencia a la de una gran confederación.[7]

Frente a la abrumadora evidencia histórica de la "integridad y autonomía originales"[8] de cada iglesia local, no se puede hacer que Hechos 15 justifique organizaciones entre iglesias o tribunales con autoridad por encima de las iglesias locales. Aunque cada iglesia local era originalmente una entidad separada y completa que no dependía de ningún tribunal o persona superior, había diversos vínculos importantes entre las primeras iglesias cristianas. Las iglesias debían procurar adecuarse a las prácticas de la iglesia universal enseñadas por los apóstoles (1 Corintios 7:17; 4:17; 14:33, 36). Las iglesias compartían sacrificadamente sus ingresos con las iglesias más pobres. Las iglesias se enviaban saludos y felicitaciones entre ellas. Los maestros viajaban libremente entre las congregaciones y todos los creyentes tenían la responsabilidad de ofrecer hospitalidad a los creyentes y ministros que viajaban. Creyentes de todas las iglesias debían orar unos por otros y amarse entre ellos; debían considerarse a sí mismos como una fraternidad mundial que trascendía todos los límites culturales y raciales.

Podemos extraer de Hechos 15 información importante acerca de las responsabilidades y la posición de los ancianos. Los ancianos de las iglesias escuchan y juzgan en cuestiones doctrinales. Ayudan a resolver conflictos. Protegen a la iglesia de falsos maestros. Tienen responsabilidad por las doctrinas que enseñan otros miembros del redil. En consecuencia, los ancianos deben ser hombres que conozcan la Palabra de Dios. En un mundo hostil lleno de mentiras satánicas y falsas enseñanzas, las iglesias necesitan desesperadamente ancianos pastores que sean firmes en sus juicios y posean el conocimiento de la verdad.

Proveen consejo y resuelven conflictos

La llegada de Pablo a Jerusalén en el año 57 d.C. para entregar la ofrenda de los gentiles a los pobres, proporciona el escenario para la tercera mención de los ancianos cristianos judíos en los Hechos:

> "Y al día siguiente Pablo entró con nosotros a ver a Jacobo, y se hallaban reunidos todos los ancianos; a los cuales, después de haberles saludado, les contó una por una las cosas que Dios había hecho entre los gentiles por su ministerio. Cuando ellos lo oyeron, glorificaron a Dios, y le dijeron: Ya ves, hermano, cuántos millares de judíos hay que han creído; y todos son celosos por la ley. Pero se les ha informado en cuanto a ti, que enseñas a todos los judíos que están entre los gentiles a apostatar de Moisés, diciéndoles que no circunciden a sus hijos, ni observen las costumbres.
>
> ¿Qué hay, pues? La multitud se reunirá de cierto, porque oirán que has venido.
>
> Haz, pues, esto que te decimos: Hay entre nosotros cuatro hombres que tienen obligación de cumplir voto, tómalos contigo, purifícate con ellos, y paga sus gastos para que se rasuren la cabeza; y todos comprenderán que no hay nada de lo que se les informó acerca de ti, sino que tú también andas ordenadamente, guardando la ley.
>
> Pero en cuanto a los gentiles que han creído, nosotros les hemos escrito determinando que no guarden nada de esto; solamente que se abstengan de lo sacrificado a los ídolos, de sangre, de ahogado y de fornicación" (Hechos 21:18-25).

La referencia a Jacobo al comienzo de este pasaje naturalmente suscita varias preguntas: "¿Quién era Jacobo?" "¿Cuál era su posición en la iglesia?" y "¿Cuál era la relación oficial entre Jacobo y los ancianos?". Las respuestas a estas preguntas arrojan luz sobre la naturaleza de la iglesia y del liderazgo cristiano.

El Jacobo a quien se hace referencia aquí es "Jacobo, el hermano del Señor" como lo llama Pablo (Gálatas 1:19; 2:9, 12; 1 Corintios 15:7). Aunque podemos sentirnos inclinados a preguntarnos qué posición ocupaba Jacobo en la iglesia, Lucas parece tener poco interés en el título o la posición oficial de Jacobo. Una importante razón para este desinterés se encuentra en las enseñanzas revolucionarias de Jesús en relación con la fraternidad en la comunidad del Cristo resucitado. Jesús advirtió seriamente a sus discípulos contra la orgullosa obsesión por los títulos y las posiciones que caracterizaban a los líderes religiosos típicos de su época. Les prohibió usar títulos honoríficos en la comunidad de hermanos: "Pero vosotros no queráis que os llamen Rabí; porque uno es vuestro maestro, el que está en los cielos, y *todos vosotros sois hermanos*" (Mateo 23:6-12; cursiva agregada).

La implementación práctica de las enseñanzas de Jesús se encuentra en todo el Nuevo Testamento, y este pasaje es un buen ejemplo del desinterés básico de los autores bíblicos por los títulos formales y el rango. Aunque Lucas menciona a Jacobo cuatro veces en el libro de los Hechos, en ninguna oportunidad identifica su posición en la iglesia (Hechos 1:14; 12:17; 15:13-21; 21:18). Gálatas 1:19 parece clasificar a Jacobo como apóstol, pero hay cierta incertidumbre en la afirmación relacionada con el apostolado de Jacobo que aparece en el pasaje. Muchos en Jerusalén consideraban que Jacobo tenía la misma posición que Pedro y Juan como "pilares" de la iglesia (Gálatas 2:9). En el concilio de Jerusalén, Jacobo habló como uno de los principales oradores del concilio y de la iglesia (Hechos 15:13-21). La carta de Jacobo "a las doce tribus que están en la dispersión" (Santiago 1:1) revela su extensa influencia y su posición importante entre los cristianos judíos. También muestra su destacado carácter personal y su notable enseñanza profética. Jacobo era tan estimado por los creyentes que Judas podía identificarse simplemente como el "hermano de Jacobo" (Judas 1). Los primeros cristianos tenían gran estima por los hermanos de Jesús (1 Corintios 9:5). La orden de Pedro de notificar a Jacobo de su liberación de la cárcel (Hechos 12:17), el papel dirigente de Jacobo en el concilio de Jerusalén, y los encuentros de Pablo con él, revelan su incuestionable posición de liderazgo y prominencia entre los hermanos cristianos judíos, sin embargo su título y su posición exactos no están especificados.

La pregunta sobre la relación oficial entre Jacobo y los ancianos se ha debatido mucho. En los primeros siglos del cristianismo, se pensaba generalmente que Jacobo era el obispo de Jerusalén y que los ancianos eran su clero. Otros afirmaban que Jacobo era el doceavo apóstol. Sin embargo, estas ideas no tienen base en las Escrituras.

Las Escrituras revelan (en Hechos 15) que los "apóstoles y los ancianos" se reunieron como concilio e identifican a Jacobo como uno de sus principales oradores. Lamentablemente, Hechos 15 no identifica

138

el grupo al que Jacobo pertenecía. Sin embargo hay una pequeña insinuación de que era contado entre los ancianos porque Lucas usa con más frecuencia el término "apóstoles" para referirse a los doce. Esto sería especialmente cierto en Hechos 15, pero para una posible excepción a esto ver Hechos 14:4, 14. Entonces es posible que Jacobo fuera tanto un apóstol (Gálatas 1:19) como un anciano (Hechos 15). Si eso es cierto, entonces era uno de los *primus inter pares* ("primero entre iguales") entre los ancianos.

Aunque el relato comienza con Jacobo como una figura central, el diálogo es claramente entre Pablo y la asamblea de hermanos (Hechos 21:18-25). Notemos que Lucas usa la forma plural a lo largo de todo el pasaje: "Después de *haberles* saludado... *ellos* lo oyeron... glorificaron a Dios... y *le* dijeron... *te* decimos... *les* hemos escrito... ".

La reunión entre Pablo y Jacobo y los ancianos de Jerusalén fue una reunión fundamental. Lucas registra que todos los ancianos estaban presentes, aunque no da un número específico. Esta afirmación demuestra claramente que existía un cuerpo de ancianos específico y claramente distinguible. En la reunión se renovó el lazo de comunión cristiano entre Pablo, Jacobo y los ancianos. Habían pasado cinco años desde que Pablo había estado por última vez en Jerusalén (año 52 d.C.). Se alegraron ante el informe de Pablo de lo que Dios estaba haciendo entre los gentiles, pero sus propios problemas apremiantes —producidos por hermanos judíos celosos— dominaron pronto la reunión. Los ancianos explicaron la situación que enfrentaban:

> "Ya ves, hermano, cuántos millares de judíos hay que han creído; y todos son celosos por la ley. Pero les han informado en cuanto a ti, que enseñas a todos los judíos que están entre los gentiles a apostatar de Moisés, diciéndoles que no circunciden a sus hijos, ni observen las costumbres" (Hechos 21:20, 21).

Este era un problema crítico que Jacobo y los ancianos tenían que resolver. Los ancianos estaban bajo una gran presión tanto de judíos creyentes como no creyentes con respecto a la fraternización con los gentiles y las amenazas a la Ley de Moisés. Rumores sembrados por los maestros antipaulinos envenenaban hasta la actitud de los mismos creyentes judíos hacia Pablo. Se decía que Pablo estaba enseñando a los cristianos judíos a no circuncidar a sus hijos y a abandonar a Moisés. Tales rumores, por supuesto, eran distorsiones de las enseñanzas de Pablo. Los ancianos estaban claramente atrapados en el medio de la situación, un lugar donde los ancianos se hallan con frecuencia. Sin embargo, como líderes de la iglesia, tenían que enfrentar los problemas y dar respuestas a delicadas cuestiones teológicas. Caminaban con cautela tratando de proteger a Pablo, la misión entre los gentiles y la iglesia de Jerusalén. De manera que debían ser consejeros sabios, jueces, pacificadores y árbitros.

Para ayudar a calmar una situación explosiva, Jacobo y los ancianos hicieron un plan, relatado en los versículos 23-25, por medio del cual Pablo podía desacreditar públicamente las falsas críticas frente a los hermanos judíos, y los ancianos podían mantener su consejo previo en relación con la salvación de los gentiles y con la pacífica coexistencia entre judíos y gentiles (Hechos 15:11, 19, 28, 29).[9] Pablo juzgó el consejo de los ancianos como un plan sabio para desmentir los rumores falsos y establecer la paz, y actuó conforme al mismo.

ANCIANOS DE LAS IGLESIAS GENTILES

Los capítulos 13 y 14 de Hechos relatan el primer viaje misionero de Pablo y Bernabé (años 48-49 d.C.), un punto decisivo trascendental en la historia del cristianismo. La misión evangélica abrió de una manera nueva y temeraria "la puerta a la fe de los gentiles" (Hechos 13:46, 48; 14:27). Después de predicar el evangelio y plantar iglesias en las ciudades de Antioquía de Pisidia, Iconio, Listra y Derbe, Pablo y Bernabé, antes de volver a Antioquía de Siria, visitaron las recién fundadas iglesias. Lo que es profundamente significativo para nuestro estudio es que durante su visita designaron ancianos en todas las iglesias. Lucas registra lo siguiente:

> "Y constituyeron ancianos en cada iglesia, y habiendo orado con ayunos, los encomendaron al Señor en quien habían creído" (Hechos 14:23).

Este pasaje menciona la primera aparición de ancianos cristianos entre las iglesias gentiles. Revela quién decidió la estructura de gobierno de ancianos para las iglesias y quién designó a los ancianos. No existe información como ésta en relación con el origen de los ancianos en el Antiguo Testamento ni entre las iglesias cristianas judías. Lo que es más importante, el pasaje provee una indispensable información histórica sobre el método de Pablo para organizar a las iglesias. Aunque ésta es la única vez que Lucas registra que Pablo designó a los ancianos, es muy probable que el relato tenía la intención de ser un informe resumido sobre el método acostumbrado por Pablo en la organización de las iglesias.

Hace tiempo que los eruditos han reconocido la trascendencia de este pasaje. Sir William Ramsay (1851-1939) el arqueólogo pionero del Nuevo Testamento y experto en la investigación histórica sobre Lucas, afirma:

> En consecuencia es claro que Pablo instituyó en todas partes ancianos en las iglesias nuevas; y según nuestra hipótesis sobre la expresión acertada y metódica del historiador (Lucas), debemos inferir que este primer caso pretendió ser típico de la forma de designación seguida en todos los casos futuros. Cuando Pablo mandó a Tito (1:5) a nombrar ancianos en cada ciudad cretense, indudablemente estaba pensando en el mismo método que había seguido aquí.[10]

J. B. Lightfoot (1828-1889), obispo anglicano y uno de los eruditos más entendidos sobre Nuevo Testamento y patrística de su tiempo, también observó:

> En su primer viaje misionero los apóstoles Pablo y Bernabé se describen nombrando presbíteros en cada iglesia. La misma norma fue cumplida indudablemente en todas las comunidades de hermanos fundadas más tarde; pero se menciona aquí y sólo aquí, porque la forma de proceder en esta oportunidad sería suficiente como modelo de la actuación de los apóstoles en otros lugares bajo circunstancias similares.[11]

Debido a que Pablo era el apóstol especial de Cristo y maestro de los gentiles (1 Timoteo 2:7), lo que hizo en estas iglesias recién fundadas sería de enorme importancia para nosotros. Por la voluntad soberana y el don de Dios, Pablo era un "perito arquitecto" (1 Corintios 3:10) que había colocado exitosamente el fundamento de estas primeras iglesias gentiles. Rolland Allen nos recuerda que "en poco menos de diez años San Pablo estableció iglesias en cuatro provincias del Imperio: Galacia, Macedonia, Acaya y Asia. Antes del año 47 d.C. no había iglesias en estas provincias; en el 57 d.C. San Pablo podía hablar como si el trabajo allí estuviera cumplido".[12] El hecho de que Pablo viera el establecimiento de ancianos como estratégicamente importante es, en consecuencia, muy significativo.

La información histórica provista por Hechos 14:23 es también vital porque en sus cartas a las iglesias, Pablo no usa el término anciano ni indica que había nombrado ancianos. Por ejemplo, al escribir a los

Gálatas en el año 49 d.c. (es decir a las iglesias de Antioquía de Pisidia, Iconio, Listra y Derbe) con el propósito de corregir un grave error doctrinal, Pablo nunca menciona a los ancianos ni a ningún otro líder. Escribe directamente a los miembros de las congregaciones. Sabemos solamente por Hechos 14:23 que había ancianos oficialmente nombrados en las iglesias, por eso el pasaje provee datos históricos valiosos tanto para el estudio del liderazgo de ancianos como de las cartas paulinas.

Nombramiento de ancianos para las iglesias en Galacia

Pablo y Bernabé sabían que cada iglesia local necesitaría alguna estructura de gobierno propia en su ausencia. Aunque las iglesias existieron por un corto tiempo sin ancianos, lo mismo eran reconocidas como iglesias (Hechos 14:23). Esto significa que el ministerio de los ancianos no es esencial a la existencia de la iglesia local; la presencia del Espíritu Santo es el único elemento esencial. Pero Dios no descuida la necesidad humana básica de liderazgo. Ninguna sociedad puede funcionar sin liderazgo y estructura, y la iglesia cristiana local no es la excepción. Incluso en el cielo, alrededor del trono de Dios, hay veinticuatro ancianos sentados en tronos (Apocalipsis 4:4). De manera que como sabios plantadores de iglesias guiados por el Espíritu, Pablo y Bernabé escogieron el sistema de gobierno de ancianos y nombraron un cuerpo de ancianos para cada iglesia.

Lucas escribe: "Y constituyeron ancianos (plural) en cada iglesia (singular)". La expresión "en cada" representa la preposición griega *kata*. Aquí está usada en el sentido distributivo, significando "en cada iglesia individual".[13] Literalmente, el pasaje dice: "constituyeron ancianos *iglesia por iglesia*". Así, cada iglesia local tenía ancianos nombrados apostólicamente.

Al establecer ancianos en cada iglesia, Pablo siguió la práctica de la iglesia de Jerusalén y otras congregaciones judías (Santiago 5:14). Podemos estar seguros de que la elección de Pablo del liderazgo de ancianos fue una decisión cuidadosamente calculada y guiada por el Espíritu. Tranquilamente podría haber nombrado una persona como "autoridad principal" de la iglesia local, como era el caso en todas las sinagogas judías, pero no lo hizo. En lugar de eso, escogió el liderazgo de ancianos porque se adecuaba mejor a la naturaleza de la iglesia cristiana local (ver capítulo 6).

Pablo eligió ancianos de entre los miembros de cada iglesia nueva. La razón por la que Pablo pudo nombrar ancianos tan pronto después de su conversión fue que estos hombres ya estaban formados en las Escrituras del Antiguo Testamento y en la vida de la sinagoga. Estos gentiles y judíos conversos temerosos de Dios ya conocían a Dios y a las Escrituras, lo que no es el caso de todas las iglesias recién fundadas.

La palabra "constituyeron" viene del verbo griego *cheirotoneó*. Aquí el verbo significa "nombrar", "designar" o "escoger". Lamentablemente, esta palabra con frecuencia ha sido malinterpretada, produciendo mucha confusión y debate. Los primeros hombres de iglesia, como el famoso expositor y comentarista griego Juan Crisóstomo (alrededor de 344-407 d.C.), utilizaron la palabra para significar ordenación con imposición de manos.[14] Sin embargo, en los días de Lucas, la palabra no tenía nada que ver con ordenación ni imposición de manos. En realidad, en otros lugares Lucas emplea un verbo griego *(epitithémi)* para indicar la imposición de manos, que no usa aquí (Hechos 6:6; 8:17, 19; 9:12, 17; 13:3; 19:6; 28:8). Nada afirmado ni implícito en este pasaje (Hechos 14:23) sugiere la imposición de manos o un rito especial de ordenación.

Otros comentaristas han insistido que el significado de la raíz de la palabra indica elección por voto popular *(cheirotoneó* se compone de las dos palabras "mano" *(cheir)* y "extender" *(teino)*, es decir "extender la mano").[15] Afirman que los fundadores simplemente presidieron la elección de ancianos de la iglesia. Sin embargo, esta pretensión es contraria al lenguaje total del pasaje. *Cheirotoneó* puede significar votar, pero también significa designar o elegir sin referencia a votar. El contexto y el uso, no la etimología, determinan el significado de la palabra, y en este caso el contexto es concluyente en que "constituir" en el sentido de nombrar es el único significado posible.

En contraste con estas interpretaciones, todos los léxicos y diccionarios griegos, lo mismo que todas las traducciones inglesas modernas de la Biblia concuerdan con el significado de *cheirotoneó* como "nombramiento".[16] Por lo tanto no debería haber discusión acerca del significado de este término en el contexto de Hechos 14:23. La ordenación, la imposición de manos o la elección de los ancianos por la congregación no se pueden probar a partir de este término o pasaje. Lucas utilizó una palabra griega perfectamente buena para afirmar que Pablo y Bernabé designaron ancianos para las iglesias. El problema en la interpretación no reside en la elección de Lucas de las palabras, sino en los intérpretes bíblicos que juegan erróneamente con la etimología.

"El verbo mismo", como afirma acertadamente F. F. Bruce, "no nos dice nada acerca del método de nombramiento".[17] Lucas simplemente no revela qué lugar ocupó la congregación en el proceso de nombrar estos nuevos ancianos. Es posible que Lucas esperaba que sus lectores entendieran que el nombramiento de los Siete en Hechos 6:1-6 establecía el modelo seguido en las siguientes designaciones para los oficios de la iglesia. Por lo tanto, el verbo "constituyeron" (nombraron) resume todo el proceso de elegir, examinar e instalar en el cargo.

Si esta suposición es cierta, entonces Pablo y Bernabé, actuando como los únicos líderes oficiales de las iglesias, habrían dirigido todo el proceso de designación de ancianos, tal como lo hicieron los apóstoles en Hechos 6. Pablo y Bernabé habrían puesto en oficio formalmente a los primeros ancianos, pero la congregación habría examinado y seleccionado los candidatos calificados (ver pág. 285).

Estudio del término cheirotoneó

La palabra cheirotoneó está compuesta de dos palabras, "mano" (cheir), y "extender" (teino), es decir "extender la mano", con el propósito de votar. En tal caso la palabra significaría elegir o votar, como en los dos ejemplos siguientes:

Isócrates, al final del Areopagiticus (alrededor de 355 a.C.) dice "pero a ustedes les toca pesar todo lo que he dicho y emitir sus votos según su juicio de lo que es mejor para Atenas".

Plutarco (45-120 d.C.), en su Vida de Focio, escribe "Pero Agnonides leyó en voz alta un edicto que había preparado, de acuerdo al cual la gente debía votar mostrando las manos si pensaban que los hombres eran culpables, y los hombres, si las manos los condenaban, debían ser muertos" (34, 34).

Pero cheirotoneó también se usaba con más frecuencia para significar "nombrar" o "designar" sin relación con la forma de elegir. En los días de Lucas, Filo el filósofo judío (alrededor de 20 a.C. al 50 d.C.), usa la palabra sin referencia a votar:

- "Antes de que él (José) fuera nombrado para ser el ministro del rey" (*Sobre José* 248).

- "Un rey nombrado no por hombres sino por la naturaleza" (*Sobre los Sueños* 2, 243).

- "Su deseo de honrar al gobernante que él (Dios) había nombrado" (*Moisés* 1, 198).

El historiador judío del primer siglo, Josefo, usa la palabra de la misma manera:

- "Samuel dijo a Saúl, 'debes saber que eres rey, elegido (nombrado) por Dios para combatir a los Filisteos'" (*Antigüedades* 6, 54).

- "Pídele a Claudio César que le dé (a Herodes) autoridad sobre el templo y los vasos sagrados y la elección de los sumos sacerdotes" (*Antigüedades* 20,14).

En el Nuevo Testamento se usa la palabra en una forma compuesta para comunicar el sentido de "elegido de antemano" por Dios: "A éste levantó Dios el tercer día, he hizo que se manifestase; no a todo el pueblo, sino a los testigos que Dios había ordenado de antemano *(protocheirotoneó)*, a nosotros . . ." (Hechos 10:40, 41). En 2 Corintios 8:19, el único otro lugar en que se usa el verbo, las iglesias eligieron un hermano bien conocido para viajar con Pablo: "y no sólo esto, sino que también fue designado por las iglesias como compañero de nuestra peregrinación". Aunque el procedimiento de elección fue indudablemente diferente que el de Hechos 14:23, la palabra misma no indica una diferencia. El hecho es que *cheirotoneó* significa elegir o nombrar, con o sin relación con las manos. El contexto es perfectamente claro en que *nombrar* es el único significado posible en Hechos 14:23. Consideremos los dos puntos siguientes:

(1) El primer indicador contextual de que *"nombrar"* es el significado pretendido del verbo es su sujeto tácito (ellos) "constituyeron". Con seguridad *ellos* se refiere a Pablo y Bernabé, no a las iglesias. Si los intérpretes insisten en el significado de la raíz del verbo (haber extendido las manos), entonces el sujeto debe ser el elector, porque el sujeto nunca puede presidir sobre los votos de los demás. La acción siempre es el predicado del sujeto del verbo *(cheirotoneó)* está aquí en voz activa). En consecuencia, solamente Pablo y Bernabé levantaron sus manos para votar, no la iglesia. Pero esa interpretación no tiene sentido. Henry Craik (1805-1866), un destacado erudito de las lenguas hebrea y griega y copastor con Jorge Müller, señala:

Hasta donde yo sé, el verbo *cheirotoneó* no se emplea en el sentido de elegir o nombrar por el voto de otros en ninguna otra parte. Si el his-

145

toriador nos hubiera dicho que los miembros de las comunidades cristianas elegían a sus ancianos por voto, necesariamente hubiéramos entendido que quería decir que ellos mismos votaban para su nombramiento. Pero tal afirmación no aparece en el pasaje que estamos estudiando. En consecuencia, no puedo basarme en el pasaje como evidencia de la elección popular *(El orden de la iglesia en el Nuevo Testamento)* (New Testament Church Order, Bristol, W. Mack, 1863, pg. 51).

(2) El pronombre *"les"* *(autois)* "Después que les designaron ancianos..." (Versión La Biblia de Las Américas)) antes del verbo "designaron" (nombraron), también confirma esta afirmación: Pablo y Bernabé nombraron ancianos *para* ellos (es decir, para los apóstoles), no *por medio* de ellos.

Aunque hemos concentrado nuestro estudio en la primera mitad de Hechos 14:23, no deberíamos descuidar la segunda mitad del versículo. Registra una solemne reunión de despedida en la que "habiendo orado con ayunos, los encomendaron al Señor en quien habían creído". Algunos comentaristas piensan que Pablo y Bernabé encomendaron solamente a los ancianos al Señor, entonces "los" se refiere a los recién nombrados ancianos. Sin embargo, parece mejor interpretar "los" como una referencia a los discípulos en general, incluyendo a los ancianos, porque esta interpretación se adapta mejor con el hilo del pensamiento (que comienza en el versículo 22) en relación con los nuevos discípulos.

Pablo y Bernabé sabían que los falsos maestros, las persecuciones y los conflictos internos confrontarían a estos nuevos discípulos. De manera que en el versículo 22 advirtieron a sus nuevos hermanos y hermanas que "a través de muchas tribulaciones entremos en el reino de Dios". Antes de partir, ayunaron y oraron fervientemente, encomendando así los nuevos convertidos al cuidado del Señor. (La cláusula "habiendo orado con ayunos" se relaciona con el verbo "encomendaron" no con el verbo "constituyeron"). El verbo "encomendaron" *(paratithémi)* implica confiar algo valioso al cuidado de otro, y nada era tan valioso para los apóstoles que los nuevos convertidos. Los apóstoles sabían que el Señor Jesucristo "en quien (los discípulos) habían creído", era la única protección segura en ausencia de los apóstoles. Y la oración era el medio por el cual los apóstoles confiaron los discípulos a la protección del Señor resucitado.

Es importante notar que Pablo y Bernabé no dejaron la nueva congregación al cuidado de apóstoles, sacerdotes, clérigos, ni siquiera a los recién nombrados ancianos. Pusieron la nueva congregación al cuidado de Cristo. Los nuevos creyentes habían entrado a la vida de fe, a la vida de oración, y a la vida de obediencia y dependencia en el Señor Jesucristo. Crecerían solamente en la medida que dependieran de él para todo. Al igual que Abraham, y todos los demás grandes hombres y mujeres de Dios antes que ellos, tenían que aprender a vivir por fe.

Las oraciones de Pablo y Bernabé estuvieron acompañadas de "ayuno", lo que agrega intensidad y urgencia a la oración (Esdras 8:21-23; Hechos 13:1-3). "El ayuno es una de esas cosas", escribe William Kelly, "en que el cuerpo muestra su compasión por lo que está sufriendo el espíritu; es una manera de expresar nuestro deseo de postrarnos delante de Dios en actitud de humillación"[18]. Los apóstoles dejaron de lado sus necesidades naturales, entregándose completamente a la situación para concentrarse en Dios. Su ayuno demostró su fervor y dependencia de Dios.

La despedida de Pablo a los ancianos de Efeso

Cuando Pablo terminaba su tercer viaje misionero y se encaminaba hacia Jerusalén para llegar a la fiesta del Pentecostés (mayo, 57 d.C.) su barco ancló durante varios días en el puerto de Mileto para descargar y subir el cargamento. Como Mileto no está más que a setenta kilómetros de la ciudad de Efeso, Pablo vio la oportunidad de convocar a los ancianos de Efeso para reunirse con él en Mileto para una despedida final. Sus palabras a los ancianos de Efeso son en la práctica un manual para ancianos pastores. Es el único mensaje de Pablo hablando directamente a ancianos. Registra sus palabras finales de exhortación y advertencia a los ancianos de la iglesia, incluyendo una dramática descripción de quiénes son y de qué están llamados por Dios a realizar. En resumen, este sermón nos provee un excelente esquema de la enseñanza cristiana paulina única en su género sobre los ancianos de iglesia.

Entonces, cada anciano debe dominar a fondo el contenido del mensaje apostólico de Pablo a los ancianos de Efeso. La historia demuestra ampliamente que la verdad del mensaje de Pablo no puede ser reafirmada ni repetida excesivamente. El terrible fracaso de siglos en impedir que los falsos maestros invadan las iglesias, se puede rastrear directamente hasta la desobediencia o la ignorancia de las advertencias de Pablo a los ancianos efesios. Cada nueva generación de ancianos debe apropiarse de nuevo del mensaje profético dado a los ancianos de Efeso: Protejan la iglesia, ¡vienen los lobos!

La iglesia y los ancianos

En los días de Pablo, un concilio de ancianos pastoreaba la iglesia de Efeso. Esto queda claro por la forma en que Lucas registra la convocatoria de Pablo a los ancianos:

> "Enviando, pues, desde Mileto a Efeso, (Pablo) hizo llamar a los ancianos (plural) de la iglesia (singular)" (Hechos 20:17).

Casi sesenta años después de la reunión de Pablo con los ancianos efesios, Ignacio, obispo de la iglesia de Antioquía de Siria, escribió a "la iglesia que está en Efeso", llamando especialmente la atención a la preeminencia del obispo *(episkopos)* de Efeso llamado Onésimo (alrededor de 115 d.C.).[19] Sin embargo, en la época de la reunión de despedida de Pablo, no había ningún individuo que fuese sobreveedor a quien convocar. Había solamente un cuerpo de ancianos. Al igual que las iglesias de Galacia (Hechos 14:23), la iglesia en Efeso estaba dirigida en aquel tiempo por un consejo de ancianos, no por un consejo de ancianos y un obispo.

Algunos eruditos rechazan el concepto de ancianos múltiples en una sola congregación. Tratan de explicar la pluralidad de ancianos diciendo que había varias iglesias en hogares que constituían la iglesia de la ciudad de Efeso, que cada iglesia de hogar estaba presidida por un obispo, y que estos obispos de las iglesias en los hogares (a veces llamados colectivamente ancianos) presidían sobre la iglesia de toda la ciudad. Lea y Griffin sostienen este punto de vista. En sus escritos sobre las epístolas pastorales en la serie *New American Commentary*, (Nuevo Comentario Americano) afirman: "Probablemente el obispo ministraba sobre una iglesia de hogar con el grupo de obispos de una ciudad constituyendo 'los obispos' (ancianos)" (corchetes del autor).[20] En una idea similar R. Alastair Campbell, un instructor del Spurgeon's College de Londres, escribe:

> Podemos entonces imaginar la situación como sigue. La iglesia en Efeso ha crecido hasta el punto en que tiene varios *episkopoi* (sobreveedores), cada uno, podemos suponer, cabeza de su propia iglesia de

"Compartió toda la verdad posible
con toda la gente posible
en todas las formas posibles.
Enseñó todo el evangelio
a toda la ciudad
con todas sus fuerzas.
Su ejemplo pastoral debió haber sido
una inspiración infalible
para los pastores efesios."

John Stott,
The Spirit, the Church, and the World:
The Message of Acts, 328
(El Espíritu, la Iglesia y el Mundo:
El mensaje de Hechos)

hogar. Juntos son los ancianos de la iglesia, y es así como Pablo los convoca y les recuerda sus responsabilidades. Son los ancianos de la iglesia porque son los obispos de las congregaciones que se reúnen en los hogares de los que la misma se compone.[21]

Sin embargo, dichas afirmaciones son puras suposiciones. El hecho es que no hay absolutamente ninguna base bíblica que evidencie que un obispo único presidiera una iglesia de hogar. En realidad hay evidencia de lo contrario. Un número de comentaristas destacados creen que la Epístola a los Hebreos fue escrita a una iglesia de hogar en Roma.[22] Si están en lo cierto, la iglesia de hogar es exhortada a obedecer y someterse a un grupo de líderes, no a un solo obispo: "Obedeced a vuestros pastores, y sujetaos a ellos; porque ellos velan por vuestras almas" (Hebreos 13:17; comparar con 1 Tesalonicenses 5:12). Ciertamente no hay motivo por el que una iglesia de hogar no pueda tener dos o tres ancianos.

Más todavía, Lucas no se refiere a las "iglesias de Efeso", se refiere a "la iglesia" (Hechos 20:17). Más adelante se refiere al "rebaño", no a los "rebaños" sobre los que el Espíritu Santo había puesto los ancianos (Hechos 20:28). La lectura natural del pasaje, entonces, indica que hay una iglesia en Efeso y un cuerpo de ancianos que la preside. Lo mismo es cierto, casi cuarenta años más tarde, cuando Juan se dirige a "la iglesia en Efeso", no a las iglesias (Apocalipsis 2:1). Y casi veinte años después de las cartas de Juan, Ignacio también escribe a "la iglesia que está en Efeso".[23] Esto no significa negar que hubo iglesias en los hogares en Efeso, porque las hubo (1 Corintios 16:19). Pero la información bíblica sobre la interrelación entre las iglesias de los hogares es muy escasa, de modo que no podemos recrear un modelo funcional detallado. Lo que sí sabemos de Hechos 20 es que un concilio de ancianos era responsable del cuidado pastoral de la iglesia (singular) de Efeso. Sin embargo, simplemente no sabemos cómo ese liderazgo de ancianos se organizaba entre las diversas iglesias de hogar.[24]

El mismo concepto de una iglesia única describe la iglesia de Jerusalén (Hechos 4:4; 5:14; 6:1, 7; 21:20), el historiador inspirado habla solamente de la *iglesia* en Jerusalén, no de *iglesias* (Hechos 5:11; 8:1, 3; 11:22; 12:1, 5; 15:4, 22; 18:22). Lucas describe a los creyentes en Jerusalén como considerándose a sí mismos una congregación unida (Hechos 2:44, 46; 5:12; 6:2) bajo el liderazgo de doce apóstoles y más tarde los ancianos y Jacobo (Hechos 2:42; 4:35, 37; 5:2 y ss.; 6:2-4, 6; 8:14-17; 9:27; 15:4 y ss.). Hasta el tiempo de las severas persecuciones, los primeros cristianos de Jerusalén se reunían regularmente del lado este del patio exterior del Templo de Herodes, en un lugar llamado pórtico de Salomón:

- Todos los que habían creído estaban juntos, y tenían en común todas las cosas... Y perseverando unánimes cada día en el templo (Hechos 2:44, 46a).

- Y por la mano de los apóstoles se hacían muchas señales y prodigios en el pueblo; y estaban todos unánimes en el pórtico de Salomón (Hechos 5:12; comparar 3:11; cursiva agregada).

- Y todos los días, en el templo y por las casas, no cesaban de enseñar y predicar a Jesucristo (Hechos 5:42).

¿Qué podía ser más natural en la familia de Dios que todos los que tenían proximidad geográfica (los límites de la ciudad serían los más naturales) se reunieran juntos en unidad bajo un grupo de líderes? Al mismo tiempo, pequeños grupos de cristianos en Jerusalén también se reunían en hogares particulares (Hechos 2:46; 5:42; 12:12).

- Y entrados, subieron al aposento alto, donde moraban... (y los reunidos eran como ciento veinte en número)... (Hechos 1:13a, 15b).

- Y perseverando unánimes cada día en el templo, y partiendo el pan en las casas, comían juntos con alegría y sencillez de corazón (Hechos 2:46).

- Y todos los días en el templo, y por las casas, no cesaban de enseñar y predicar a Jesucristo (Hechos 5:42).

- Y habiendo considerado esto, llegó (Pedro) a la casa de María la madre de Juan, el que tenía por sobrenombre Marcos, donde muchos estaban reunidos orando (Hechos 12:12).

De manera que de acuerdo a Hechos, Jerusalén tenía una iglesia en toda la ciudad, muchas iglesias en los hogares, y un cuerpo de líderes. Esto también parece ser el caso en Antioquía (Hechos 11:26; 13:1; 14:27; 15:3, 30) lo mismo que en Efeso.

El deber de los ancianos: proteger la iglesia

Al despedirse, Pablo recordó a los ancianos de Efeso que les había enseñado todo el consejo de Dios. No había retenido nada de lo que había recibido por revelación de Dios: "Porque no he rehuido anunciaros todo el consejo de Dios" (Hechos 20:27). Pablo repite este tema en los versículos 20 y 27 para recalcar que había cumplido plenamente su deber como apóstol de Cristo. La responsabilidad de la defensa del evangelio y el bienestar de la iglesia ahora quedaban en manos de los ancianos; Pablo estaba libre para dirigirse a otros lugares.

"Y como nada que fuese útil he rehuido de anunciaros y enseñaros, públicamente y por las casas... Por tanto, yo os protesto en el día de hoy, que estoy limpio de la sangre de todos; porque no he rehuido anunciaros todo el consejo de Dios. Por tanto, mirad por vosotros y por todo el rebaño en que el Espíritu Santo os ha puesto por obispos, para apacentar la iglesia del Señor, la cual él ganó por su propia sangre" (Hechos 20:20, 26-28).

Pablo comienza su exhortación a los ancianos efesios con la advertencia de "mirad por vosotros y por todo el rebaño". El verbo usado, "mirad" *(prosechó)* significa aquí "estad en guardia" o "estad muy atentos". Se usa con frecuencia en el contexto de las falsas enseñanzas (Deuteronomio 12:30; Mateo 16:6, 12; Lucas 20:46). Es un verbo imperativo e indica una acción continua. De manera que Pablo está diciendo "estén constantemente en guardia por ustedes y por el rebaño". Lo opuesto sería descuidar el rebaño, no estar atentos, o estar preocupados por otras cuestiones al punto de no percatarse de los problemas y peligros que enfrenta el rebaño. En contraste, "El requerimiento fundamental de los pastores es estar en continua vigilancia".[25]

Para poder cumplir esa tarea, los ancianos deben primero proteger atentamente su propia condición espiritual. Un anciano no puede mirar por la vida espiritual de otros si no puede hacerlo por su propia alma. Matthew Henry (1662-1714), uno de los comentaristas más leídos durante los dos siglos pasados, afirma: "Quienes no cuidan su propia viña difícilmente puedan ser capaces y confiables para cuidar de las de otros".[26] Por lo tanto Pablo encarga sabiamente a los ancianos que primero vigilen su propia vida espiritual. El conocido escritor puritano Richard Baxter (1615-1691), en su obra clásica *The Reformed Pastor* (El pastor reformado), advierte que Satanás "tiene el ojo puesto" en los guardianes del rebaño. Satanás sabe que si puede destruir a los pastores, tranquilamente puede invadir y devorar el rebaño:

> Presten atención a ustedes mismos porque el tentador dará su primer y más arduo ataque sobre ustedes... Sabe qué destrucción puede hacer entre el resto si puede hacer que los líderes caigan ante sus ojos. Tiene una larga práctica en luchar, no contra los grandes ni contra los pequeños comparativamente, sino contra los pastores, para dispersar el rebaño. Estén atentos entonces, porque el enemigo tiene puestos los ojos en ustedes. Ustedes son el blanco más seguro de sus insinuaciones, incesantes solicitudes y asaltos violentos. Estén atentos a ustedes mismos no sea que el diablo los burle. El diablo es más erudito que ustedes, y un

luchador más hábil... Y cada vez que los supere, los convertirá en instrumentos de su propia ruina... No le permitan que los use como los filisteos usaron a Sansón, primero para privarlos de su fuerza, luego para quitarles los ojos, y finalmente para hacerlos botín de triunfo y objeto de burla".[27]

Por eso, los ancianos deben emprender toda acción necesaria para guardar su andar diario con Dios. Deben comprometerse fielmente a la oración diaria y a la lectura de las Escrituras. Deben cuidarse de cualquier indicio de indiferencia hacia la verdad divina. Pedro advierte: "Guardaos, no sea que arrastrados por el error de los inicuos, caigáis de vuestra firmeza" (2 Pedro 3:17). En el mismo sentido, el ex profesor del Regent College, Michael Green, nos recuerda que "el error tiene muchas caras atractivas por las que incluso los más experimentados pueden ser engañados".[28] Los ancianos también deben protegerse de caer en las trampas de los placeres y preocupaciones de este mundo. Deben cuidarse de la amargura del corazón, la desilusión, la pereza espiritual y la incredulidad. Deben mantener sus ojos y su mente firmemente fijos en Jesucristo (Hebreos 12:1-3).

Además de cuidarse ellos mismos, los ancianos deben cuidar "todo el rebaño", es decir, la congregación cristiana local. Para comunicar eficazmente su exhortación, Pablo emplea las metáforas familiares del Antiguo Testamento de la relación del pastor con el rebaño. Describe la iglesia local como un rebaño de ovejas que los ancianos deben pastorear y especialmente, proteger de los lobos. La imagen pastor-ovejas ilustra bellamente la necesidad de la iglesia de contar con liderazgo y protección. Una parte fundamental de esta metáfora es la relación inseparable entre las ovejas y el pastor. Como las ovejas son indefensas, un rebaño no vigilado está en peligro. De modo que siempre debe haber pastores cuidando el rebaño. A lo largo de todas las Escrituras hay lamentos y compasión por los rebaños que carecen de pastor (Números 27:17; 1 Reyes 22:17; Zacarías 10:2; Mateo 9:36).

La orden de proteger el rebaño significa que los ancianos deben tener la mente puesta en la iglesia. Deben estar atentos y vigilantes. Deben prestar atención permanente al bienestar espiritual de la gente. Deben cuidar de las personas que se han descarriado alguna vez del rebaño o de los nuevos convertidos que están luchando por sobrevivir. Deben estar constantemente alerta a los peligros, tanto desde dentro del rebaño como desde afuera. Deben conocer la nuevas tendencias y doctrinas que pueden influir en la gente. El gran Rey Salomón da el mismo consejo cuando escribe: "Sé diligente en conocer el estado de tus ovejas, y mira con cuidado por tus rebaños" (Proverbios 27:23).

Finalmente, no debemos descuidar el uso que hace Pablo de la pequeña pero significativa palabra "todo". Los ancianos son responsables de proteger a *todo* el rebaño, no solamente su parte preferida del rebaño. Ninguna oveja debe ser descuidada, porque todas son preciosas. La palabra *todo* señala la diferencia entre el ministerio del anciano y la responsabilidad de otros que también ministran fielmente en el rebaño local: la responsabilidad del anciano supone la dirección general de todo el rebaño, no sólo una parte del mismo.

Al igual que cualquier otro miembro de la congregación, un anciano estará comprometido a la obra y tendrá especial interés en un ministerio específico, como un grupo de estudio bíblico, la música, la juventud, la escuela dominical, el asesoramiento, las misiones, o la extensión evangelística. Estos ministerios tienen un número limitado de personas y responsabilidades a cargo, y nadie necesita ser un anciano para hacerlas. Pero la misión del anciano de iglesia implica la responsabilidad individual y en conjunto de cuidar de todo el rebaño con todas sus personas, programas y problemas. De modo que la mayoría de los ancianos tienen varias responsabilidades específicas, además de la responsabilidad compartida con todo el cuerpo de ancianos de asumir la dirección general de todo el rebaño. No todos son aptos para esta responsabilidad (1 Timoteo 3:1-13). Es una carga pesada que pocos hombres pueden aceptar.

La comisión divina de los ancianos

Habiendo expresado su principal encargo de "cuidar el rebaño", Pablo sigue adelante reforzándolo en el resto del versículo 28 y en los versículos 29-31. A la típica manera paulina, explica las bases doctrinales subyacentes para su mandamiento de cuidar el rebaño: la voluntad del Espíritu soberano, el inmenso valor de la iglesia, la cruz de Jesucristo, y las inevitables embestidas de los falsos maestros.

Pablo les recuerda a los ancianos que fue Dios, el Espíritu Santo, quien los puso como obispos con el expreso propósito de pastorear el rebaño. El verbo "hizo" viene de la palabra griega *tithémi* que generalmente significa "puesto" o "colocado". En este caso la traducción "colocado" o "fijado" parece encajar mejor en el contexto: el rebaño local que ellos deben guardar es el mismo sobre el cual el Espíritu los ha puesto como sobreveedores. El rebaño local que deben pastorear es precisamente sobre el que el Espíritu Santo los ha puesto como obispos. El verbo está en una voz que expresa la maravillosa verdad de que el Espíritu Santo lo hizo para sus propios sabios propósitos.[29] Más aun, el verbo se usa en el Nuevo Testamento para indicar un sentido teológico especial de designación o constitución divinas (Hechos 13:47; 1 Timoteo 1:12; 2 Timoteo 1:7, 11). Esta es claramente la intención de 1 Corintios 12 donde Pablo escribe: "Más ahora Dios ha colocado los miembros cada uno de ellos en el cuerpo, como él quiso" (12:18; comparar con 12:28). Por lo tanto, estos hombres son sobreveedores por constitución, iniciativa y designación divinas.

Pablo destaca la personalidad y la voluntad de Dios el Espíritu Santo para determinar quién supervisa la iglesia de Dios. No fue la iglesia, ni los apóstoles quienes pusieron a estos hombres como responsables. Aunque los medios humanos no fueron excluidos del proceso, la constitución de los ancianos fue hecha en definitiva por una persona divina, Dios el Espíritu Santo. De manera que como sobreveedores de Dios, los ancianos debían proteger la iglesia con su vida. Hacer menos que eso hubiera sido desobedecer a Aquel que en definitiva los había designado.

Siguiendo la referencia a los "ancianos" en el versículo 17, seguramente esperaríamos leer que el Espíritu Santo colocó a estos hombres como "ancianos" para pastorear la iglesia de Dios (v. 28). En lugar de eso, el versículo 28 se refiere a los ancianos como "sobreveedores ". Pablo acaba de exhortar a los ancianos a estar atentos sobre el rebaño, de manera que es apropiado que les llame "sobreveedores ". Como lo indica la palabra, los sobreveedores son responsables de la supervisión general, la protección, la dirección y el cuidado del rebaño de Dios. Las versiones que traducen *episkopoi* como superintendentes, sobreveedores, vigilantes, se ajustan más al original. Algunas versiones traducen la palabra *episkopoi* como "obispos", pero esta interpretación comunica conceptos que no están presentes en el pensamiento de Pablo y crea confusión en los lectores modernos.

Estudio de la palabra obispo (sobreveedor)

La palabra griega *episkopos* es un término general como nuestras palabras españolas sobreveedor, gerente o superintendente. En la antigua sociedad griega, la palabra era bien conocida como designación oficial. Se la usaba ampliamente para describir cualquier agente que actuaba como superintendente, gerente, guardiám controlador, inspector o gobernante. "Con más frecuencia", afirma Hermann W. Beyer, "los *episkopoi* son funcionarios locales o agentes de sociedades".[30]

El Antiguo Testamento griego, (la *Septuaginta*), usaba *sobreveedores* de manera muy similar para referirse a diversos agentes. Beyer dice: "No hay un oficio bien definido que tenga el título de *episkopos* en la LXX. Pero el término *sobreveedores* se usa libremente en muchas formas diferentes".[31] Algunos ejemplos de *episkopos* del Antiguo Testamento son los siguientes: superintendentes responsables del mantenimiento del templo (2 Crónicas 24:12, 17), funcionarios del ejército (Números 31:14), guardianes del templo (2 Reyes 11:18), líderes que supervisaban el pueblo (Nehemías 11:9) y encargados del tabernáculo (Números 4:16).

El propósito por el cual el Espíritu Santo puso los ancianos en el rebaño como encargados fue para "apacentar la iglesia del Señor". El verbo "apacentar" *(poimainó)* significa pastorear, lo que implica la tarea pastoral completa de dirigir, llevar al redil, alimentar y proteger las ovejas. Esta imagen de pastoreo se adapta perfectamente a los propósitos del Espíritu Santo para los ancianos.

La imagen del pastor combina las ideas de autoridad y liderazgo con la abnegación, la ternura, la sabiduría, el trabajo arduo, el amoroso cuidado y la vigilancia constante. El pastoreo requiere largas horas de trabajo y atención completa —el pastor debe estar siempre con las ovejas. Requiere conocimiento de las ovejas, buenas aptitudes para la conducción y coraje frente al peligro. Lo más importante es que requiere amor por las ovejas. Es decir, "pastorear" significa gobernar la iglesia de Dios, proveer liderazgo y dirección a la iglesia, enseñar y corregir en base a la Palabra de Dios, y proveer protección de todos los peligros que amenazan la vida de la iglesia.

Debemos notar que en el Nuevo Testamento, el verbo *pastorear* se usa tres veces en el contexto de líderes cristianos: (1) Jesús encargó a Pedro que pastoreara las ovejas (Juan 21:16); (2) Pedro encargó a los ancianos de Asia que pastorearan el rebaño de Dios (1 Pedro 5:1a, 2a); y (3) Pablo recordó a los ancianos de Efeso que el Espíritu Santo los había puesto como obispos para pastorear la iglesia (Hechos 20:28). Es decir, en dos oportunidades, a los ancianos se les ordena pastorear, es decir, apacentar, la iglesia local.

Sin embargo el sustantivo *pastor* se usa una sola vez para describir a los líderes cristianos. En Efesios 4:11 Pablo enumera cinco dones espirituales, y uno de ellos es el don de pastorear: "Y él mismo constituyó a unos, apóstoles; a otros, profetas; a otros, evangelistas; a otros, pastores y maestros". De modo que así como hay evangelistas y maestros dotados, también hay pastores de talento. También vale la pena notar que en el Nuevo Testamento el término *pastor* nunca se usa como título para un líder de iglesia. Solamente a Cristo se le da el título de pastor.

El rebaño que pastorean los ancianos es un rebaño de indecible valor. Es especial porque es "la iglesia del Señor". Es la congregación del pueblo de Dios. No pertenece a los ancianos, ni a los apóstoles ni a algún hombre. Dios dio vida a su rebaño y él es quien se preocupa por el mismo, lo sostiene, provee para sus necesidades. Pablo expresa la magnitud del valor de la "iglesia del Señor" con la frase "la cual él ganó por su propia sangre". Los traductores bíblicos están en desacuerdo tanto sobre el texto en griego como sobre la adecuada traducción de esta frase,[32] pero no debemos permitir que esos problemas técnicos nos alejen de la intención y el impacto de la afirmación. Cualquiera sea la interpretación correcta, el punto relacionado con el inconmensurable valor de la iglesia de Dios sigue en pie. "Con esto", dice Gooding, "tocamos el móvil de toda verdadera defensa y pastoreo de la iglesia: el precio al que Dios la pagó".[33]

El precio que uno está dispuesto a pagar por un objeto demuestra su valor. Por la Iglesia, Dios dio su único Hijo como sacrificio por el pecado. El Hijo derramó su sangre y murió por la Iglesia. ¿Cómo podría Dios haber pagado más por la Iglesia? Ha pagado un precio incalculable. ¡Cómo debe amar Dios a la Iglesia! Cuánto debe significar para él que sus ancianos escogidos se preocupen fervientemente por sus hijos comprados con sangre. Richard Baxter capta dramáticamente la pasión de las palabras persuasivas del razonamiento de Pablo cuando afirma:

> ¿Acaso no escuchamos (a Cristo) decir: "¿Morí por estas personas y ustedes se niegan a cuidar de ellas? ¿Valían el precio de mi sangre, y no merecen el esfuerzo de ustedes? ¿Descendí del cielo para buscar y salvar lo que estaba perdido, y ustedes se negarán a ir a la casa vecina, a la otra cuadra o al siguiente pueblo a buscarlos? ¡Qué pequeño es el esfuerzo o la condescendencia de ustedes comparados con los míos! Yo tuve que rebajarme a mí mismo para hacer esto, pero para ustedes es un

honor ser empleados para hacerlo. He hecho y sufrido muchísimo por la salvación de ellos. ¿Se negarán ustedes a hacer lo poco que queda en sus manos?".

Cada vez que miremos a nuestras congregaciones, recordemos confiadamente que han sido compradas por la sangre de Cristo, y que por lo tanto, deberían ser sumamente valoradas por nosotros.[34]

¡Qué inmenso honor es pastorear la iglesia de Dios! Es un asunto muy serio que un anciano pastor no atienda las necesidades de la iglesia de Dios; sin embargo, esto es un problema mundial común. Estoy convencido que uno de los motivos clave por el que los ancianos descuidan la congregación, y por el que muchos hombres carecen del deseo de ser ancianos, es que no comprenden el inestimable valor de la iglesia de Dios y no valoran la Cruz de nuestro Señor Jesucristo (2 Corintios 5:14, 15). Cuando perciben el eterno valor del rebaño de Dios y el precio casi inimaginable pagado por nuestra salvación, los hombres deberían sentirse inspirados a comprometer sus vidas de todo corazón a cuidar de la iglesia de Dios. Como escribió el gran autor de himnos Isaac Watts: "Un amor tan asombroso, tan divino, demanda mi alma, mi vida, mi todo".

El peor enemigo de los ancianos: los falsos maestros

Siguiendo su argumento sobre la necesidad de que los ancianos mantengan la vigilancia sobre el rebaño que el Señor ha comprado con su sangre, Pablo aviva el fuego de su exhortación. Explica el principal temor que motiva su preocupación:

"Porque yo sé que después de mi partida entrarán en medio de vosotros lobos rapaces, que no perdonarán al rebaño. Y de vosotros mismos se levantarán hombres que hablen cosas perversas para arrastrar tras sí a los discípulos. Por tanto, velad, acordándoos que por tres años, de noche y de día, no he cesado de amonestar con lágrimas a cada uno" (Hechos 20:29-31).

Pablo conocía tan bien al enemigo que podía decir: "Yo sé que... entrarán en medio de vosotros lobos rapaces". No había dudas. Eso ocurriría. Puesto que la iglesia local se llama figurativamente rebaño, se entiende que sus enemigos sean "lobos", los proverbiales predadores de ovejas. Los lobos de los que habla Pablo son los falsos maestros que asaltan al rebaño. Se les llama "lobos salvajes", un grupo de grandes lobos feroces que no eximirán al rebaño de la destrucción. Son fuertes y astutos. Son persistentes y aparecen de todas partes. Son insaciables y despiadados en su apetito por devorar a los cristianos. Su presencia sólo puede traer muerte, confusión y destrucción.

La presencia de Pablo era una fuerza poderosa contra los "lobos salvajes" de la falsa doctrina (Hechos 15:1). Luchó incansablemente contra la infiltración de los falsos maestros. Dedicó toda su vida a la defensa del evangelio (Filipenses 1:7). En lo tocante a la verdad del evangelio, Pablo no se sometería a nadie (Gálatas 2:5). Su más severo anatema cayó sobre quienes intentaban añadir al evangelio de Cristo (Gálatas 1:7-9). Durante tres años Pablo había proclamado y defendido a fondo el evangelio en Efeso, y su partida significó un momento crucial para la iglesia de Efeso. Ahora que había partido, la responsabilidad de los ancianos efesios era proteger el rebaño de Dios.

Pablo continúa anunciando algo todavía más sutil y atemorizador que los lobos; ¡advierte que los falsos maestros surgirían desde dentro mismo de la congregación! No solamente vendrían los lobos a destruir el rebaño, sino que hombres de dentro mismo del rebaño del Señor —cristianos profesantes— surgirían como falsos maestros. Estos hombres se presentan enseñando "cosas perversas". Pablo quiere decir que enseñarán perversiones de la santa Palabra de Dios: doctrinas herejes, torcidas, distorsionadas. No negarán abiertamente la Palabra de Dios, porque eso sería demasiado obvio e ineficaz para los propósitos de Satanás. En lugar de eso, pervertirán la verdad. Como maestros de sutilezas y novedades, mezclarán la verdad con el error, reinterpretarán la verdad, y cambiarán el sentido de las palabras para dar la impresión de verdad.

Tales falsos maestros quieren seguidores, por lo tanto buscan "arrastrar tras sí a los discípulos". Tratan de alejar a los cristianos del rebaño y de sus sobreveedores puestos por el Espíritu (Gálatas 4:17). No tienen ningún interés en la unidad ni la seguridad de la iglesia. Sólo tienen interés en ellos mismos. Qué diferentes son de los verdaderos siervos de Cristo que predican "a Jesucristo como Señor" y se consideran a sí mismos como "siervos" de su pueblo (2 Corintios 4:5).

La solución de Pablo a la ominosa amenaza de los falsos maestros es: "Por tanto, velad". La palabra "velar" viene del griego *grégoreó* que significa literalmente "mantenerse despierto" o "no dormir" (Mateo 26:38; Lucas 12:37). Se usa con más frecuencia en sentido figurativo en el Nuevo Testamento para significar "estar alerta", "estar vigilante", "estar atento y preparado para la acción". En este caso es un verbo imperativo de mandato en tiempo presente que significa "manténganse alertas y listos para actuar". Implica un esfuerzo consciente, una actitud mental y espiritual de vigilancia.

El verbo "velar" se adapta bien a la imagen pastoral de la exhortación de Pablo. Un buen pastor está siempre alerta al peligro. No lo encuentra desprevenido. Está vigilante y listo para proteger a las ovejas.

Para reforzar y clarificar su exhortación de estar alerta, Pablo insta a los ancianos a recordar su ejemplo: "acordándoos que por tres años, de noche y de día, no he cesado de amonestar con lágrimas a cada uno". Está diciendo que su propia vida es una lección de vigilancia pastoral en acción. En efecto, gran parte del discurso de Pablo a los ancianos es una exposición y defensa de su ejemplo personal mientras estuvo en Efeso. David Gooding comenta: "Las palabras de Pablo a los ancianos efesios son notables porque su exhortación a defender la iglesia del Señor ocupa algo más de cuatro versículos; mientras el modelo que ofrece de cómo debe llevarse adelante la defensa, ocupa por lo menos trece. Como es lógico, el modelo que ofrece es él mismo y su conducta para con la iglesia durante los años que permaneció entre ellos".[35]

La vigilante protección de Pablo del rebaño implicaba el ministerio de amonestación *(noutheteó)*, que significa "prevenir", "aconsejar", "asesorar". Amonestar es ejercer una influencia correctora de manera solícita y positiva. Según el diccionario de Kittel "la idea básica es la del bien intencionado fervor con que uno busca influir en la mente y la disposición mediante la adecuada instrucción, exhortación, advertencia y corrección".[36] En el contexto que nos ocupa, amonestar implica instruir a los creyentes acerca de los ataques persistentes y peligrosos de los falsos maestros y de la tendencia humana de volverse desatentos ante ese peligro.

Las amonestaciones de Pablo comenzaron no bien llegó a Efeso. No esperó hasta su partida para advertir acerca del peligro inevitable de los falsos maestros. Los amonestó "de noche y de día" durante tres años. Pablo usó cada contacto con ellos —no solamente las situaciones oficiales— para la amonestación. Más todavía, las "lágrimas" acompañaban las amonestaciones de Pablo porque el daño causado por los falsos maestros le provocaba mucho dolor: "Porque por ahí andan muchos, de los cuales os dije muchas veces, y aun ahora lo digo llorando, que son enemigos de la cruz de Cristo" (Filipenses 3:18). Finalmente la amonestación de Pablo era inclusiva. Nunca cesaba de amonestar "a cada uno". Tenía los ojos puestos en cada una de las ovejas. ¡Ojalá los ancianos de hoy advirtieran e instruyeran a cada santo con tal entereza y devoción!

El motivo para estar alerta no es simplemente estar informado, sino actuar. Ambos mandatos imperativos "mirad" (v. 28) y "velad" (v. 32) implican acción. Un buen pastor nunca es pasivo. Sabe la necesidad de actuar rápida y decisivamente frente al peligro. Sabe cuándo debe luchar y cuándo debe quedarse quieto. Ser consciente del peligro y no actuar, es ser un pastor perezoso y cobarde que traiciona al rebaño.

Los ancianos deben actuar porque Dios les ha dado la autoridad para guiar y proteger al rebaño. No hacen esta obra por su propia autoridad. Puesto que el Espíritu Santo es quien ha asignado a los ancianos como sobreveedores del rebaño con el propósito de pastorear la iglesia, tienen la autoridad para actuar como pastores y sobreveedores. Son los pastores auxiliares que actúan de acuerdo con la autoridad pastoral dada por Dios para proteger el rebaño y frenar a los falsos maestros.

El doble recurso de los ancianos

Pablo sabía que los ancianos efesios tendrían que enfrentar muchas pruebas y batallas duras, de manera que termina su mensaje confiándolos, no a alguna autoridad terrenal u organización humana, sino a Dios y a su Palabra de vida:

> "Y ahora, hermanos, os encomiendo a Dios y a la palabra de su gracia, que tiene poder para sobreedificaros y daros herencia con todos los santificados" (Hechos 20:32).

David Gooding llama adecuadamente a esto "doble recurso".[37] Refiriéndose a este doble recurso, es decir Dios y su Palabra, William Kelly afirma: "No los encomienda a uno sólo, sino a ambos. Sin Dios en el corazón, la Palabra se vuelve seca y sin vida, y nos volvemos impacientes y desilusionados; sin la Palabra para dirigir la vida, caemos en el peligro de la voluntad y la sabiduría, o de la insensatez del hombre".[38]

Pablo tenía plena confianza en Dios y en la Palabra para mantener a salvo a sus amados colaboradores. Sabía que el mismo Dios, que había sustentado a dos millones de israelitas durante cuarenta años en el árido desierto de Sinaí, podía sostener a estos ancianos en el ministerio pastoral. Las Escrituras del Antiguo Testamento, que todos conocían, eran un testimonio poderoso del poder de Dios para cuidar de su pueblo en las peores circunstancias posibles.

> "Que te hizo caminar por un desierto grande y espantoso, lleno de serpientes ardientes, y de escorpiones, y de sed, donde no había agua, y él te sacó agua de la roca del pedernal; que te sustentó con maná en el

desierto, comida que tus padres no habían conocido, afligiéndote y probándote, para a la postre hacerte bien" (Deuteronomio 8:15, 16).

"Pues Jehová tu Dios te ha bendecido en toda obra de tus manos; él sabe que andas por este gran desierto; estos cuarenta años Jehová tu Dios ha estado contigo, y nada te ha faltado" (Deuteronomio 2:7).

El principio fundamental que cada hijo de Dios debe aprender y volver a aprender muchas veces durante su vida, es depender del Dios que es absolutamente confiable. La vida cristiana es una vida de fe, fe en el Dios todo poderoso y todo amor, que es la fuente de toda vida y gracia. Sin embargo, como Israel, no hay otra cosa con la que luchamos más que con la autosuficiencia y la incredulidad (Salmos 78:17-22).

Los problemas, fracasos y dificultades que vendrían tenían el propósito de llevar a esos ancianos a una mayor confianza en Dios, a una mayor y más profunda relación con el Dios viviente. Pablo había experimentado esta confianza estando en Efeso: "Pero tuvimos en nosotros mismos sentencia de muerte, para que no confiásemos en nosotros mismos, sino en Dios que resucita a los muertos" (2 Corintios 1:9). Los ancianos tendrían que aprender, como Pablo, a no ser "competentes por nosotros mismos para pensar algo como de nosotros mismos, sino que nuestra competencia proviene de Dios" (2 Corintios 3:5).

Pablo confió los ancianos no solamente a Dios sino también a la "palabra de su gracia". Con las atemorizadoras predicciones de Pablo acerca de lobos, falsos maestros y divisiones, los ancianos necesitaban desesperadamente "la palabra de su gracia" que es todo el relato del evangelio (Hechos 13:43; 14:3; 20:24). El evangelio es el relato del maravilloso Señor Jesucristo, su persona y su obra; es la historia del amor y la gracia de Dios para con los pecadores inmerecedores; es el mensaje de perdón, la promesa del Espíritu Santo y la vida eterna. Los ancianos deben descansar en este mensaje vivo y sobrenatural, y continuar aprendiendo de su infinita riqueza y profundidad.

Los ancianos escucharon "la palabra de su gracia" por medio de las predicaciones de Pablo. Los ancianos de hoy pueden leer el mismo mensaje como está registrado en el Nuevo Testamento. Pablo tenía confianza en que la Palabra de Dios era perfectamente suficiente para proveer dirección, consuelo y fuerza a esos esforzados pastores. Sabía, como había afirmado Moisés mucho tiempo antes a Israel, que "no sólo de pan vivirá el hombre, más de todo lo que sale de la boca de Jehová vivirá el hombre" (Deuteronomio 8:3b). La absoluta suficiencia de la preciosa Palabra de Dios para sostener a sus hijos en medio de todas las luchas de la vida está espléndidamente expresada por C. H. Mackintosh

(1820-1896) en su clásica exposición devocional del Pentateuco:

Aquí (Deuteronomio 8) tenemos la única actitud verdadera, segura y feliz para el hombre, a saber, suspenderse en fervorosa dependencia de "todo lo que sale de la boca de Jehová..." Podemos decir que no hay otra cosa igual en todo el mundo, pone el alma en contacto directo, vivo y personal con el Señor mismo... hace que la Palabra nos resulte absolutamente esencial, en todo; no podemos vivir sin ella.

No hay una sola crisis en toda la historia de la Iglesia de Dios, ninguna dificultad en el camino individual del creyente, desde el comienzo hasta el final, para lo cual no haya una perfecta provisión en la Biblia. Tenemos todo lo que necesitamos en ese tomo bendito, por lo tanto deberíamos estar siempre buscando familiarizarnos más y más con lo que contiene, para estar "enteramente preparados" para cualquier cosa que surja, ya sea una tentación del diablo, la seducción del mundo o la lujuria de la carne; o, por otra parte, estar preparados para el camino de buenas obras que Dios ha preparado de antemano para que transitemos en él.

Y nunca les falla a quienes se ajustan a ella y confían en ella. Debemos confiar en las Escrituras sin una sombra de duda. No importa cuántas veces acudamos a ella, siempre encontraremos lo que ansiamos... Unas pocas frases de las Sagradas Escrituras derramarán una corriente de luz divina en el corazón y la conciencia, y nos darán un perfecto descanso, respondiendo a cada pregunta, resolviendo cada dificultad, quitando cada duda, alejando cada nube, permitiéndonos conocer el pensamiento de Dios, terminando con las opiniones conflictivas por medio de la única autoridad divinamente competente.

¡Qué beneficio enorme tenemos entonces en las Sagradas Escrituras! ¡Qué precioso tesoro poseemos en la Palabra de Dios! ¡Cómo no bendecir su santo nombre por habérnosla dado! ¿Verdad? Y bendecirlo también por todo lo que nos ayuda a familiarizarnos con la profundidad, la plenitud y el poder de esas palabras de nuestro capítulo: "No sólo de pan vivirá el hombre, sino de toda palabra que sale de la boca de Jehová vivirá el hombre".[39]

A fin de proteger eficazmente al rebaño de los lobos, los ancianos necesitan ser fuertes y capaces en las cosas de Dios. Pablo promete que la Palabra los edificará y los fortalecerá. Como fuente de poder divino, la Palabra es "útil para enseñar, para redargüir, para corregir, para instruir en justicia, a fin de que el hombre de Dios sea perfecto, enteramente preparado para toda buena obra" (2 Timoteo 3:16, 17). Entonces si los ancianos descuidan la lectura, el estudio, la meditación y la obediencia de la Palabra, se volverán débiles y el rebaño estará en peligro. Sólo los sobreveedores fuertes pueden soportar la presión. Solamente el poder vivo de la Palabra puede dar a los ancianos la fuerza necesaria para proteger al rebaño de los falsos maestros. ¡Qué maravillosa bendición es tener ancianos espiritualmente alerta, firmes en la Palabra, y que descansan plenamente en Dios para todas sus decisiones y actividades!

La responsabilidad del anciano: Trabajar esforzadamente y ayudar a los necesitados

Nada es más adecuado para provocar acusaciones siniestras contra los siervos del Señor que el dinero, por eso la despedida de Pablo incluye la desaprobación de toda motivación codiciosa:

"Ni plata ni oro ni vestido de nadie he codiciado. Antes vosotros sabéis que para lo que me ha sido necesario a mí y a los que están conmigo, estas manos me han servido. En todo os he enseñado que, trabajando así, se debe ayudar a los necesitados, y recordar las palabras del Señor Jesús, que dijo: Más bienaventurado es dar que recibir" (Hechos 20:33-35).

Pocas personas pueden hacer una confesión tan segura y sincera. Observemos que Pablo no dijo que no hubiera tomado el oro de nadie, porque había aceptado dinero de los santos. (La iglesia en Filipos era especialmente fiel en cuanto a compartir con Pablo sus bienes materiales, como está registrado en Filipenses 1:5; 4:15; 2 Corintios 11:8, 19.) La afirmación de Pablo es más profunda que eso. Dice que la codicia no tiene ningún control sobre él y que no tiene ningún deseo interior secreto de obtener beneficios materiales de sus convertidos.

Cualquiera, incluso el codicioso, puede decir: "No he codiciado la plata de nadie". Las personas codiciosas pueden estar engañadas respecto de sí mismas. Pero Pablo apela a un aspecto poco común de su trabajo en el versículo 34: "Antes vosotros sabéis que para lo que me ha sido necesario a mí y a los que están conmigo, estas manos me han servido". Al recordarles esto, Pablo revela que su práctica normal era proveer para su propio alojamiento, comida y necesidades por medio de su trabajo manual (1 Corintios 9:4-6; 2 Corintios 11:7; 1 Tesalonicenses 2:9; 2 Tesalonicenses 3:8-10). Lo que es más sorprendente, Pablo también sostuvo a sus colaboradores en el evangelio trabajando como fabricante de tiendas (Hechos 18:3). Por lo tanto, trabajar con sus "manos" no era ningún mero gesto de agradecimiento de parte de Pablo. Trabajaba noche y día (1 Tesalonicenses 2:9; 2 Tesalonicenses 3:8).

Al igual que la vida de su Señor (Marcos 3:20, 21), la vida de Pablo se caracterizó por la labor ardua e incesante. Pablo trabajaba en su industria y en la predicación. Los impresionantes resultados de su servicio en el evangelio fueron obra del Espíritu, no el resultado de sus deseos egoístas (1 Corintios 3:5-9; 2 Corintios 4:7). Su vida fue prueba suficiente de que no tenía ninguna ambición por la riqueza de otros.

Los cristianos, especialmente los líderes cristianos, deben expresar el amor de Cristo compartiendo sus recursos con los pobres y los necesitados. Pablo muestra a los ancianos su propio ejemplo desinteresado de trabajo arduo, independencia y generosidad con sus recursos: "En todo os he enseñado que, trabajando así, se debe ayudar a los necesitados". Menciona la misma idea de trabajar para ayudar a los pobres en Efesios 4:28: "El que hurtaba, no hurte más, sino trabaje, haciendo con sus manos lo que es bueno, para que tenga qué compartir con el que padece necesidad". Por consiguiente, Pablo suplica a los ancianos que tengan una preocupación similar por los débiles de cuerpo y que padecen necesidad material, recordando siempre "las palabras del Señor Jesús, que dijo: Más bienaventurado es dar que recibir".

Los ancianos, entonces, como Pablo, deben caracterizarse por el trabajo arduo. Deben trabajar para sostener a su familia y ayudar a los necesitados. Deben dedicar bastante tiempo a pastorear la iglesia de Dios. Haciendo estas cosas, serán ejemplo para la congregación del tipo de vida que Dios espera de todo su pueblo.

Al final de la ferviente exhortación de Pablo, Lucas registra una conmovedora escena de despedida:

> "Cuando hubo dicho estas cosas, se puso de rodillas, y oró con todos ellos. Entonces hubo gran llanto de todos; y echándose al cuello de Pablo, le besaban, doliéndose en gran manera por la palabra que dijo, de que no verían más su rostro. Y le acompañaron al barco" (Hechos 20:36-38).

Pablo no era un mercenario de la iglesia; era un verdadero pastor espiritual. Aquellos ancianos habían trabajado íntimamente con Pablo y habían sido inspirados por su asombrosa y firme devoción a Jesucristo. Por eso, la oración era la única conclusión adecuada para su reunión.

Cuando se "pusieron de rodillas" y oraron, los ancianos buscaron en Dios solamente, fuerza y guía para el futuro. Podemos imaginar que, como poderoso hombre de oración, Pablo oró por la extensión del evangelio en Asia, por la protección frente a los falsos maestros, por el crecimiento de la iglesia, y por las pruebas y trabajos que esperaban a los ancianos efesios. Aunque Pablo no ordenó a los ancianos efesios que oraran, no podría haber dejado un ejemplo más claro para ellos. Es la intención de Dios que quienes cuidan su rebaño, se valgan, como lo hizo Pablo, de la oración persistente, el mayor medio de protección espiritual (Hechos 6:4).

Resumen del trabajo de los ancianos

El trabajo de los ancianos cristianos que Pablo describe es "pastorear la iglesia del Señor". Esos ancianos no son miembros de una junta; son ancianos pastores. Como ancianos pastores, están llamados a proteger el rebaño del mayor predador: el falso maestro. Más aun, los ancianos pastores están llamados a estar espiritualmente alerta y amonestar constantemente a la congregación acerca de los sutiles peligros de los falsos maestros y sus doctrinas falsas y cismáticas. Como Pablo, los ancianos cristianos deben mantener el evangelio y enseñar todo el consejo de Dios. Por eso los ancianos deben ser líderes doctrinalmente firmes, capaces de defender y enseñar la Palabra.

Los ancianos también están obligados a proteger a "todo el rebaño", es decir, a cada uno de sus miembros. Así es que los ancianos cristianos deben conocer y estar comprometidos en la vida personal del pueblo que pastorean. Más aun, deben cuidar abnegadamente de los miembros necesitados que sufren. Al igual que la vida de Pablo, la vida de un anciano debe estar marcada por el trabajo arduo, la generosidad y la dedicación al servicio de los demás.

Finalmente, los ancianos pastores deben tomar su responsabilidad seriamente porque el Espíritu Santo mismo los ha puesto soberanamente en el rebaño como sobreveedores con el propósito de pastorear al precioso pueblo de Dios que fue comprado con sangre. Los ancianos, entonces, son responsables de la supervisión pastoral de la iglesia local.

Capítulo 8

Las cartas de Pablo a las iglesias

"...Tened paz entre vosotros".

1 Tesalonicenses 5:13b

Antes de examinar las cartas de 1 Tesalonicenses y Filipenses, debemos tratar un tema que preocupa a muchos eruditos de la Biblia. El problema es que el libro de Los Hechos y las cartas de 1 Timoteo y Tito dicen que Pablo nombró ancianos e incluyen instrucciones detalladas acerca de los ancianos, sin embargo, en ninguna de sus nueve cartas a las iglesias, menciona específicamente el término *anciano* (Romanos, 1 y 2 Corintios, Gálatas, Efesios, Filipenses, Colosenses, y 1 y 2 Tesalonicenses). Como resultado de esta omisión, la mayoría de los eruditos liberales concluyen que durante la vida de Pablo no hubo ancianos oficialmente designados en ninguna de las iglesias que él fundó. Sostienen que las afirmaciones de Lucas acerca de los ancianos en las iglesias paulinas no son históricas y que las cartas a Timoteo y Tito fueron escritas por algún otro y no por Pablo.

Articulando claramente esta posición, Ernst Käsemann, un teólogo y comentarista alemán, escribe: "Podemos afirmar sin ninguna duda que la comunidad paulina carecía de presbiterio durante la vida de los apóstoles. De lo contrario el silencio sobre el tema en todas las cartas de Pablo sería sumamente incomprensible".[1] Hans Küng, teólogo y autor católico romano también afirma: "En todo caso, Lucas está haciendo una adición que no es histórica —ya sea condicionada teológicamente, o basada en una tradición desarrollada en la época— cuando sostiene que Pablo y Bernabé 'Constituyeron ancianos... en cada iglesia' (Hechos 14:23; comparar especialmente 20:17-35), porque esto no surge de las cartas mismas de Pablo".[2]

A pesar de lo que han dicho estos teólogos acerca de la ausencia de alguna mención sobre los ancianos en las cartas de Pablo a las iglesias, Pablo se dirige a los ancianos en el comienzo de la carta a los Filipenses, donde usa el título alternativo *sobreveedores*. Pablo escribe: "Pablo y Timoteo, siervos de Jesucristo, a todos los santos en Cristo Jesús que están en Filipos, con los sobreveedores (ancianos) y diáconos" (Filipenses 1:1). De manera que no es correcto decir que Pablo nunca menciona a los ancianos en sus cartas a las iglesias.

Afirmar que el libro de Hechos, aunque sea en parte, no es históricamente fidedigno y que 1 Timoteo y Tito son cartas ficticias de Pablo, es negar la doctrina de la inspiración divina, que en resumen afirma: "Toda la Escritura es inspirada por Dios, y útil para enseñar. . . a fin de que todo hombre de Dios sea perfecto, enteramente preparado para toda buena obra" (2 Timoteo 3:16a, 17). Si Lucas registra que Pablo se dirigió a los ancianos y habló a los ancianos (un hecho del que Lucas fue testigo ocular), cuando en realidad no lo hizo, entonces el relato de Lucas es una falta a la verdad y perjudicial para el pueblo de Dios. ¿Cómo pudieron los primeros cristianos tener confianza en el registro histórico de Lucas, que afirma haber "investigado con diligencia todas las cosas" (Lucas 1:3), si afirma que Pablo nombró ancianos cuando en realidad no lo hizo?

Por otra parte, los que niegan la autenticidad de 1 Timoteo y Tito y la confiabilidad histórica de los Hechos, tienen una imagen incompleta y desviada de Pablo y sus iglesias. Si queremos comprender acertadamente a Pablo y las prácticas de sus iglesias, debemos confiar en el relato histórico completo como fue entregado por el Espíritu Santo de Dios. Este relato incluye las nueve cartas de Pablo a las iglesias, sus cartas inspiradas a Timoteo, Tito y Filemón, lo mismo que los relatos históricos inspirados de Lucas.

La llamada falta de Pablo de mencionar específicamente a los ancianos en las cartas a las iglesias se puede explicar por su profunda comprensión del pueblo del nuevo pacto de Dios. Como todos los miembros de la congregación local son santos, sacerdotes y ministros dotados de poder por el Espíritu, todos son responsables de la vida de la comunidad. Por eso, la práctica acostumbrada de Pablo era dirigirse a toda la comunidad de los santos cuando escribía cartas a las congregaciones locales. El Nuevo Testamento ofrece muchos ejemplos en práctica de esta eclesiología centrada en Cristo:

- En el primer viaje misionero, Pablo y Bernabé nombraron un cuerpo de ancianos en todas las iglesias de Antioquía de Pisidia, Iconio, Listra y Derbe. Pero en sus cartas a estas iglesias, Pablo no menciona ninguna vez a los ancianos (suponiendo que las iglesias de Hechos 13:14—14:21 son las mismas de Gálatas 1:2). En lugar de ello, Pablo escribe: "Hermanos (y hermanas), si alguno fuere sorprendido en alguna falta, *vosotros que sois espirituales* (no simplemente ancianos), restauradle con espíritu de mansedumbre, considerándote a ti mismo, no sea que tú también seas tentado. Sobrellevad los unos las cargas de los otros, y cumplid así la ley de Cristo" (Gálatas 6:1, 2; cursiva agregada).

- Había que enfrentar el desorden y el pecado en la iglesia de Corinto, sin embargo en la carta de Pablo a la iglesia, no se dirige a ninguna persona ni grupo de personas para resolver los problemas. ¿Significa esto que no había a quién llamar? De ninguna manera. Pablo habría podido llamar al dedicado Estéfanas (1 Corintios 16:15-18); a Gayo, en cuya casa se reunía la iglesia (Romanos 16:23); a Erasto, el tesorero de la ciudad (Romanos 16:23); a Crispo, un principal de la sinagoga convertido (Hechos 18:8); o muchos otros hombres y profetas de talentos (1 Corintios 1:5-7). Tranquilamente podría haber pedido a alguno de estos hombres que ayudaran a la congregación a resolver sus problemas pero, como siempre, llamó a toda la congregación de los santos (1 Corintios 1:2).

- En 1 Tesalonicenses 5:12, 13, Pablo insta a la congregación a tener en alta estima y a amar a quienes dirigen y enseñan. De aquí sabemos que había algún tipo de liderazgo en la iglesia. Pero en sus dos cartas a los Tesalonicenses, Pablo nunca llama a estos hombres dirigentes a resolver los problemas dentro de la iglesia. En lugar de eso, dice: "Por lo cual, animaos unos a otros, y edificaos unos a otros, así como lo hacéis" (1 Tesalonicenses 5:11).

- La carta a los Filipenses ilustra mejor la práctica de Pablo de dirigirse a toda la congregación. A pesar de su breve saludo a los obispos y diáconos (Filipenses 1:1), Pablo se dirige en el resto de la carta (excepto los versículos 4:2, 3) a "todos los santos".

- Pedro y Santiago también se dirigen a las iglesias de la misma manera. Cada uno escribe a congregaciones en las que la presencia de los ancianos está bien documentada, pero siempre se dirigen a toda la congregación, no solamente a los dirigentes (Santiago 5:14; 1 Pedro 1:1; 5:1).

En consecuencia, no existen contradicciones entre Hechos, 1 Timoteo, Tito y las cartas de Pablo a las iglesias. Las diferencias observadas en estos relatos reflejan tres aspectos y enfoques distintos, todo lo cual es esencial para entender las prácticas de Pablo. Hechos presenta acontecimientos históricos (lo que hizo Pablo). Primera Timoteo y Tito se dirigen a los asistentes personales de Pablo (líderes de iglesias, colegas) que deben actuar en su lugar frente a diversos grupos dentro de la iglesia y para ordenar la vida de la iglesia. Las cartas a las iglesias enseñan y exhortan al conjunto de la congregación de Dios. Ahora nos dedicaremos al estudio de la doctrina del liderazgo de ancianos en dos de estas cartas.

LA PRIMERA CARTA DE PABLO A LOS TESALONICENSES (5:12, 13)

Debido a que los ancianos no son mencionados por nombre en este pasaje, generalmente se los pasa por alto en el estudio del liderazgo de ancianos. Sin embargo, este pasaje es sumamente pertinente en el tema del liderazgo bíblico de ancianos. Las exhortaciones contenidas en 1 Tesalonicenses 5:12, 13 con toda seguridad se aplican a los ancianos, o en el caso de una nueva iglesia, a los ancianos potenciales.

La llegada de Pablo y sus colegas misioneros a Tesalónica se relata en Hechos 17:1-9. Sin embargo, a causa de la fuerte hostilidad hacia el evangelio, Pablo y sus colaboradores pudieron quedarse en Tesalónica sólo un período de tiempo corto —de uno a tres meses. Varios meses después de su apresurada partida de Tesalónica, escribieron la carta de 1 Tesalonicenses desde Corinto. La carta comienza: "Pablo, Silvano y Timoteo, a la iglesia de los tesalonicenses en Dios Padre y en el Señor Jesucristo: Gracia y paz sean a vosotros, de Dios nuestro Padre y del Señor Jesucristo" (1 Tesalonicenses 1:1).

Aunque la iglesia en Tesalónica tenía apenas unos meses y carecía de sus padres fundadores —Pablo, Silas (probablemente un apóstol, 1 Tesalonicenses 2:6) y Timoteo (el asistente personal de Pablo y mensajero especial)— un grupo de hombres de la misma congregación había asumido el liderazgo. Pablo exhorta a la joven congregación a reconocer y amar esos líderes:

"Os rogamos, hermanos, que reconozcáis a los que trabajan entre vosotros, y os presiden en el Señor, y os amonestan; y que los tengáis en mucha estima y amor por causa de la obra. Tened paz entre vosotros" (1 Tesalonicenses 5:12, 13).

Exactamente quiénes eran estos hermanos, el texto no lo revela. Es posible que estos hermanos obreros fueran ancianos nombrados por Pablo y sus colaboradores antes de escapar de la ciudad. Sin embargo, parece más probable que fueran voluntarios dotados por el Espíritu, que eran capaces y estaban dispuestos a cuidar de la iglesia en ausencia de los misioneros. Lo que es evidente es que había alguna forma de liderazgo de iglesia. No se necesitaba el nombramiento apostólico para amar y servir abnegadamente al pueblo de Dios. De acuerdo con las prácticas de Pablo (Hechos 14:23), él, o alguno de sus representantes, volvería a Tesalónica para nombrar de entre esos líderes probados, ancianos oficiales para la iglesia.

Dar el debido reconocimiento a los líderes

En el versículo 12, los misioneros apelan a sus nuevos hermanos y hermanas en Cristo para que concedan el debido reconocimiento a quienes dirigen y enseñan en la congregación: "Os rogamos, hermanos, que reconozcáis a los que trabajan entre vosotros, y os presiden en el Señor, y os amonestan". No hay acuerdo respecto a la traducción de la palabra griega *eidenai*, que generalmente significa "conocer", en este caso la *New American Standard Bible* la traduce "apreciar". "Conocer" es realmente una posible interpretación para *eidenai*, como está en la *Authorized King James Version*. Sin embargo este significado resulta inadecuado para este contexto. La gente con seguridad conocía a quienes los lideraban y les enseñaban, de manera que el contexto exige un sentido diferente para el verbo. Aunque es difícil estar seguro de la intención original, las traducciones "reconocer" o "dar el debido reconocimiento" se adaptan bien al contexto.

En un contexto similar (1 Corintios 16:15-18), Pablo usa otro verbo griego para "conocer" *(epiginosko)* que transmite el significado de "reconocer". Escribe: "Me regocijo con la venida de Estéfanas, de Fortunato y de Acaico... Porque confortaron mi espíritu y el vuestro; reconoced *(epiginoskete)*, pues, a tales personas" (1 Corintios 16:17, 18). Inmediatamente antes de esa instrucción, Pablo insta a la congregación a someterse a todos aquellos que se dedican a cuidar de la iglesia:

"Hermanos, ya sabéis que la familia de Estéfanas es las primicias de Acaya, y que ellos se han dedicado al servicio de los santos. Os ruego *que os sujetéis a personas como ellos*, y a todos los que ayudan y trabajan" (1 Corintios 16:15, 16, cursiva agregada).

La exhortación en 1 Corintios 16:16a, "que os sujetéis a personas como ellos" parece una afirmación similar a la de "reconoced, pues, a tales personas" en el versículo 18b.[3] De manera que aunque 1 Tesalonicenses 5:12 no exhorta explícitamente a los creyentes a someterse a aquellos que trabajan entre ellos, la exhortación a reconocer a ciertas personas como líderes ciertamente implica, como en 1 Corintios 16:16, 18, un sometimiento a su liderazgo y enseñanza. En otras palabras, las personas deben responder adecuadamente a su liderazgo y posición.

Para apreciar mejor la exhortación de Pablo a los Tesalonicenses en relación a reconocer a los líderes de la iglesia, debemos recordar que en aquel tiempo no había distinción entre clero y laicado, no había oficialidad, y no había vestidura sacerdotal que permitiera distinguir a ciertos miembros. Además, no debemos suponer que cualquiera del interior de la congregación era en aquel tiempo sostenido económicamente para que estuviera dedicado totalmente al servicio de la congregación. En consecuencia, estos hermanos, siervos humildes (al menos algunos de ellos) fácilmente podrían ser pasados por alto y su servicio desestimado. Además, como indican los verbos en plural, varios hermanos proveían liderazgo a la iglesia. De modo que el pedido de los misioneros es que todos los que trabajan, no solamente alguna persona destacada, sean reconocidos.

Aquellos que merecen reconocimiento se describen al comienzo como "todos los que diligentemente trabajan". La palabra "trabajar" *(kopiaó)*, es un término usado para describir el trabajo manual (Lucas 5:5; 1 Corintios 4:12; Efesios 4:28). Es una palabra fuerte que denota trabajo esforzado y arduo que produce cansancio y fatiga. Es una palabra paulina favorita. La expresión "diligentemente trabajan", entonces, revela un aspecto vitalmente importante del liderazgo: el trabajo arduo. Al comentar sobre esta frase, Juan Calvino agrega un comentario mordaz: "Se sigue que los ociosos están excluidos del grupo de pastores".[4] Cuidar del bienestar espiritual de la gente es un trabajo lleno de tensión. Es emocionalmente agotador, consumidor de tiempo y con frecuencia monótono y desilusionante. Requiere mucha dedicación y sacrificio personales.

La frase preposicional "entre ustedes" muestra que la labor es por la congregación local, no para el empleo personal. Estos hermanos trabajaban arduo en la iglesia. De modo que el liderazgo bíblico no es una junta de iglesia que sesiona dos o tres horas por mes, sino es un cuerpo pastoral que trabaja arduamente.

A algunos lectores podrá parecerles que Pablo se refiere a tres grupos separados de individuos en el versículo 12: los que trabajan, los que presiden la congregación y los que amonestan. Sin embargo, la estructura de la cláusula en griego deja en claro que el significado pretendido es un solo grupo de individuos que realiza tres funciones.[5] Además, es más probable que el segundo y el tercer término —presidir y amonestar— expliquen el primer término "trabajar diligentemente". Es decir, estos hermanos trabajan en presidir y en amonestar.

Las formas plurales de estos tres participios presentes no se deben pasar por alto. Un *equipo* de hombres trabaja en presidir y en amonestar a la congregación. Aclarando este tema, el teólogo y comentarista bíblico escocés James Denney (1856-1917) escribe: "En Tesalónica no había un presidente único, lo que sería un ministro en nuestro medio, que poseyera, hasta determinado límite, una responsabilidad exclusiva; la presidencia estaba en manos de un grupo de hombres".[6]

Estos hermanos trabajaban arduamente para proveer liderazgo a la congregación. La expresión "os presiden" se traduce de la palabra griega *prohistémi*, cuyo significado puede abarcar desde "dirigir", "presidir", "gobernar" y "administrar" hasta "sostener" y "cuidar de" o puede combinar las ideas de cuidar de y dirigir.[7] Pablo usa este término en otros lugares para describir el manejo que hace un padre de su hogar, un don espiritual y el trabajo de los ancianos:

- Usa *prohistémi* para describir el manejo de un padre de familia, particularmente el control adecuado de sus hijos: "(El anciano) que gobierne [*prohistémi*] bien su propia casa, que tenga a sus hijos en sujeción con toda honestidad (pues el que no sabe gobernar [*prohistémi*] su propia casa, ¿cómo cuidará de la iglesia de Dios?)" (1 Timoteo 3:4, 5). En este uso, *prohistémi* combina las ideas de gobierno y cuidado.

- Pablo también habla del don espiritual de presidir: "De manera que, teniendo diferentes dones, según la gracia que nos es dada... el que enseña, en la enseñanza; el que exhorta, en la exhortación; el que reparte, con liberalidad; el que preside (*prohistémi*), con solicitud; el que hace misericordia, con alegría" (Romanos 12:6a, 7b, 8). Indudablemente, algunos de los Tesalonicenses tenían el don del liderazgo y lo estaban usando para la edificación de la iglesia.

173

- De especial interés es el hecho de que Pablo usa el mismo término para describir el trabajo de los ancianos en 1 Timoteo 5:17: "Los ancianos que gobiernan bien *[prohistémi]* sean tenidos por dignos de doble honor".

En el contexto de 1 Tesalonicenses 5:12, 13, que pide a la congregación una respuesta adecuada a quienes trabajan diligentemente en el liderazgo, el cuidado y la enseñanza, *prohistémi* se traduce mejor como: "quienes los lideran en el Señor". En su forma verbal, *liderar* describe lo que hacen estos hermanos; no se utiliza como título. E. K. Simpson, un comentarista bíblico y especialista en literatura griega helenística, se refiere a este término como que "expresa dirección".[8] Los expositores que niegan el nombramiento de ancianos por parte de Pablo generalmente traducen este verbo como "cuidar de " o "ayudar" para evitar la noción de un ministerio de liderazgo formal. Sin embargo, quienes afirman que Pablo nombró ancianos y estaba preocupado por el nombramiento de ancianos, traducen este término como "liderar" o bien "liderar y cuidar de".

La frase "en el Señor" define la esfera única en su género de liderazgo de los ancianos, no el gobierno civil, sino en cuestiones que pertenecen al Señor y a su pueblo que está en unión espiritual con él y unos con otros. El hecho de que la frase "en el Señor" se agrega únicamente a la expresión "os presiden" sugiere también que el sentido que pretende Pablo con el término es justamente el de liderar. Los nuevos creyentes deben recordar que algunos de sus hermanos tienen autoridad sobre ellos en cuestiones espirituales. Por eso, estos líderes deben ser reconocidos y amados por su importante tarea. Y aquellos que lideran no deben olvidar que su autoridad es "en el Señor". Todo cuanto hacen debe ser de acuerdo con la autoridad del Señor y de la manera que lo hace el Señor. La iglesia no es su reino particular, y no son señores sobre el pueblo.

Además de liderar la congregación, estos hermanos también trabajan arduo para enseñar a la iglesia. "Amonestar" se traduce de la palabra griega *noutheteó*. Amonestar en el sentido de "enseñar" significa advertir o corregir las conductas o las actitudes impropias mediante la firme enseñanza. John R. W. Stott aclara el significado de esta palabra cuando escribe que "es casi invariablemente usada en el contexto ético. Significa advertir contra la mala conducta y sus consecuencias, y reprender, incluso disciplinar, a quienes han obrado mal. Siendo un término negativo, generalmente se lo asocia con 'enseñar'... Por otra parte, *noutheteó* no denota un ministerio severo. Como lo expresó León Morris, 'aunque su tono es fraternal, es el tono de un hermano mayor'".[9] La amonestación cristiana, entonces, no es reprensión airada. Es cariñosa corrección y advertencia basada en la Palabra de Dios con el propósito de proteger y edificar a un hermano o hermana (1 Corintios 4:14).

Los ancianos pastores serios dedican mucho tiempo a tratar con el pecado, los fracasos y las ofensas de las personas. No es una parte de la responsabilidad de pastorear que a los hombres les agrade naturalmente, pero es un elemento indispensable del verdadero cuidado espiritual. James Denney subraya enfáticamente la necesidad del ministerio de amonestación y de la respuesta adecuada de la gente ante los que deben amonestar:

> Con seguridad traemos mucho del mundo a la iglesia sin saberlo; con seguridad tenemos instintos, costumbres, disposiciones, socios tal vez y gustos que son hostiles al carácter cristiano; y esto es lo que hace que la amonestación sea indispensable... Pero debemos recordar que, como cristianos, estamos comprometidos a un estilo de vida que no es del todo natural; con un espíritu y una conducta que son incompatibles con el orgullo; con una seriedad de propósitos, con la grandeza y pureza de metas, todo lo cual se puede perder por la obstinación; y debemos amar y honrar a quienes ponen su experiencia a nuestro servicio, y nos advierten cuando, por ligereza de corazón, vamos camino a naufragar en nuestra vida. No nos amonestan porque les gusta hacerlo, sino porque nos aman y quieren salvarnos del peligro; y el amor es la única recompensa por tal servicio.[10]

Los líderes de la iglesia que no amonestan al pueblo de Dios porque temen que la gente se aleje de la iglesia o deje de apoyarla económicamente, deshonran a Dios, desobedecen su Palabra, y fracasan miserablemente en el cuidado espiritual.

Estimar y amar a los líderes

En el versículo 12, Pablo pide a la congregación que reconozcan a todos los que lideran y amonestan al cuerpo (de la iglesia), y en el versículo 13 pide a la congregación que "los tengáis en muy alta estima con amor" (versión La Biblia de Las Américas). La magnitud en que la congregación debe estimar a los líderes se expresa en el término "muy alta" que alude a "la mayor", "superabundante". El comentarista bíblico George G. Findlay (1849-1919) habla de esta palabra como "la más intensa y fuerte del idioma. Así de profundo y cálido debe ser el afecto

175

que une a los pastores con su rebaño".[11] William Hendriksen, fundador y principal autor de la serie *New Testament Commentary* (Comentario sobre el Nuevo Testamento), agrega este comentario magistral: "Observemos la acumulación de prefijos en esta expresión: habiendo llegado a su mayor nivel el océano de estima, sigue subiendo y comienza a desbordar, inundando sus riberas".[12] La iglesia, entonces, tiene la divina obligación de tener en muy alta estima a sus líderes espirituales.

Dios se preocupa de la forma en que las personas tratan a quienes están en autoridad. La Biblia nos exhorta no solamente a obedecer, sino también a honrar a nuestros gobernantes (Romanos 13:7; 1 Pedro 2:17). Por ejemplo, cuando Pablo cayó en la cuenta de que había hablado con torpeza al sumo sacerdote Ananías, se disculpó diciendo: "No sabía, hermanos, que era el sumo sacerdote; pues, escrito está: No maldecirás a un príncipe de tu pueblo" (Hechos 23:5). Si la desobediencia y la ingratitud de la gente hacia los gobernantes civiles preocupa profundamente a Dios, ¡imaginemos cuánto más grande es su preocupación de que su pueblo honre adecuadamente a sus líderes espirituales!

Nuestra tendencia natural es dar por sentado a nuestros líderes, olvidar lo que han hecho por nosotros, quejarnos en lugar de agradecer, destacar sus errores, y pasar por alto sus aciertos. Por ejemplo, Dios dio a Israel algunos de los más grandes líderes de la historia de la humanidad, hombres como Moisés y David. Sin embargo, durante los períodos difíciles, el pueblo estuvo dispuesto a apedrear tanto a Moisés como a David. Debido a nuestra ingratitud básica y espíritu de queja, las Escrituras nos exhortan a honrar mucho a nuestros líderes espirituales.

Al mandato de tener en "muy alta estima", Pablo agrega la hermosa y exhaustiva expresión "con amor". Generalmente destacamos la importancia de que los pastores de la iglesia amen a la gente, y eso es necesario, pero aquí Pablo da vuelta los tantos y encarga a la gente que ame a sus pastores. Para Pablo, el amor es el adhesivo divino que mantiene unidos a los líderes y la congregación a través de los desacuerdos y las heridas de la vida congregacional.

Ningún grupo de ancianos es perfecto. Todos los ancianos tienen debilidades, y todo creyente tiene una perspectiva extraordinaria de cómo deberían funcionar los ancianos. Como resultado, siempre hay cierto grado de tensión entre los líderes y sus seguidores. Hasta los mejores ancianos son inevitablemente acusados de orgullo, de injusticia, de hacer muy poco o demasiado, de moverse demasiado rápido o demasiado lento, cambiar demasiadas cosas o muy pocas cosas, o ser demasiado severos o demasiado blandos. Como observa el comentarista E. J. Bricknell, "El ejercicio de la autoridad es siempre adecuado para provocar resentimiento".[13]

Surgen situaciones difíciles en las que los líderes no pueden evitar provocar enojo en parte de la congregación. A veces los conflictos entre los líderes y los seguidores pueden volverse graves. En definitiva, sin embargo, Dios usa estas situaciones conflictivas para mostrarnos nuestro orgullo, egoísmo, y falta de amor. Paul E. Billheimer, conocido autor e instructor bíblico radial, está en lo cierto cuando observa que la iglesia local —con todos sus problemas, tensiones y conflictos— es en realidad un terreno de prueba para nuestro crecimiento en el amor y preparación para el futuro gobierno del Señor:

> La iglesia local, entonces, debe verse como un taller espiritual para el desarrollo del amor *ágape*. Así las tensiones y presiones de la comunión espiritual ofrecen la situación ideal para probar y madurar las cualidades fundamentales de la soberanía.
>
> La mayoría de las controversias en las congregaciones locales se producen, no principalmente por diferencias sobre cosas importantes, sino por las ambiciones humanas no santas, los celos, y los choques de personalidad. La verdadera raíz de tales situaciones es la carencia espiritual de los creyentes individualmente, que revelan una lamentable inmadurez en el amor. Por eso, la congregación local es uno de los mejores laboratorios en donde los creyentes en forma individual pueden descubrir su verdadero vacío espiritual y comenzar a crecer en el amor *ágape*. Esto se logra mediante el verdadero arrepentimiento, la confesión humilde de los pecados de celos, envidia, resentimiento, etc., y la súplica del perdón los unos de los otros. Este enfoque producirá un verdadero crecimiento en el amor que cubre.[14]

Los creyentes que aman a sus pastores tendrán mayor comprensión y tolerancia para con los errores de los pastores. En amor, los creyentes verán las situaciones difíciles bajo la mejor luz posible. En amor, los creyentes serán menos críticos y responderán mejor a la enseñanza y amonestación de los ancianos. No se puede destacar suficientemente que lo mejor que puede hacer la congregación por sus líderes es amarlos. El amor (y solamente el amor) es sufrido (1 Corintios 13:4, 6). El amor cubre multitud de pecados (1 Pedro 4:8).

En su escrito notablemente penetrante, *The Mark of the Christian* (La marca del cristiano), Francis Schaeffer nos recuerda que el verdadero asunto con que debemos luchar en la mayoría de nuestros conflictos no es el asunto entre manos, sino nuestra falta de amor cristiano hacia nuestros hermanos cristianos:

> He observado una cosa *entre verdaderos cristianos* en sus diferencias en muchos países: Lo que divide y separa a los verdaderos grupos cristianos y cristianos individuales —lo que deja una amargura que puede durar 20, 30, 40 años (ó 50 a 60 años en el recuerdo de un hijo o una hija)— no es el asunto de doctrina o creencia que provocó las diferencias al comienzo. Invariablemente, es la falta de amor—y las cosas amargas que se dicen los verdaderos cristianos en medio de las diferencias.[15]

El amor y la estima se deben a los líderes "por causa de su obra". Los líderes no deben ser amados y estimados porque son mayores, o ancianos, o tengan títulos religiosos especiales, ni porque hayan recibido un nombramiento apostólico o tengan personalidades atractivas. Más bien, deben ser amados "a causa de su obra". Este punto se pasa por alto demasiado fácil. León Morris, uno de los comentaristas bíblicos más prolíficos de este siglo, capta hábilmente la idea cuando afirma: "Un tipo especial de amor entre los hermanos es el amor por los líderes; deben ser amados por su trabajo, no necesariamente por sus cualidades personales".[16]

El cuidar de los problemas de las personas, el manejo de sus quejas aparentemente interminables, la mediación en sus conflictos interpersonales, la confrontación de sus pecados, y el estímulo hacia la madurez en Cristo, es verdadero trabajo. Esto casi abrumó totalmente a Moisés, un hombre de enorme fuerza y capacidad. De modo que la gente tiene que comprender que liderar una iglesia es trabajo arduo. Sólo algunas personas pueden y están dispuestas a llevar esta pesada responsabilidad. Quienes lo hacen, merecen realmente ser amados y, como lo señala sabiamente León Morris, los seguidores tienen responsabilidades significativas en la relación entre el líder y sus seguidores:

> Es un hecho que con frecuencia somos lentos en comprender hasta ahora que el liderazgo eficaz en la iglesia de Cristo demanda un seguimiento eficaz. Si criticamos continuamente a los han sido puestos sobre nosotros, no es de extrañar que no puedan realizar los milagros que les exigimos. Si tenemos en cuenta "el bien de la obra" tal vez estemos más inclinados a estimarlos y amarlos mucho.[17]

Vivir en paz

No es fácil vivir en paz, incluso entre hermanos cristianos. Satanás hace todo lo posible para producir contiendas y divisiones entre el pueblo de Dios, y con frecuencia los cristianos lo ayudan actuando con orgullo y egoísmo más bien que con humildad y amor. En efecto, tantas iglesias se caracterizan por las discusiones y peleas que una iglesia en paz parece un oasis en el desierto. Sin embargo, el testimonio y el crecimiento espiritual de una iglesia están íntimamente ligados a la medida de paz de que disfruta. Por eso Pablo concluye apropiadamente su exhortación con un mandamiento dirigido tanto a los ancianos como a la congregación: "Tened paz entre vosotros".

La relación entre una congregación y sus líderes siempre implica una delicada tensión que fácilmente puede convertirse en malentendido, resentimiento e incluso división, como ocurrió muchas veces entre Moisés y el pueblo de Israel. Tanto los líderes como los seguidores deben ser plenamente conscientes de los conflictos potenciales y de su solemne deber de trabajar conscientemente por la paz. Por eso el Nuevo Testamento exhorta repetidas veces y enseña a los cristianos acerca de la importancia de la pacificación:

- Bienaventurados los pacificadores (Mateo 5:9).
- Tened paz los unos con los otros (Marcos 9:50).
- Así que, sigamos lo que contribuye a la paz (Romanos 14:19).
- Vivid en paz (2 Corintios 13:11).
- Solícitos en guardar la unidad del Espíritu en el vínculo de la paz (Efesios 4:3).
- Y la paz de Dios gobierne en vuestros corazones (Colosenses 3:15).
- Y el mismo Señor de paz os dé siempre paz en toda manera (2 Tesalonicenses 3:16).
- Y el fruto de la justicia se siembra en paz para aquellos que hacen la paz (Santiago 3:18).
- Busque la paz, y sígala (1 Pedro 3:11).

En relación con el énfasis del Nuevo Testamento en la paz, el erudito bíblico F. J. A. Hort (1828-1892) escribe que Pablo "da instrucciones sobre la esencia misma de la calidad de miembro cuando en cada una de las nueve cartas dirigidas a las Ecclesiae (iglesias) hace que la paz de Dios sea la norma suprema del objetivo de ellos, y la permanente entrega de uno mismo en amor el medio comprensivo para lograrlo".[18]

Aparte de algunos detalles discutibles, los puntos principales de la exhortación de Pablo a la iglesia de Tesalónica son perfectamente claros: reconocer y estimar en amor a quienes trabajan arduamente dirigiendo y amonestando la iglesia. Además, su súplica se dirige a todos los miembros de la iglesia —líderes y congregación— a trabajar por la paz. Olvidamos con demasiada facilidad esta instrucción divina cuando enfrentamos presiones, ofensas, o conflictos en la vida. En relación con la necesidad de obedecer esta exhortación inspirada, el comentarista escocés John Eadie (1810-1876) escribe: "De la obediencia a ella dependía, en gran medida, la paz y la prosperidad espiritual de la iglesia".[19]

LA CARTA DE PABLO A LOS FILIPENSES (1:1)

A diferencia de 1 Tesalonicenses, que fue escrita a una iglesia joven, Filipenses fue escrita a una iglesia que tenía más de diez años. Era un modelo de madurez y fidelidad espirituales. Cuando escribió Filipenses, Pablo estaba bajo arresto domiciliario en Roma (años 60-62 d.C.). Los Filipenses amaban tiernamente a Pablo, y mientras estaba en custodia le enviaron una generosa ofrenda de amor y a su enviado personal, Epafrodito, para comunicarles su amor. Pablo respondió con la carta a los Filipenses.

Entre las cartas de Pablo a las iglesias, la de Filipenses es la única en que Pablo incluye a "sobreveedores y diáconos" en el saludo:

> Pablo y Timoteo, siervos de Jesucristo, a todos los santos en Cristo Jesús que están en Filipos, con los obispos y diáconos (Filipenses 1:1).

Esta breve mención de los sobreveedores y los diáconos provee una fuente de valiosa información para nuestro estudio del liderazgo de ancianos. Confirma, como lo señala Lucas, que había ancianos establecidos en las iglesias paulinas. También confirma que había ancianos en las iglesias de Macedonia (Europa) y no solamente en Asia Menor y Palestina, como lo registra Hechos.

El motivo más probable por el que Pablo menciona a sobreveedores y diáconos en su saludo inicial es que habían tenido un papel especial en promover y organizar la contribución económica que la iglesia le enviara. Tal vez una carta, firmada por "sobreveedores y diáconos", había acompañado la ofrenda. Por ejemplo, en la carta a la iglesia de los gentiles en Jerusalén, los apóstoles y ancianos (en representación de toda la iglesia en Jerusalén) escribieron: "Los apóstoles y los ancianos y los hermanos, a los hermanos de entre los gentiles que están en Antioquía, en Siria y en Cilicia, salud" (Hechos 15:23). Si los obispos y diáconos filipenses siguieron la misma práctica, entonces Pablo reconoce su parte especial. Por supuesto, puede haber habido otras razones para saludar a los representantes de la iglesia de esa manera, pero esa parece ser la más obvia.

El uso de Pablo de los términos *sobreveedores* y *diáconos* indica un reconocimiento generalmente aceptado de designaciones oficiales para las posiciones de liderazgo en la iglesia (oficios). Sin embargo, algunos comentaristas (generalmente los que rechazan el registro de Lucas del nombramiento de ancianos por parte de Pablo), afirman que los términos *sobreveedores* y *diáconos* se usan funcionalmente para designar a todas las personas que supervisan y sirven en la iglesia local. Niegan que Pablo se esté refiriendo a oficios específicos de la iglesia. Apoyan este punto de vista por la ausencia de artículo definido antes de los términos *sobreveedores* y *diáconos*. Pero la ausencia del artículo definido en griego no es razón suficiente para asignar un sentido puramente funcional a estos términos. El contexto mismo hace definidos a los términos. Si Pablo quería hablar en forma general, no hubiera usado la forma sustantiva como lo hizo. Probablemente hubiera usado la forma de participio, *sobreviendo* y *sirviendo*.

Los nombres *episkopos* y, en menor medida *diakonos*, eran designaciones oficiales reconocidas en la sociedad griega. Ernest Best, ex profesor de crítica bíblica en la Universidad de Glasgow, deja bien en claro este punto:

> Digo "oficiales" porque *episkopos* de ninguna forma podía ser usado de manera diferente a la designación de un oficio. . . . Un griego del primer siglo no podría haberlo usado en un sentido puramente funcional sin sugerir que la persona que ejercía la supervisión tenía alguna posición "oficial". También hay alguna evidencia, menor, de que se usaba la palabra *diakonos* de la misma manera. El hecho de que una se usara en el sentido de un grupo de personas nombradas oficialmente implica que la otra también lo fue.[20]

Finalmente, hay una evidente similitud entre el uso conjunto de las palabras *sobreveedores* y *diáconos* en este pasaje y las que se encuentran en 1 Timoteo 3:1-13. Ambas cartas fueron escritas entre comienzos y mediados de los sesenta (62-66 d.C.). Sabemos que había obispos y diáconos en Efeso durante esta época (1 Timoteo 3:1-13), de modo que es probable que hubiera obispos y diáconos oficialmente reconocidos en Filipos también. Entonces, la interpretación, que asigna un sentido meramente funcional al uso de Pablo de *sobreveedores* y *diáconos* en este caso, produce confusión y prácticamente carece de sentido.

También es significativo que solamente dos grupos separados de encargados oficiales, los "sobreveedores y diáconos", aparecen en el saludo de Pablo a los Filipenses. Alrededor de cincuenta años después de la carta de Pablo a los Filipenses, Policarpo escribió una carta a la iglesia de Filipos en la que daba instrucciones en relación con los líderes de la iglesia. Policarpo, nacido alrededor del año 70 d.C. y muerto en 156 d.C., era el sobreveedor de la iglesia de Esmirna en Asia Menor. Fue discípulo de Juan el apóstol y un notable mártir de Cristo. Para nosotros es inmensamente pertinente que en su carta "a la Iglesia de Dios que se reúne en Filipos" (alrededor del año 115 d.C.) Policarpo se refiera solamente a dos grupos de personas nombradas oficialmente: ancianos y diáconos. Hace un comentario considerablemente extenso sobre los ancianos, incluso menciona por su nombre a un anciano (Valente, que había caído en pecado a causa de la codicia):

> Por lo tanto es bueno abstenerse de todas esas cosas, sometiéndose a los presbíteros (ancianos) y diáconos como a Dios y a Cristo... .

> Y los presbíteros también deben ser compasivos, misericordiosos para con los hombres, *recuperar a las ovejas descarriadas*, visitar a los inseguros, no descuidar la viuda, el huérfano o el pobre: sino *proveer siempre para lo que es honroso a la vista de Dios y de los hombres*, absteniéndose de toda ira, no haciendo distinción de personas, ni juicios injustos, apartándonos de todo amor al dinero, siendo lentos para creer lo que se dice en contra de otra persona, lentos para juzgar, sabiendo que todos somos deudores. por el pecado.[21]

Policarpo no menciona un sobreveedor jefe (obispo) en su carta, demostrando que no había alguien así en Filipos. En efecto, aunque a Policarpo su amigo Ignacio lo llamó el "sobreveedor de Esmirna",[22] él se refiere a sí mismo sencillamente como Policarpo en su carta a los Filipenses. Claramente se ubica entre los ancianos: "Policarpo y los presbíteros que están con él".[23] De estas dos cartas, solamente podemos concluir que en el tiempo de Pablo y durante los cincuenta años siguientes, hubo sólo dos grupos de personas con nombramientos oficiales reconocidos en Filipos: sobreveedores (que son los ancianos) y diáconos. No hay ninguna evidencia de los tres tipos de oficios en la iglesia que se encuentran en el segundo siglo (sobreveedores, ancianos y diáconos).[24]

El uso que Pablo hace de los nombres en plural indica que Filipos tenía un grupo de sobreveedores y diáconos. El uso de "sobreveedores" (plural) tiene profundas trascendencias. De un solo golpe, la forma plural confunde totalmente las teorías posteriores sobre el gobierno de la iglesia. Sin embargo, en sus esfuerzos por explicar y justificar la pluralidad de obispos en la iglesia de Filipos, algunos eruditos afirman que en Filipos hubo varias congregaciones, cada una de las cuales tenía un sobreveedor único. Pero esta perspectiva no tiene base en el texto ni en el registro histórico, como lo hemos demostrado antes (ver pág. 14). Cincuenta años después de su fundación, Policarpo escribe a la iglesia (no iglesias) en Filipos y le aconseja someterse a sus ancianos y diáconos.

Aunque Pablo separa a los sobreveedores y diáconos para una mención especial en su saludo, habla a toda la comunidad en todo el cuerpo de la carta. Sin esta breve referencia introductoria, no habría manera de saber, ya sea del resto de la carta o del libro de Hechos, que la iglesia de Filipos tenía obispos o diáconos. Está claro que los sobreveedores y diáconos no reciben ninguna posición elevada por sobre la congregación. La carta va dirigida a "todos los santos... que están en Filipos " y los términos "sobreveedores y diáconos" están incluidos en esta frase. Los pastores se pueden mencionar después de las ovejas, porque también son parte de las ovejas. Son primeros entre iguales, no clérigos sobre personas laicas.

Comparando los evidentes cambios en la organización que ocurrieron en el segundo siglo, con Filipenses 1:1, John Eadie concluye sucintamente: "La mención de *episkopoi* en plural, y la mención de los dos tipos de oficios después de nombrar el cuerpo de miembros, indica un estado de cosas que ya no existía en el segundo siglo".[25]

COMO IDENTIFICAR A LOS SOBREVEEDORES

Los primeros cristianos gentiles y sus líderes utilizaban el título común en griego, *sobreveedores (episkopos)*, para describir a los líderes de su comunidad. El término era una designación de oficio bien conocida equivalente a nuestra palabra *superintendente*. En el Nuevo Testamento griego, *episkopos* aparece cuatro veces para describir funciones oficiales en la iglesia local:

- Enviando, pues, desde Mileto a Efeso, hizo llamar a los ancianos de la iglesia... Por tanto, mirad por vosotros, y por todo el rebaño en que el Espíritu Santo os ha puesto como obispos *(episkopoi)*, para apacentar (pastorear) la iglesia del Señor" (Hechos 20:17, 28a).

- Pablo y Timoteo, siervos de Jesucristo, a todos los santos en Cristo Jesús que están en Filipos, con los obispos *(episkopoi)* y diáconos (Filipenses 1:1).

- Pero es necesario que el obispo *(episkopos)* sea irreprensible (1 Timoteo 3:2a).

- Porque es necesario que el obispo *(episkopos)* sea irreprensible, como administrador de Dios (Tito 1:7a).

Entonces, ¿quiénes son los obispos de la iglesia? Es evidente por el resto del Nuevo Testamento, que las personas a las que se menciona como obispos son las mismas a las que se les llama *ancianos*. Aunque ambos términos se aplican al mismo grupo de hombres, *anciano* refleja el patrimonio judío que acentúa la dignidad, la madurez, el honor, la sabiduría, mientras que *sobreveedor* refleja el origen griego que acentúa el trabajo de supervisión. Los siguientes pasajes de las Escrituras confirman que los términos *sobreveedores* y *ancianos* se usaban en forma indistinta en los tiempos del Nuevo Testamento:

- *Hechos 20:17, 28.* Lucas escribe que Pablo envió a llamar a los ancianos de la iglesia en Efeso. Pero en el sermón a los mismos ancianos, Pablo dice que el Espíritu Santo los puso —a los ancianos— como "sobreveedores". Esto indica claramente que ancianos y sobreveedores representan el mismo grupo de líderes.

- *Tito 1:5-7.* En el versículo 5, Pablo menciona su anterior instrucción de que Tito nombre ancianos en cada ciudad. En el versículo 6, Pablo comienza a enumerar los requisitos de los ancianos e interpone la palabra "sobreveedores" en el versículo 7. Como no hay ninguna indicación clara de que Pablo ha cambiado de sujeto, "sobreveedores" tiene que ser otro nombre para anciano.

- *1 Pedro 5:1, 2.* Pedro exhorta a los ancianos a cuidar de la iglesia. Puesto que los ancianos supervisan la iglesia local, ellos también son sobreveedores.

- *1 Timoteo 3:1-13; 5:17-25.* En 1 Timoteo 5:17, Pablo habla del ministerio de líder y del gran valor de "los ancianos que gobiernan bien... mayormente los que trabajan en predicar y enseñar". Pero en

1 Timoteo 3:1-13, enumera los requisitos de los sobreveedores y diáconos, sin mencionar a los ancianos. Todas las dudas desaparecen cuando comprendemos que la palabra "obispado" en 3:1 es una forma singular genérica de "sobreveedores", y que "sobreveedores" se usa en forma intercambiable con ancianos. Por eso, 1 Timoteo 3 y 5 se refieren solamente a dos grupos de hombres: ancianos y diáconos.

Lamentablemente, los términos *ancianos* y *sobreveedores* que aparecen en forma intercambiable en el Nuevo Testamento, más tarde llegaron a referirse a dos oficios completamente separados: el obispo y el concilio de ancianos.[26] Jerónimo, uno de los más grandes eruditos de los idiomas originales de la Biblia (griego y hebreo) en los primeros siglos del cristianismo, declaró audazmente contra todas las tradiciones de su época que los obispos y los ancianos eran originalmente los mismos:

> El presbítero y el obispo son lo mismo... las iglesias estaban gobernadas por un concilio de presbíteros... . Si se piensa que es meramente nuestra opinión y que carece de apoyo bíblico que obispo y presbítero son lo mismo... examinemos nuevamente las palabras de los apóstoles dirigidas a los Filipenses... . Ahora bien, Filipos no es más que una ciudad en Macedonia, y ciertamente en una ciudad no puede haber habido muchos obispos. Es sencillamente que en ese tiempo, a las mismas personas se las llamaba indistintamente obispos o presbíteros.[27]

Jerónimo no fue el único comentarista bíblico de los primeros tiempos de la iglesia que afirma que ancianos y obispos eran originalmente los mismos. J. B. Lighfoot escribe:

> Pero, aunque más abundante que otros autores (Jerónimo) difícilmente sea más explícito. Entre sus predecesores, Hilario el Ambrosiano había discernido la misma verdad. De sus contemporáneos y sucesores, Crisóstomo, Pelagio, Teodoro de Mopsuestia, Teodoreto, todos ellos lo reconocen. Por lo tanto, en cada uno de los comentarios existentes sobre las epístolas que contienen los pasajes cruciales, ya sea en griego o en latín, antes del final del siglo quinto, se afirma esa identidad entre los nombres. En los siglos siguientes, obispos y papas aceptan el veredicto de San Jerónimo sin discusión. Incluso más tarde, en la época medieval, en los tiempos de la reforma, la justicia de su crítica o la sanción de su nombre tiene la aprobación de los teólogos.[28]

Concluyo con la interpretación clásica de Lighfoot: "Es un hecho ahora generalmente reconocido por los teólogos de todas las vertientes de opinión, que en el lenguaje del Nuevo Testamento, el mismo oficio en la Iglesia se denomina indistintamente como 'obispo' *(episkopos)* y 'anciano' o 'presbítero' *(presbyteros)*".[29]

Capítulo 9

Las instrucciones de Pablo a Timoteo

"Palabra fiel: Si alguno anhela obispado, buena obra desea"
1 Timoteo 3:1

Primera Timoteo es una de las cartas del Nuevo Testamento más pertinentes para entender la misión, organización y vida de la iglesia local. Muchos de los problemas que afligen a las iglesias de hoy requieren reforma, corrección y disciplina. Esta carta del Nuevo Testamento inspirada por el Espíritu, encara temas tan contemporáneos como:

- La disciplina de los líderes de la iglesia (5:19-25).
- Las aptitudes necesarias para los líderes de la iglesia (3:1-13).
- El liderazgo de mujeres (2:9-15).
- La disciplina espiritual de un líder de iglesia (1:18, 19; 4:6-16).
- El ministerio de enseñanza de la iglesia (4:14; 5:17, 18).
- El cuidado de los miembros pobres y mayores de la congregación (5:1—6:2; 6:18, 19).
- La confrontación de los falsos maestros y cultos (1:3-11, 18-20; 4:1-5; 6:3-6).
- El ministerio de oración de la iglesia (2:1-8).
- Los temas relacionados con la riqueza y el materialismo (6:5-19).
- La proclamación y protección del mensaje del evangelio (3:7, 15, 16).

187

Además, 1 Timoteo es la carta más importante del Nuevo Testamento para el estudio del liderazgo bíblico de ancianos. Contiene enseñanza más directa, detallada y sistemática sobre el liderazgo de ancianos que cualquier otra carta del Nuevo Testamento. También trata dos puntos que están estrechamente entrelazados con el estudio de los ancianos: los diáconos (3:8-13) y las mujeres (2:9-15). Por estos motivos, la parte más extensa del material expositivo de este libro gira en torno a 1 Timoteo. Sin embargo, si queremos comprender plenamente las enseñanzas de esta carta, primero debemos entender la situación desordenada de la iglesia de Efeso que la motivó.

UBICACION HISTORICA

Durante tres años, Pablo había trabajado en la ciudad de Efeso y establecido una iglesia firme (años 53-56 d.C.). Cuando estaba a punto de partir de Asia Menor, Pablo reunió a los ancianos efesios para una despedida final (57 d.C.). Reunido con los ancianos en la plaza de Mileto, Pablo advirtió solemnemente a los ancianos que estuvieran en guardia porque pronto vendrían lobos salvajes. Hechos 20 registra este sermón apostólico:

> "Porque no he rehuido anunciaros todo el consejo de Dios. Por tanto, mirad por vosotros, y por todo el rebaño en que el Espíritu Santo os ha puesto por obispos, para apacentar la iglesia del Señor, la cual él ganó por su propia sangre. Porque yo sé que después de mi partida entrarán en medio de vosotros lobos rapaces, que no perdonarán al rebaño. Y de vosotros mismos se levantarán hombres que hablen cosas perversas para arrastrar tras sí a los discípulos. Por tanto, velad, acordándoos que por tres años, de noche y de día, no he cesado de amonestar con lágrimas a cada uno" (Hechos 20:27-31).

Cinco o seis años después de esta advertencia profética a los ancianos efesios, la iglesia en Efeso había caído presa de falsos maestros. La carta de 1 Timoteo parece indicar que la herejía surgía de dentro mismo de la iglesia. Las palabras ominosas de Pablo se habían hecho realidad: "Y de vosotros mismos se levantarán hombres que hablen cosas perversas" (Hechos 20:30).

No tenemos detalles exactos respecto de los movimientos de Pablo después de su liberación de la prisión en Roma (62 d.C., Hechos 28), pero sí sabemos que él y Timoteo visitaron Efeso. Su visita no fue agradable. Falsos maestros estaban envenenando la iglesia con doctrinas mortales. Para detener a esos maestros, Pablo inició una acción radical. Excomulgó a Himeneo y Alejandro, los dos líderes causantes (1 Timoteo 1:19, 20). Luego Pablo siguió a Macedonia, dejando a Timoteo en Efeso para ayudar a la conmovida iglesia y especialmente para detener el avance de las falsas enseñanzas: "Como te rogué que te quedases en Efeso, cuando fui a Macedonia, para que mandases a algunos que no enseñen diferente doctrina" (1 Timoteo 1:3).

Pablo sabía que Timoteo enfrentaba una tarea difícil. Estaba agudamente consciente de las arduas dificultades con que se encontraría Timoteo. Al igual que la maleza dura profundamente arraigada, las falsas enseñanzas son difíciles de arrancar una vez que han echado raíces. La oposición en Efeso era fuertemente argumentativa (1 Timoteo 6:3-5, 20), de manera que Pablo escribió la carta de 1 Timoteo para reforzar formalmente sus instrucciones verbales a Timoteo y a la iglesia.

Con este trasfondo, es fácil entender por qué toda la carta está teñida de un fuerte sentido de urgencia. "La iglesia a la que Pablo se dirige", escribe el comentarista Philip Towner, "estaba despedazada por falsos maestros, y buena parte de esta carta está destinada a reunir los pedazos".[1] La carta trata directamente estos problemas concretos. El comentarista bíblico y ex rector del St. Edmund Hall, de Oxford, J. N. D. Kelly escribe: "A lo largo de todo (1 Timoteo) tenemos la impresión de una aguda falta de satisfacción con las condiciones en la iglesia de Efeso".[2] Pablo incluso omite el acostumbrado agradecimiento que se encuentra en el comienzo de la mayoría de sus cartas y no termina la carta con su acostumbrado saludo de parte de otros santos. Primera Timoteo carece de los elementos intensamente personales que encontramos en 2 Timoteo. Cualquiera elementos personales que existan, se relacionan con las tareas de Timoteo en Efeso.

Aunque Timoteo era amigo íntimo de Pablo y su asistente personal, esta carta está escrita en un estilo formal, oficial y autoritativo. Las palabras de apertura son ejemplo de este punto y marcan el tono del resto de la carta: "Pablo, apóstol de Jesucristo por mandato de Dios nuestro Salvador...". Este es el único saludo en que Pablo afirma que es un apóstol "por mandato de Dios". El uso que hace Pablo de un saludo formal en una carta a un amado amigo, impulsó a Patrick Fairbairn (1805-1874), teólogo y comentarista escocés, a escribir: "Por lo tanto, era correcto que él (Timoteo) sintiera que esa necesidad era impuesta sobre él; que la voz que le hablaba no era simplemente la de un respetado instructor o la de un padre espiritual, sino la de un embajador enviado desde el cielo, quien tenía el derecho de declarar la voluntad divina y gobernar con autoridad en la iglesia cristiana".[3] Como embajador de Cristo, Pablo estaba bajo órdenes divinas. De la misma manera, Timoteo estaba bajo las órdenes de Dios y del apóstol de Cristo para realizar su tarea fielmente en un momento de crisis. Entonces, la carta pretendía autorizar a Timoteo a actuar como representante de Pablo en Efeso.

La iglesia en Efeso necesitaba una urgente disciplina correctiva. Se estaban enseñando doctrinas destructivas sin sentido que perturbaban completamente la vida interior de la iglesia. Los cristianos estaban obrando sin amor unos con otros. Probablemente hombres no calificados se habían convertido en ancianos, cayendo en pecado. Algunas mujeres estaban ostentando burdamente su riqueza y sus nuevos conocimientos. Ideas exclusivistas y peleas entre los hombres afectaban negativamente las oraciones de la iglesia. Las viudas necesitadas eran descuidadas por sus familias egoístas y se veían obligadas a depender del sostén de la iglesia. Se ignoraba el pecado. Pero lo peor de todo, el mensaje del evangelio y su reputación en la comunidad de no creyentes estaba seriamente amenazado. Como resultado de esa situación, Pablo expresa en la carta de 1 Timoteo (1) cómo debe Timoteo cumplir fielmente su tarea, (2) cómo debe tratar con los falsos maestros y (3) cómo debe comportarse la iglesia local como administradora de Dios y columna y fundamento de la verdad.

Este último punto es de particular interés para nuestro estudio. En 1 Timoteo 3:14, 15, Pablo afirma:

> "Esto te escribo (a Timoteo), aunque tengo la esperanza de ir pronto a verte, para que si tardo, *sepas cómo debes conducirte* en la casa de Dios, que es la iglesia del Dios viviente, columna y baluarte de la verdad" (cursiva agregada).

"Esto" que se menciona en el versículo 14, son las instrucciones que escribe Pablo a Timoteo y a la iglesia, que comienzan en el capítulo dos (1 Timoteo 2:1—3:13). Son los principios dados por Dios para ordenar la vida de la iglesia. La palabra "conducir" *(anastrephó)* en el versículo 15 significa "comportarse", "la forma de vida y de carácter" o, como lo expresa un léxico griego: *"vivir* en el sentido de la práctica de ciertos principios".[4] Entonces, la conducta de cada miembro de la familia de la iglesia debe conformarse a estos principios apostólicos.

La razón para insistir en la conducta y el orden correctos es que la iglesia local es de Dios, "la iglesia del Dios viviente" y "columna y baluarte de la verdad". "La esencia del mensaje de Pablo", escribe J. N. D.

Kelly, es "que el orden, en el sentido más amplio del término, es necesario en la congregación cristiana precisamente por ser la casa de Dios, el instrumento elegido por Dios para proclamar a los hombres la verdad salvífica de la revelación del Dios-hombre, Jesucristo".[5]

Al igual que en cualquier familia exitosa, pero especialmente en la de Dios, se requiere una estructura adecuada, una conducta responsable, disciplina y amor. Una administración desordenada, disfuncional, arruina la vida de los miembros de la casa y es una ofensa a la comunidad. La casa de Dios debería enriquecer y proteger a sus miembros y ser un testimonio que invite al mundo incrédulo a la verdad del evangelio. En un lugar importante en la lista de Pablo para el correcto gobierno de la casa de Dios, están los ancianos calificados, piadosos (1 Timoteo 3:1-7, 10; 5:17-25). Si los ancianos de la casa de Dios se desvían de la sana doctrina o tienen un carácter reprochable, toda la casa se verá afectada.

La iglesia local no solamente es la casa de Dios, es "columna y baluarte (fundamento) de la verdad". La verdad que la iglesia sostiene y defiende frente al mundo es el mensaje del evangelio de Cristo:

"E indiscutiblemente, grande es el misterio de la piedad:
Dios fue manifestado en carne,
Justificado en el Espíritu,
Visto de los ángeles,
Predicado a los gentiles,
Creído en el mundo,
Recibido arriba en gloria" (1 Timoteo 3:16).

La descripción de la iglesia local como columna y fundamento de la verdad, revela la misión de la iglesia: ser salvaguarda y proclamar el evangelio de Cristo. Cada iglesia local debe ser un faro del evangelio, una agencia misionera, una escuela del evangelio. En consecuencia, es inaceptable que la iglesia local esté surcada de herejías y falsos maestros. Una iglesia así presenta un testimonio de bancarrota a un mundo que necesita la verdad de Cristo.

La conducta de la comunidad de creyentes, entonces, debe hablar bien del evangelio y de Jesucristo. Sus líderes espirituales deben ser hombres de carácter irreprensible (1 Timoteo 3:2) y tener "buen testimonio con los de afuera" (1 Timoteo 3:7). Los ancianos no pueden enseñar ni defender el evangelio si sus vidas lo desacreditan. De manera que es de suma importancia en el gobierno de la casa de Dios, columna y fundamento de la verdad, el que los líderes espirituales sean testigos fieles de la verdad del evangelio.

Aunque la iglesia en Efeso había sido gobernada por ancianos durante más de cinco años, había problemas dentro del liderazgo. Es muy posible que hombres inadecuados hubieran llegado a ser ancianos desde que Pablo se había ido de la iglesia, y algunos de los ancianos se hubieran convertido en falsos maestros. Es evidente que los ancianos no podían frenar a los falsos maestros, razón por la que Timoteo tuvo que quedarse en Efeso. Incluso para Timoteo era difícil frenar a estos hombres y mujeres obcecados. Por eso, Pablo sintió que la iglesia necesitaba nueva enseñanza acerca del liderazgo de ancianos, especialmente en cuanto al carácter y la disciplina de los ancianos.

El hecho de que los ancianos de Efeso hubieran fallado no nos debe sorprender. No es fácil detener a enérgicos y determinados maestros falsos. Los ancianos de las iglesias de Galacia eran incapaces de frenar la invasión de falsos maestros. La trágica historia del cristianismo demuestra la incapacidad de muchos líderes cristianos de mantener a las iglesias libres del error doctrinal. La necesidad desesperada de una sana enseñanza condujo a Pablo a encarar uno de los asuntos más importantes de la iglesia local: los requisitos morales y espirituales de sus ancianos.

LOS REQUISITOS NECESARIOS DE UN SOBREVEEDOR

Pablo prepara el terreno para su lista de requisitos para los ancianos con lo que él llama "palabra fiel". Esta es una de las cinco veces que aparece la frase "palabra fiel" en las cartas de Pablo a Timoteo y Tito (1 Timoteo 1:15; 3:1; 4:9; 2 Timoteo 2:11; Tito 3:8). Cada afirmación recibe una atención especial con la fórmula "palabra fiel". Esta fórmula destaca y comenta positivamente la afirmación a la que va asociada. En realidad, dice que lo que se afirma es efectivamente verdad y merece ser repetido constantemente entre el pueblo del Señor: "Palabra fiel: si alguno anhela obispado, buena obra desea" (1 Timoteo 3:1). Aunque no sabemos si esa fórmula es originaria de Pablo o del cuerpo colectivo de los primeros cristianos, la "palabra fiel" indica una visión ampliamente aceptada de que el trabajo del oficio de sobreveedor es un trabajo excelente.

La frase "el trabajo del sobreveedor" viene de una palabra griega, *episkope.* Representa la posición y función del oficio de sobreveedor *(episkopos)* en la iglesia, que se menciona en el versículo 2. El sobreveedor del versículo 2 no es alguien diferente de los ancianos de 1 Timoteo 5:17-25, quienes dirigían y enseñaban en la iglesia. Pablo demuestra claramente que *sobreveedor* se usa en forma intercambiable para *anciano* cuando pasa del término "anciano" al término "sobreveedor " en la lista de requisitos para los ancianos en Tito (Tito 1:5, 7).

La forma singular de la palabra "obispo" no implica que había un solo obispo en la iglesia de Efeso. Sabemos que en la exhortación anterior a los ancianos de Efeso (los mismos ancianos de la iglesia mencionados en 1 Timoteo), se dirige a un grupo de ancianos (Hechos 20:17, 28); en la iglesia de Filipos, Pablo saluda a un grupo de "obispos". La razón por la que el término "obispo" en 1 Timoteo 3:2 y Tito 1:7 está en singular es que Pablo usa un singular genérico, es decir, el nombre singular que representa a toda la clase o tipo cuando se está hablando de los sobreveedores. Por lo tanto, el "sobreveedor " singular representa a *todos* los sobreveedores, a *todos* los ancianos.

Este uso del singular genérico no es una forma poco común de expresarse en Pablo. Pablo usa libremente el singular genérico —"mujer", "viuda", "anciano" y "siervo del Señor"— cuando se refiere a clases de personas (1 Timoteo 2:11-14; 5:5, 19, y 2 Timoteo 2:24). Las únicas ocasiones en que Pablo usa "anciano" en el singular son en sus listas de requisitos para el oficio (1 Timoteo 3:2; Tito 1:7). En ambos casos *sobreveedor* está precedido por la construcción singular "si alguno" o "el que" (1 Timoteo 3:1 y Tito 1:6, respectivamente). Sin embargo, cuando se dirige a los ancianos directamente, usa la forma plural porque se está dirigiendo a un concilio de obispos, no a un único obispo (Filipenses 1:1; Hechos 20:28). Del uso de Pablo de las construcciones singulares y plurales, podemos concluir que la estructura de la iglesia de 1 Timoteo es pre-ignaciana y todavía sigue el sistema de supervisión sencillo y fraternal de los ancianos que está registrado en Hechos.

Pablo sigue diciendo que el obispado es una "buena obra". "Buena" viene de la palabra griega *kalos* que transmite la idea de "excelente", "valioso" o "noble". "Obra" se usa en el sentido de una "tarea" o "trabajo" específico. Hechos 20:28 explica por qué el obispado es una obra excelente: los obispos pastorean la Iglesia de Dios que él compró con su propia sangre. Para Dios, la Iglesia es lo más valioso sobre la tierra. Frente a los muchos problemas y esfuerzos, el mayor estímulo e incentivo que puede recibir un anciano es saber que realiza una labor excelente, una labor que vale el sacrificio de la propia vida.

En pocas palabras, este primitivo dicho cristiano declara el gran valor de la obra del oficio de obispo (liderazgo de ancianos) además de estimular a quienes desean realizarlo. Es igualmente importante que las congregaciones de hoy comprendan el valioso carácter de la tarea de los ancianos. Deben comprender su significado para que puedan apoyar y estimular a los ancianos en su trabajo por la iglesia.

Puesto que Dios declara que el oficio de obispo es una obra excelente, se sigue que un obispo debe ser un hombre de excelente carácter cristiano. Una tarea noble naturalmente exige una persona noble. Para asegurar que solamente hombres de buen carácter asuman el ministerio de obispos, Pablo provee a la iglesia local de requisitos públicos, observables para proteger tanto el oficio como la iglesia:

> "Pero es necesario que el obispo sea irreprensible, marido de una sola mujer, sobrio, prudente, decoroso, hospedador, apto para enseñar; no dado al vino, no pendenciero, no codicioso de ganancias deshonestas, sino amable, apacible, no avaro; que gobierne bien su casa, que tenga a sus hijos en sujeción con toda honestidad (pues el que no sabe gobernar su propia casa, ¿cómo cuidará de la iglesia de Dios?); no un neófito, no sea que envaneciéndose caiga en la condenación del diablo. También es necesario que tenga buen testimonio de los de afuera, para que no caiga en descrédito y en lazo del diablo" (1 Timoteo 3:2-7).

La expresión "que sea" es un imperativo. El sobreveedor entonces "debe ser" de cierto carácter moral y espiritual, de lo contrario no está en condiciones de ser obispo. Pablo destaca hábilmente este punto porque es aquí probablemente donde la iglesia había fallado trágicamente, como muchas iglesias de hoy. Dios quiere que sepamos que el anciano adecuadamente calificado es un requisito no negociable para el gobierno de la casa de Dios.

Dios provee requisitos objetivos observables para poner a prueba el deseo subjetivo de todos los que anhelan el oficio de obispo. El deseo solo no es suficiente; debe ir acompañado de buen carácter y aptitud espiritual. En su resumen de los catorce requisitos específicos de Pablo, George Knight escribe: "Los aspectos se centran en dos áreas: (1) disciplina y madurez personal y (2) capacidad para relacionarse bien con otros y enseñar y cuidar de ellos. Estas dos están entrelazadas, aunque parece haber una tendencia a ir de lo personal a lo interpersonal".[6]

IRREPRENSIBLE: Encabezando la lista de los requisitos está el requisito general, "que todo lo incluye"[7]: que sea "irreprensible" *(anepilémptos)*. Ser irreprensible significa estar libre de cualquier mancha ofensiva o deshonrosa de carácter o conducta, particularmente como se describe en los versículos 2 a 7. Cuando un anciano es irreprensible, las críticas no pueden desacreditar su profesión de fe cristiana ni hacerlo inadecuado para dirigir a otros (Nehemías 6:13). Tiene una reputación moral y espiritual limpia. Puesto que todo el pueblo de Dios está llamado a vivir vidas santas y sin mancha (Filipenses 2:15; 1 Tesalonicenses 5:23), puesto que el mundo pone un ojo crítico sobre la comunidad cristiana (1 Pedro 3:15, 16), y puesto que los líderes cristianos dirigen principalmente por medio de su ejemplo (1 Pedro 5:3), es indispensable que el líder cristiano tenga una vida irreprensible. Job, por ejemplo, era un anciano entre su pueblo (Job 29:7, 21, 25; 31:21), y era, dicen las Escrituras, moralmente irreprensible: "Hubo en la tierra de Uz un varón llamado Job; y era este hombre perfecto y recto, temeroso de Dios y apartado del mal" (Job 1:1).

Ahora Pablo comienza a esbozar requisitos concretos, observables que definen lo que implica ser irreprensible.

MARIDO DE UNA SOLA MUJER: En ambas listas de requisitos, Pablo ubica el requisito "marido de una sola mujer" inmediatamente después de "irreprensible". De modo que el primer y más importante aspecto en que el anciano debe ser irreprensible es su vida matrimonial y sexual.

La frase "marido de una sola mujer" y su frase relacionada "esposa de un solo hombre", aparecen cuatro veces en el Nuevo Testamento. Cada oportunidad es en el contexto de los requisitos para ser obispos, diáconos o viudos.

- Pero es necesario que el obispo sea irreprensible, marido de una sola mujer, sobrio, prudente, decoroso, hospedador, apto para enseñar (1 Timoteo 3:2).

- Los diáconos sean maridos de una sola mujer, y que gobiernen bien sus hijos y sus casas (1 Timoteo 3:12).

- Sea puesta en la lista sólo la viuda no menor de sesenta años, que haya sido esposa de un solo marido (1 Timoteo 5:9).

- El que fuere irreprensible, marido de una sola mujer, y tenga hijos creyentes que no estén acusados de disolución ni de rebeldía (Tito 1:6).

La frase "marido de una sola mujer" se compone de tres palabras en griego: *mias gynaikos andra*. Las palabras significan literalmente:

- *mias,* una

- *gynaikos,* esposa o mujer

- *andra,* esposo o varón

En el griego, la frase "de una sola mujer" está ubicada antes en una posición enfática para dar fuerza a la idea de "una esposa". Modifica al nombre "esposo". Por consiguiente, podríamos traducir la frase de las siguientes maneras: "marido de una sola esposa", "hombre de una mujer", o "marido de una esposa". No obstante, hay amplio desacuerdo respecto a la correcta interpretación de esa pequeña frase. Consideraremos cuatro posibilidades:

- los ancianos deben ser casados.

- los ancianos no deben ser polígamos.

- los ancianos pueden casarse una sola vez.

- los ancianos deben ser matrimonial y sexualmente irreprensibles.

No es infrecuente escuchar a personas decir que el anciano debe ser casado porque las Escrituras dicen que debe ser "marido de una sola mujer". Sin embargo, esta no es una interpretación correcta. Si Pablo requiere que los ancianos sean casados, contradice abiertamente lo que enseña en 1 Corintios 7, donde señala las diversas ventajas de la soltería para servir al Señor e incluso aconseja la soltería con el propósito de un servicio más eficaz e íntegro (1 Corintios 7:32-35; comparar Mateo 19:12). Si hubiera requerido que el anciano sea casado, Pablo debería haber modificado sus afirmaciones acerca de las ventajas de la soltería porque la soltería descalificaría a un aspirante a anciano o diácono. Sin embargo, Pablo no escribió "el anciano debe ser un hombre que tenga una esposa". Más bien, dice que el anciano debe ser *hombre de una sola esposa,* lo que es completamente diferente.

Con una lógica similar, algunas personas concluyen que un anciano debe tener hijos a causa del requisito de que el anciano debe gobernar "bien su casa, que tenga a sus hijos en sujeción" (1 Timoteo 3:4). Por ejemplo, he conversado con algunos hombres que no creen que puedan servir como ancianos o diáconos porque tienen solamente un hijo. Dicen que el requisito de Pablo es tener "hijos". Sin embargo, Pablo no requiere de un anciano que sea padre de dos o más hijos. Tenemos que reconocer las limitaciones del lenguaje de Pablo. No podía usar "hijo" porque entonces la gente pensaría que el anciano puede tener solamente un hijo. Sencillamente está diciendo que un anciano que tiene descendencia debe administrar bien su hogar.

El hecho es que la mayoría de los hombres están casados y tienen hijos. Las Escrituras requieren que estos hombres tengan su hogar en orden y que su relación matrimonial ejemplifique lo que deberían ser los matrimonios cristianos. Estos requisitos, evidentemente, no se aplican a los ancianos que sean solteros o no tengan hijos.

Un grupo de comentaristas bíblicos cree que la frase "marido de una sola mujer" significa "casado con una mujer". Dicen que la intención de Pablo era prohibir la poligamia —el tener dos o más esposas al mismo tiempo— y concluyen que los ancianos no deben ser polígamos.

Superficialmente parece una buena interpretación; pero la frase relacionada: "esposa de un solo hombre" (1 Timoteo 5:9), hace prácticamente imposible esta interpretación. Primera Timoteo 5:9 enumera las condiciones para las viudas que reciben asistencia material de la iglesia, y afirma que las mujeres tienen que haber sido esposas de un solo hombre. Con seguridad Pablo no se estaba refiriendo a mujeres que hubieran tenido dos o más esposos al mismo tiempo, lo que se llama poliandria. La poliandria era aborrecible para los judíos lo mismo que para los romanos y definitivamente no era un problema en la iglesia. De modo que es improbable que la frase "marido de una sola mujer", estuviera destinada principalmente a la poligamia.

Algunos destacados comentaristas bíblicos creen que esta frase significa "casado una sola vez en la vida". Pablo, dicen, prohíbe el nuevo casamiento cualquiera sea el motivo. Incluso el nuevo casamiento por la muerte de la pareja. Por lo tanto, un hombre divorciado y casado de nuevo o un viudo casado de nuevo no estarían en condiciones de ser ancianos o diáconos. Sin embargo, esta interpretación está en desacuerdo con el resto de las enseñanzas bíblicas sobre la santidad del matrimonio.[8] "En ninguna otra parte del Nuevo Testamento", escribe el expositor bíblico J. E. Huther, "hay la más mínima sugerencia de un mandamiento contra las segundas nupcias".[9]

Por sí misma, la frase "marido de una sola mujer" no indica si Pablo se refiere a una esposa en toda la vida o una esposa por vez. Esta frase debe interpretarse en un contexto más amplio, el de la enseñanza total de Pablo sobre el matrimonio. Nunca se debe permitir que contradiga la clara enseñanza general de Dios sobre el matrimonio. En consecuencia, desde la perspectiva del Nuevo Testamento es inconcebible que esta frase haya tenido la intención de descalificar a los viudos que se casaron de nuevo. Un viudo casado por segunda vez sigue siendo "marido de una sola mujer".

Otros comentaristas interpretan que esta frase significa que los hombres que se han casado de nuevo después de un divorcio no pueden ser ancianos. Entre judíos, romanos y griegos era fácil divorciarse y volverse a casar. En el caso de un nuevo casamiento después de un divorcio, dos o más mujeres que sigan vivas podrían haber estado casadas con el mismo hombre. Algunos han denominado a esto *"poligamia sucesiva"*. Consideran que Pablo prohíbe que un hombre divorciado y casado de nuevo sea obispo, debido a las situaciones potencialmente embarazosas que su ex esposa (o ex esposas) crearía para el anciano y su congregación.

La exactitud de esta interpretación parece imposible de demostrar en uno u otro sentido. En realidad, el problema con esta interpretación, lo mismo que con las anteriores, es que producen más problemas de los que resuelven. La interpretación "casado una sola vez en la vida" suscita un avispero de interrogantes matrimoniales y teológicos que producen perplejidad. En relación con la cuestión de si un hombre divorciado o no y casado de nuevo (ya sea que el divorcio se haya efectuado antes o después de su conversión) puede o no ser un anciano, el Nuevo Testamento no hace ningún comentario directo. El comentarista Philip H. Towner da en el blanco cuando escribe: "el punto no es con qué frecuencia uno puede casarse, ni precisamente qué constituye un matrimonio legítimo (dando por sentado que el matrimonio del candidato es legítimo), sino más bien, cómo uno se conduce en su matrimonio".[10]

Una interpretación final, y la que se favorece aquí, es la más sencilla y que causa menos problemas. Afirma que la frase "marido de una sola mujer" tiene la intención de ser una afirmación positiva que expresa un matrimonio monogámico fiel. En español podríamos decir "fiel y comprometido con una sola mujer" u "hombre de una sola mujer", esta última frase refleja muy bien el original en griego.

En sentido negativo, la frase prohíbe toda desviación del matrimonio monogámico fiel. En consecuencia, prohibiría para un anciano la poligamia, el concubinato, la homosexualidad, y las relaciones sexuales cuestionables. En sentido positivo las Escrituras dicen que el candidato al liderazgo de ancianos debe ser "hombre de una sola mujer" significando que tiene una relación exclusiva con una mujer. Un hombre así es irreprensible en su vida sexual y matrimonial.

¿Qué dice 1 Timoteo acerca de los pecados sexuales y matrimoniales cometidos antes de la conversión de una persona a Cristo? ¿Qué de las personas legalmente divorciadas que se casaron de nuevo (suponiendo que la iglesia local lo permita)? ¿Qué del perdón y la restauración de un líder espiritual caído? Estas y muchas otras cuestiones controvertidas y penosas no tienen respuesta directa aquí. Se deben responder desde la totalidad de la enseñanza bíblica sobre el divorcio y el nuevo matrimonio, el perdón, la gracia y la restauración, como también de su enseñanza sobre el ejemplo del liderazgo y el espectro total de los requisitos para el anciano.

Toda desviación del modelo de Dios para la conducta matrimonial nos confunden y desconciertan. El pecado siempre confunde, distorsiona y divide, de manera que siempre habrá diversas opiniones sobre cuestiones como éstas. Pero de ninguna manera eso disminuye la obligación de la iglesia local de enfrentar estos asuntos y tomar decisiones sabias y sanamente bíblicas. En todas estas dolorosas situaciones, el honor del nombre de Jesús, la fidelidad a su palabra y la oración son los guías supremos.

SOBRIO: En griego, la palabra "sobrio" (*nephalios*) puede significar moderación en el uso del vino. Sin embargo aquí está usado en el sentido de sobriedad mental.[11] "Sobrio" indica control de sí mismo, juicio equilibrado y libertad respecto a los excesos debilitadores o la conducta arrebatada. En sentido negativo, indica la ausencia de cualquier desorden personal que pudiera distorsionar el juicio o la conducta de una persona. Positivamente describe una persona estable, prudente, controlada y despierta.

Es necesario que los ancianos, que enfrentan muchos problemas, presiones y decisiones serias, sean mental y emocionalmente estables. Los ancianos que carecen de una perspectiva mental y emocional equilibrada fácilmente pueden caer en las trampas del diablo o los falsos maestros.

PRUDENTE: Similar a la palabra "sobrio", "prudente" (*sophron*) también destaca el control de uno mismo y particularmente se relaciona con el ejercicio del buen juicio, la discreción y el sentido común. Ser prudente es ser discreto, cabal y razonable, capaz de mantener una perspectiva objetiva frente a los problemas y desacuerdos. La prudencia es un requisito esencial de la mente para una persona que debe ejercer una gran dosis de discreción práctica en el manejo de las personas y sus problemas. La prudencia modera el orgullo, el autoritarismo y la tendencia a justificarse a sí mismo.

DECOROSO: "Decoroso" *(kosmios)* está relacionado con la palabra "prudente" (1 Timoteo 2:9). Una persona sensata también será una persona de buena conducta. *Kosmios* comunica las ideas de control de sí mismo, conducta correcta y orden. Aunque la palabra se usa para describir la rectitud en el comportamiento exterior y en el vestido en 1 Timoteo 2:9, su uso aquí comunica un sentido más general de "'orden'... 'buena conducta' o 'virtud'... que lo que hace que una persona sea considerada 'decorosa' por los demás".[12] Un anciano no puede esperar que la gente lo siga si no es decoroso.

HOSPEDADOR: También es necesario que el anciano sea hospedador. La hospitalidad es una expresión concreta del amor cristiano y la vida de familia. Es una importante virtud bíblica:

- Job, el anciano ejemplar del Antiguo Testamento, era un modelo de hospitalidad: "El forastero no pasaba afuera la noche. Mis puertas abría al caminante" (Job 31:32).

- Pablo exhorta a los cristianos de Roma a ser hospitalarios (Romanos 12:13).

- Pedro escribe: "Hospedaos los unos a los otros sin murmuraciones" (1 Pedro 4:9).

- El autor de Hebreos insta a sus lectores: "No os olvidéis de la hospitalidad, porque por ella algunos, sin saberlo, hospedaron ángeles" (Hebreos 13:2).

Estos mandamientos del Nuevo Testamento respecto a practicar la hospitalidad se encuentran todos dentro del contexto más amplio del amor cristiano. Lamentablemente, la mayoría de los cristianos, incluso algunos líderes cristianos, no comprenden que la hospitalidad es un requisito bíblico para el liderazgo pastoral en la iglesia. Algunos incluso discuten que ese punto aparentemente insignificante sea requisito para los pastores de iglesia.

Sin embargo, esa manera de pensar refleja una falta de comprensión de la auténtica comunidad cristiana, el amor ágape y el trabajo de los ancianos. Porque la falta de hospitalidad de un anciano es un ejemplo pobre del amor y el cuidado mutuo entre cristianos. El anciano pastor debe entregarse a sí mismo en forma amante y abnegada al cuidado del rebaño. Esto no se puede hacer a la distancia, con una sonrisa y un saludo de mano el domingo por la mañana o en una visita superficial. Entregarse a sí mismo por el cuidado del pueblo de Dios implica compartir la propia vida y el hogar con los demás. Un hogar abierto es una señal de un corazón abierto y de un espíritu de servicio amante y abnegado. La falta de hospitalidad es señal segura de un cristianismo egoísta, sin vida y sin amor.

En mi labor de anciano pastor, he descubierto que mi hogar es una de las herramientas más importantes que poseo para alcanzar a otros y ocuparme de ellos. Aunque el ministerio pastoral de la hospitalidad pueda parecer algo pequeño, tiene un impacto enorme y duradero en la gente. Si lo duda, pregúnteselo a quienes han sido objeto de la hospitalidad pastoral. Invariablemente dirán que es uno de los aspectos más importantes, agradables y memorables del ministerio pastoral.

En una manera misteriosa, Dios trabaja a través de la hospitalidad para instruir y corregir a su pueblo. Así que nunca debemos subestimar el valor de la hospitalidad para ministrar a las necesidades de las personas. Quienes aman la hospitalidad, están interesados en las personas y se preocupan por ellas. Si en la iglesia local los ancianos son inhospitalarios, la iglesia será inhospitalable e indiferente hacia las necesidades de los demás.

APTO PARA ENSEÑAR: Al igual que Israel, la comunidad cristiana se funda sobre las Escrituras. De manera que quienes supervisan la comunidad deben ser capaces de guiarla y protegerla por medio de la enseñanza de las Escrituras. Según Hechos 20, los ancianos deben pastorear el rebaño de Dios. Una parte fundamental del pastorado implica alimentar el rebaño con la Palabra de Dios. En consecuencia, los ancianos deben ser "aptos para enseñar" para poder cumplir con su tarea.

La habilidad para enseñar incluye tres elementos básicos: conocimiento de las Escrituras, disposición para enseñar y habilidad para comunicar. Esto no significa que un anciano debe ser un elocuente orador, un conferenciante dinámico o un maestro sumamente dotado (de los que hay muy pocos). Sino que un anciano debe conocer la Biblia y ser capaz de enseñarla a otros.

En la lista paralela de requisitos para los ancianos de la epístola de San Pablo a Tito, el apóstol extiende el significado de "apto para enseñar". Escribe: "Retenedor de la palabra fiel tal como ha sido enseñada, para que también pueda exhortar con sana enseñanza y convencer a los que contradicen" (Tito 1:9). Un anciano, entonces, debe poder abrir su Biblia y exhortar y animar a otros en base a ella. También debe poder discernir la falsa doctrina y refutarla con las Escrituras. La Palabra de Dios produce crecimiento en la iglesia y la protege del engaño. Por eso, los ancianos pastores deben ser capaces de enseñar la Palabra de Dios.

NO DADO AL VINO: Un anciano debe ser irreprensible en su uso del vino. Pablo usa un lenguaje fuerte aquí que significa no pendiente ni excesivamente indulgente con el vino. La borrachera es pecado, y las personas que persisten en emborracharse requieren disciplina de la iglesia (ver 1 Corintios 5:11; 6:9,10: Gálatas 5:21; Efesios 5:18; 1 Pedro 4:3). De manera que una persona en posición de confianza o autoridad sobre otras personas no puede tener un problema con la bebida.

La Biblia tiene muchas advertencias sobre los peligros potenciales del vino y las bebidas fuertes (Isaías 5:11,22; Proverbios 20:1; 23:30-35; Oseas 4:11). Específicamente advierte a los líderes de los peligros del alcohol:

"No es de los reyes, oh Lemuel,
No es de los reyes beber vino,
Ni de los príncipes la sidra;
No sea que bebiendo olviden la ley,
Y perviertan el derecho de todos los afligidos".
(Proverbios 31:4,5; comparar Levítico 10:8,9; Isaías 28:1, 7, 8; 56:9-12).

La borrachera ha arruinado innumerables vidas. Se afirma que casi la mitad de los asesinatos, suicidios y muertes accidentales en Norteamérica están vinculados con el alcohol. Una de cuatro familias tiene algún problema con el alcohol, lo que hace del alcohol uno de los principales problemas de salud en Norteamérica.[13] La miseria y el sufrimiento que el alcoholismo ha causado a miles de familias supera la imaginación. Nadie que ha trabajado con personas o familias que son sus víctimas, bromea acerca de su poder destructivo. El alcoholismo reduce la esperanza de vida, destruye familias, y quiebra económicamente a las personas. Es un problema moral y espiritual de gran magnitud.

Los ancianos trabajan con gente, con frecuencia personas afligidas. Si el anciano tiene un problema con la bebida alcohólica, terminará por desviar a las personas y provocará quejas contra la iglesia. Su exceso de indulgencia interferirá con el crecimiento espiritual y el servicio, y bien puede conducir a pecados más degradantes.

Sin embargo, notemos que Pablo dice: "No dado al vino". No está presentando una prohibición absoluta de tomar vino. Está prohibiendo el abuso del vino (o cualquier otra sustancia) que pudiera dañar el testimonio y la obra de Dios.

NO PENDENCIERO: Un hombre pendenciero es un individuo peleador, malhumorado, irritable y descontrolado. La palabra griega deriva del verbo "golpear" y sugiere una persona violenta propensa a atacar físicamente a otros. Las esposas y los hijos son los que reciben especialmente los golpes de un hombre pendenciero, y cualquiera que frustra seriamente a un hombre pendenciero es blanco potencial de sus asaltos físicos o verbales.

Los ancianos deben administrar conflictos interpersonales sumamente emocionales y desacuerdos doctrinales entre creyentes que los afectan profundamente. Los ancianos se encuentran con frecuencia en el medio de situaciones muy tensas, de manera que una persona de mal genio, pendenciera, no podría resolver esas situaciones. En realidad, produciría reacciones más violentas. Puesto que los hombres pendencieros tratarían con torpeza a las ovejas, y hasta podrían herirlas, por lo tanto no pueden ser pastores del rebaño de Cristo.

AMABLE: La amabilidad es una de las virtudes más atractivas y necesarias para el anciano. Ninguna palabra en el idioma castellano comunica totalmente la plenitud de la belleza y la riqueza de dicha palabra. "Bondadoso", "paciente", "agradable", "servicial", "gentil", "clemente", "afable", son todos términos que ayudan a captar el amplio espectro de su significado. La bondad viene de Dios y es una fuente de paz y sanidad entre su pueblo. De manera que en la carta a los cristianos de Filipos, que estaban experimentando conflictos internos y externos, Pablo dice: "Que todos los conozcan a ustedes como personas bondadosas" (Filipenses 4:5, Versión Popular).

El hombre amable muestra un vívido contraste con el hombre pendenciero. Un hombre amable manifiesta una disposición a ceder y hace pacientes concesiones por la debilidad e ignorancia de la condición humana caída. La persona amable se niega gentilmente a tomar represalias por los males cometidos por otros y no insiste en forma legalista sobre sus derechos personales. "Misericordiosamente dócil", dice un comentarista, "cediendo siempre que sea posible ceder en lugar de exigir los derechos propios".[14]

La bondad es una característica de Dios: "Porque tú, Señor, eres bueno y perdonador (la misma palabra griega usada en la LXX que significa "bondadoso" o "amable"), y grande en misericordia para con todos los que te invocan" (Salmos 86:5). La bondad también caracterizó la vida de Jesús en la tierra: "Yo, Pablo, les ruego a ustedes por la ternura y la bondad de Cristo" (2 Corintios 10:1, Versión Popular). Dios espera completamente que sus pastores apacienten su pueblo de la manera que él lo hace. No permitirá que su pueblo sea arrastrado, golpeado, condenado ni dividido. Por eso, el pastor debe ser paciente, amable y comprensivo con las ovejas descarriadas y — por momentos— exasperantes. En este mundo pecador existen tantos errores, desacuerdos, faltas, heridas e injusticias que uno estaría condenado a vivir en perpetua división, ira y conflicto si no fuera por la bondad. De manera que los ancianos deben ser "amables" y "bondadosos" como Cristo.

APACIBLE: Además de ser amable, es importante que un anciano sea apacible o pacífico. Desde el día en que Caín mató a Abel, su hermano, los hombres han estado peleándose y matándose unos a otros (Génesis 4:5-8). Esta es una de las desdichadas consecuencias de la naturaleza pecaminosa del hombre. Sin embargo, a los cristianos se les ordena ser diferentes: "Que a nadie difamen, que no sean pendencieros, sino amables, mostrando toda mansedumbre para con todos los hombres" (Tito 3:2).

Dios odia la división y las peleas entre su pueblo: "Seis cosas aborrece Jehová, y aun siete abomina su alma... el testigo falso que habla mentiras, y el que siembra discordia entre hermanos" (Proverbios 6:16-19). Sin embargo las peleas paralizan y matan muchas iglesias locales. Puede ser el problema más penoso que enfrenten los líderes cristianos. Por eso, se requiere que el anciano cristiano sea "apacible", que significa "no peleador" o "no contencioso". En sentido positivo, un anciano debe ser un hombre pacificador. Como escribe Pablo: "Porque el siervo del Señor no debe ser contencioso, sino amable para con todos, apto para enseñar, sufrido; que con mansedumbre corrija a los que se oponen" (2 Timoteo 2:24-25a).

NO CODICIOSO: Un anciano no debe amar el dinero ni ser avaro. De modo que este requisito prohibe un interés bajo, mercenario, que usa el ministerio cristiano y la gente para beneficio personal. Tanto

Pablo como Pedro condenan lo que nosotros llamaríamos "ser interesado" (1 Pedro 5:2; Tito 1:7). Pablo señala que los falsos maestros están excesivamente interesados en el dinero y las ganancias personales (1 Timoteo 6:5; Tito 1:11). Los fariseos eran tan amantes del dinero que devoraban las casas de las viudas (Lucas 16:14; Marcos 12:40). Los principales jefes religiosos de los días de Jesús habían convertido el templo en un mercado para beneficio propio (Marcos 11:15-17).

Como una poderosa droga, el amor al dinero puede engañar el juicio hasta de los mejores hombres. Las Escrituras advierten seriamente contra el amor al dinero: "Porque raíz de todos los males es el amor al dinero, el cual codiciando algunos, se extraviaron de la fe, y fueron traspasados de muchos dolores" (1 Timoteo 6:10). Entonces, los ancianos no pueden ser el tipo de hombres que están siempre pendientes del dinero. No pueden ser hombres que necesitan controlar las finanzas de la iglesia y que se niegan a ser económicamente confiables. Tales hombres tergiversan los valores espirituales y sientan un mal ejemplo para la iglesia. Caerán, inevitablemente, en asuntos financieros inmorales que deshonrarán públicamente el nombre del Señor.

En vivo contraste, un anciano debe estar contento con la provisión de Dios. En Hebreos 13:5, el autor exhorta a sus lectores: "Sean vuestras costumbres sin avaricia, contentos con lo que tenéis ahora; porque él dijo: No te desampararé, ni te dejaré". Pablo plantea el asunto así: "Porque nada hemos traído a este mundo, y sin duda nada podremos sacar. Así que, teniendo sustento y abrigo, estemos contentos con esto. Porque los que quieren enriquecerse caen en tentación y lazo, y en muchas codicias necias y dañosas, que hunden a los hombres en destrucción y perdición" (1 Timoteo 6:7-9). Los ancianos, entonces, deben desarrollar un sano contentamiento y fe en la cariñosa provisión de Cristo para ellos.

Resumiendo el versículo 3, George Knight observa que "En resumen, la vida del obispo no debe estar dominada o controlada por el vino ni el dinero, ni andar en contiendas, sino que debe ser una vida pacífica y amable".[15] En contraste, el hombre controlado por el dinero o el alcohol, no está controlado por el Espíritu. No es estable, controlado, sensato ni respetable. Lo controlan los bajos deseos que inevitablemente lo conducirán a otros pecados y a la reprobación pública.

QUE GOBIERNE BIEN SU CASA: Un futuro anciano debe poder administrar (*prohistémi:* dirigir y cuidar de; ver 1 Tesalonicenses 5:12) "bien" su casa. La medida clave para evaluar la forma en que un hombre gobierna su casa es la conducta de sus hijos. Por eso Pablo exige que "tenga a sus hijos en sujeción con toda honestidad". Esto significa que debe ser un padre, esposo y administrador de su casa cristiano y responsable. Debe ser conocido por proveer económica, afectiva y espiritualmente para su familia. En relación con este requisito, Donald Guthrie, ex docente del London Bible College, señala que "Un principio fundamental, que no siempre ha recibido la atención que merece... Cualquier hombre incapaz de gobernar amable y seriamente a sus hijos manteniendo la buena disciplina, no es hombre que pueda gobernar en la Iglesia".[16]

Una familia bien gobernada implica que los hijos obedecen y se someten al liderazgo del padre. La forma en que se manifiesta esa relación es especialmente importante: debe ser "con toda honestidad". El padre no debe ser un tirano que aplaste el espíritu de sus hijos, obteniendo sumisión mediante severos castigos. En otra parte Pablo escribe: "Y vosotros, padres, no provoquéis a ira a vuestros hijos, sino criadlos en disciplina y amonestación del Señor" (Efesios 6:4). Entonces, un padre cristiano debe controlar a sus hijos de manera honrosa, respetuosa y digna. Por supuesto, no hay hijos perfectos, libres de problemas en este mundo. Incluso los mejores padres y madres cristianos tienen problemas en la crianza de sus hijos, pero estos padres resuelven los problemas y están comprometidos a sus hijos de manera responsable y solícita. Guían a sus hijos a través de las muchas tormentas de la vida.

Debemos notar que los hijos a los que se refiere el versículo 4 son hijos que viven en la casa, bajo la autoridad del padre: "que tenga a sus hijos en sujeción". En el pasaje de Tito 1:6 el verbo en la frase "que tenga hijos creyentes" también indica hijos que están en el hogar y bajo la autoridad del padre.[17] Menciono esto porque algunas personas creen que un hombre no es un candidato viable para el liderazgo de ancianos hasta que sus hijos hayan llegado a la edad adulta. Pero eso no es lo que indica el pasaje. Algunos hombres todavía están criando hijos a la edad de cuarenta o cuarenticinco años, y Dios no pretende que esperen hasta que tengan cerca de setenta años para estar calificados para servir como ancianos. Además, debemos observar que el pasaje no enseña que un anciano debe tener hijos. Esta instrucción sencillamente se aplica a hombres que tienen hijos.

La importancia crítica de este requisito está inmediatamente subrayada por la pregunta retórica de Pablo en el versículo 5: "Pues, el que no sabe gobernar su propia casa, ¿cómo cuidará de la iglesia de Dios?" La respuesta a esa pregunta es una resonante negativa: no puede cuidar de la iglesia de Dios si no sabe cómo gobernar su propia casa. La palabra griega traducida por "cuidará de" *(epimelesetai)* destaca la amorosa dedicación personal a resolver las diversas necesidades de la iglesia. Sin embargo, no elimina la idea de liderar o dirigir, que es una parte esencial del cuidado de la iglesia.

NO UN NEOFITO: Las Escrituras prohiben que un "nuevo convertido" sea anciano. Un nuevo convertido es un iniciado en la fe, un cristiano niño, un recién convertido. No importa lo espiritual, lo celoso, lo erudito o lo talentoso que sea el nuevo convertido, es espiritualmente inmaduro. La madurez requiere tiempo y experiencia para la que no existe sustituto, por eso un nuevo convertido sencillamente no está preparado para la ardua tarea de pastorear el rebaño de Dios.

No hay nada malo en ser un "nuevo convertido". Todos los cristianos inician la vida en Cristo como niños y crecen hasta la madurez. Sin embargo, un anciano debe ser maduro y conocerse a sí mismo. Un nuevo cristiano no se conoce a fondo, ni entiende la astucia del enemigo, de modo que es vulnerable al orgullo, la más sutil de las tentaciones y el más destructivo de los pecados. El orgullo produjo la ruina de Lucifer (Ezequiel 28:11-19; Génesis 3:5, 14, 15). Al igual que el diablo, el anciano orgulloso inevitablemente caerá: "Antes del quebrantamiento es la soberbia" dice la Biblia, "Y antes de la caída la altivez de espíritu" (Proverbios 16:18; comparar 11:2; 18:1; 29:23). La historia bíblica muestra que el orgullo ha destruido a los más grandes hombres (2 Crónicas 26:16; 32:25).

La posición de anciano (especialmente en una iglesia grande, bien establecida como la de Efeso) conlleva considerable honor y autoridad. Para un recién convertido, la tentación del orgullo sería demasiado grande. El orgullo lo destruiría, produciéndole desgracia personal, pérdidas, exposición, castigo divino y posiblemente la ruina de su fe. También perjudicaría a la iglesia. Por eso Pablo advierte contra nombrar un nuevo convertido como anciano, "no sea que envaneciéndose caiga en la condenación del diablo".

En cuanto a por qué este requisito no se menciona en la lista de Tito de las condiciones, sólo podemos conjeturar. Puede haber sido que el liderazgo de recién convertidos era un verdadero problema en la iglesia de Efeso. Tal vez los nuevos convertidos estaban engañados respecto de sus talentos y su inteligencia espiritual y provocaban confusión en la iglesia.

QUE TENGA BUEN TESTIMONIO CON LOS DE AFUERA:
Finalmente, y de trascendental importancia, un anciano debe tener "buen testimonio con los de afuera (de la iglesia)". Los apóstoles Pablo y Pedro expresan profunda preocupación por que los cristianos tengan buena reputación frente al mundo no creyente que los mira (1 Corintios 10:32; Filipenses 2:15; Colosenses 4:5, 6; 1 Tesalonicenses 4:11, 12; 1 Timoteo 2:1, 2; 5:14; 6:1; Tito 2:5, 8, 10; 3:1-2; 1 Pedro 2:12, 15; 3:1, 16). Si a todos los cristianos se les demanda que tengan buen testimonio frente a los no cristianos, con más razón es indispensable que los líderes tengan buena reputación frente a los no creyentes. La credibilidad y el testimonio evangelístico de la iglesia están ligados a la reputación moral de sus líderes.

En realidad, los no cristianos pueden saber más del carácter y la conducta del candidato a líder que la misma iglesia. Con mucha frecuencia, los compañeros de trabajo y los familiares en realidad tienen más contacto diario con el líder de iglesia que los miembros de la misma. Por lo tanto, "Pablo está preocupado", escribe George Knight, "de que los que juzguen menos compasivamente pero quizás más objetivamente y con conocimiento de causa, puedan dar un 'buen'... veredicto tanto desde la perspectiva de su propia conciencia... como también desde la conciencia de ellos del compromiso y coherencia del hombre particular en términos de su fe cristiana".[18]

La opinión de los de afuera de la iglesia sobre el carácter de un líder cristiano no se puede dejar de lado, porque afecta el testimonio evangelístico de toda la iglesia, "columna y baluarte de la verdad". Es por eso que Pablo afirma enfáticamente que debe tener "buen testimonio". La expresión "es necesario", usada también en el versículo 2, reafirma la absoluta necesidad e importancia de este asunto.

El motivo para insistir enfáticamente en este requisito es que un anciano que tenga una reputación desfavorable o pecaminosa entre los no cristianos caerá "en descrédito y en lazo del diablo" de manera mucho más destructiva que aquellos a quienes dirige. Si un anciano pastor tiene fama de hombre de negocios deshonesto, mujeriego o adúltero, la comunidad no creyente tomará nota especialmente de su hipocresía. Los no cristianos dirán: "¡Actúa de esa forma, y es líder de la iglesia!" Se burlarán de él y lo ridiculizarán. Se mofarán del pueblo de Dios. Harán comentarios sobre él y se generarán muchas habladurías. Plantearán preguntas duras y embarazosas. Se verá desacreditado como líder cristiano y sufrirá vergüenza e insultos. Se perderá toda su influencia positiva y pondrá en peligro la misión evangelística de la iglesia. El anciano se convertirá en un riesgo para la iglesia en lugar de una ventaja.

Pero eso no es todo. Plenamente consciente de las artimañas del diablo (2 Corintios 2:11), Pablo agrega que el anciano difamado también caerá en "la condenación del diablo". Al diablo se lo pinta como un astuto cazador (1 Pedro 5:8). Usando la crítica pública y las propias contradicciones del anciano, el diablo hará caer al desprevenido cristiano en la trampa de pecados más graves: descontrolada amargura, airada represalia, mentiras, hipocresía y dureza de corazón. Lo que tal vez comenzó como una pequeña ofensa se puede convertir en algo mucho más destructivo y perjudicial. Por eso, un anciano debe tener un buen testimonio externo a la comunidad cristiana.

LOS REQUISITOS EXIGEN UN EXAMEN

Hasta aquí hemos hablado de los requisitos para los ancianos, pero a continuación de la lista de requisitos, Pablo presenta un tema igualmente importante: el examen de los ancianos. Las quince condiciones para los ancianos presentadas en 1 Timoteo 3:1-7 son palabras vacías sin el requerimiento (v. 10) de examinar las condiciones del candidato para el oficio. El texto insiste en que ninguno puede servir como anciano antes de ser examinado y aprobado:

> "Y éstos (los diáconos) también (como los sobreveedores) sean sometidos a prueba primero, y entonces ejerzan el diaconado, si son irreprensibles" (1 Timoteo 3:10).

Comenzando en el versículo 8, Pablo enumera los requisitos para los diáconos, tal como lo acaba de hacer para los ancianos. En medio de la lista de los requisitos para los diáconos, Pablo intercala un requerimiento esencial que da sentido a todos los demás: "Y éstos también sean sometidos a prueba primero, y entonces ejerzan el diaconado". Las palabras "Y éstos también" son importantes para el desarrollo del pensamiento de Pablo en esta sección (1 Timoteo 3:8-13). Nos advierten de algo ligeramente diferente de los cinco requisitos de carácter de los diáconos, pero esencial a los mismos (1 Timoteo 3:8, 9). Por medio de estas palabras, Pablo subraya que los diáconos deben ser probados de la misma manera que deben ser probados los ancianos. Por eso "Y éstos también" se refiere de nuevo a los obispos mencionados en la sección anterior (1 Timoteo 3:1-7).[19]

Es fundamental que no dejemos de lado este punto clave. De hecho, los traductores de la *New English Bible* por ejemplo, se tomaron la libertad de agregar la palabra "obispos" (sobreveedores) a la traducción para dejar perfectamente en claro este punto. Esta traducción dice: "No menos que los obispos, primero deben someterse a un examen, y si no se les encuentra mancha alguna, pueden servir".

El motivo por el que Pablo ubica este mandato en medio de la lista de requisitos para los diáconos es que podía haber la tendencia a pensar que los patrones bíblicos para los diáconos requieren menos refuerzo que los patrones para los obispos. Pablo da por sentado que sus lectores reconocen la necesidad de examinar a los obispos en cuanto a sus condiciones para el oficio, pero considera que el requerimiento de examinar a los diáconos puede no ser tenido muy en cuenta. Por eso Pablo pide que también los diáconos sean examinados de manera similar.

La forma pasiva imperativa del verbo "Y éstos... sean sometidos" afirma la necesidad de examinar a los candidatos a anciano o a diácono. El examen no es una opción. Todo presunto anciano o diácono debe ser evaluado por otros.

La expresión "someter a prueba" viene del griego *dokimazó*. El arzobispo anglicano Richard Trench (1807-1886), en su obra clásica *Synonyms of the New Testament* (Sinónimos del Nuvo Testamento), afirma que "en *dokimazein*... está siempre la noción de probar algo para saber si vale la pena *recibirlo* o no".[20] En la antigua literatura griega, esta palabra se usaba a veces en relación con probar los títulos de una persona para un oficio público.[21] En nuestro actual contexto, sería "el examen de los candidatos para el diaconado".[22] La idea aquí es que otros examinen, evalúen y escudriñen formalmente el carácter del presunto anciano o diácono. Así como los doctores en medicina deben ser examinados oficialmente antes de recibir su licencia, los presuntos ancianos y diáconos deben ser examinados a la luz de los requerimientos de Dios antes de asumir el oficio.

En el adecuado examen de los diáconos y ancianos es precisamente donde fallan muchas iglesias. El proceso de examen lleva tiempo y esfuerzo, y muchas iglesias están demasiado ocupadas con otros asuntos para hacer ese esfuerzo. Tal vez la iglesia de Efeso también estaba muy ocupada para examinar a fondo a sus diáconos y ancianos.

LOS ANCIANOS IMPONEN LAS MANOS SOBRE TIMOTEO

En 1 Timoteo 4:6-16, Pablo le recuerda a Timoteo de cómo debe realizar fielmente sus tareas, y en el versículo 14 le advierte específicamente acerca de descuidar su don espiritual. Pablo tenía un conocimiento personal del don espiritual de Timoteo y de las circunstancias extraordinarias que acompañaban la recepción de este don. Pablo había sido el canal humano por el que Dios había provisto el don espiritual a Timoteo (2 Timoteo 1:6):

> "No descuides el don que hay en ti, que te fue dado mediante profecía con la imposición de las manos del presbiterio" (1 Timoteo 4:14).

Timoteo se había convertido durante el primer viaje misionero de Pablo (49 d.C.). Por eso era un verdadero hijo de Pablo en la fe. Al comienzo del segundo viaje misionero, Lucas relata que Timoteo se había unido a Pablo para ayudarlo en su misión evangélica (Hechos 16:1-3). Tres cosas significativas le sucedieron a Timoteo en esa oportunidad.

Primero, Timoteo y Pablo se enteraron de la comisión única en su género de Timoteo en el evangelio, por medio de una serie de afirmaciones proféticas del Espíritu: "Este mandamiento, hijo Timoteo, te encargo, para que conforme a las profecías que se hicieron antes en cuanto a ti, milites por ellas la buena milicia" (1 Timoteo 1:18; comparar Hechos 16:6-10 en relación con otras expresiones sobrenaturales que acompañaron el segundo viaje misionero). Timoteo había sido escogido por palabra profética para una tarea específica, tal como Pablo y Bernabé habían sido escogidos en Antioquía (Hechos 13:1-3).

Segundo, de completo acuerdo con la palabra profética, Pablo impuso sus manos sobre Timoteo para transmitirle un don, es decir, un *charisma* o capacidad especial para un servicio: "Por lo cual te aconsejo que avives el fuego del don de Dios que está en ti por la imposición de mis manos" (2 Timoteo 1:6). Con la imposición de las manos de Pablo y la concesión de un don espiritual por medio de las manos de Pablo, Timoteo fue oficialmente separado para compartir como ayudante en la comisión de Pablo en el evangelio. La imposición de manos no hizo de Timoteo el ministro o el obispo de iglesia o cuerpo de iglesias. Probablemente, Timoteo era soltero y estaba totalmente dedicado a extender y proteger el evangelio como asistente especial de Pablo

211

(Hechos 19:22). Era un evangelista (2 Timoteo 4:5), un colaborador, un compañero de Pablo en la obra del evangelio.

Tercero, e íntimamente relacionado con las profecías y la imposición de manos de Pablo, estaba la "imposición de las manos del presbiterio". El significado de la acción de los ancianos difería del de la acción de Pablo. Pablo y la palabra profética fueron el canal "a través del cual" (en griego *dia*) Dios le confirió el "don espiritual". Las Escrituras muestran que la imposición de manos de los ancianos, se hizo *en conjunción con* (del griego *meta*) la imposición de manos de Pablo y las profecías. Sin embargo, qué significaba la imposición de manos de los ancianos, no está explicado. Si suponemos que el acto fue similar en significado al que está relatado en Hechos 13:1-3, entonces, la imposición de manos de los ancianos fue una comisión pública por medio de la cual la iglesia confiaba a Timoteo al cuidado de Dios y a la obra a la que Dios lo había llamado. Al hacer esto, los ancianos se identificaban como compañeros suyos y expresaban el pleno acuerdo con su tarea especial. En conformidad con las "palabras proféticas", los ancianos, como testigos públicos de esas palabras y representantes de la(s) iglesia(s), le impusieron las manos. Timoteo debía recordar este acto y no permitir que los hombres despreciaran su trabajo ni su juventud.

La palabra "presbiterio" es una adopción de la palabra griega *presbyterion*, el nombre colectivo para ancianos *(presbyteroi)*. Hubiera sido mejor que la versión Reina Valera tradujera *presbyterion* como "liderazgo de ancianos" o "consejo de ancianos" o "cuerpo de ancianos", ya que traduce los otros dos casos en que aparece *presbyterion* como "ancianos" (Lucas 22:66; Hechos 22:5). Al usar el nombre colectivo *liderazgo de ancianos*, Pablo refuerza el papel oficial de los ancianos y el significado de su acción: el cuerpo oficial de los ancianos de la iglesia impuso las manos sobre Timoteo, afirmando públicamente su comisión especial en el evangelio, un hecho que nunca debía olvidar.

Los ancianos a los que se hace referencia en este informe eran los ancianos que Pablo y Bernabé habían nombrado en su primer viaje misionero. Nuevamente, no un anciano, sino todo el cuerpo de ancianos impuso sus manos sobre Timoteo. Como líderes de la comunidad, su función era representar a la iglesia en la comunicación de su aprobación y comunión. Si estos ancianos eran de una iglesia local o de varias, el texto no lo indica.

EL HONOR DEBIDO A LOS ANCIANOS

Toda la sección de 1 Timoteo desde 5:1 hasta 6:2 se refiere al trato adecuado de los diferentes grupos de personas en la iglesia: hombres mayores (5:1),[23] jóvenes (5:1), ancianas (5:2), mujeres jóvenes (5:2), viudas (5:3-16), ancianos (5:17-25), amos no creyentes (6:1) y amos creyentes (6:2). Siguiendo a una sección un poco larga y cargada emocionalmente sobre el deber de los cristianos de honrar piadosamente a las viudas (5:3-16), Pablo trata a continuación el deber de la congregación de honrar a los ancianos de la iglesia. Es decir, da más instrucciones acerca de cómo los creyentes deben tratarse unos a otros en la casa de Dios (1 Timoteo 3:14, 15). Es imposible comprender cabalmente el liderazgo bíblico sin captar este pasaje sumamente instructivo:

> "Los ancianos que gobiernan bien, sean tenidos por dignos de doble honor, mayormente los que trabajan en predicar y enseñar. Pues la Escritura dice: No pondrás bozal al buey que trilla; y: Digno es el obrero de su salario. Contra un anciano no admitas acusación sino con dos o tres testigos. A los que persisten en pecar, repréndelos delante de todos, para que los demás también teman. Te encarezco delante de Dios y del Señor Jesucristo, y de sus ángeles escogidos, que guardes estas cosas sin prejuicios, no haciendo nada con parcialidad. No impongas con ligereza las manos a ninguno, ni participes en pecados ajenos. Consérvate puro. Ya no bebas agua, sino usa de un poco de vino por causa de tu estómago y de tus frecuentes enfermedades. Los pecados de algunos hombres se hacen patentes antes que ellos vengan a juicio, más a otros se les descubren después. Asimismo se hacen manifiestas las buenas obras; y las que son de otra manera, no pueden permanecer ocultas" (1 Timoteo 5:17-25).

Honrar a los ancianos que gobiernan bien y que trabajan en predicar y enseñar

En los versículos 17 y 18, Pablo instruye a la congregación en cuidar del bienestar económico de los ancianos que gobiernan bien, especialmente los que trabajan predicando y enseñando. De la misma manera

213

que algunas viudas necesitadas habían sido abandonadas por sus familias y hermanos en la fe, como resultado de vivir egoístamente a causa de las enseñanzas falsas (1 Timoteo 5:3-16), parece que los líderes espirituales de la iglesia también habían sido descuidados. Así que Pablo exhorta a la iglesia diciendo: "Los ancianos que gobiernan bien, sean tenidos por dignos de doble honor, mayormente los que trabajan en predicar y enseñar".

Los ancianos a los que se refiere Pablo se identifican por dos frases calificadoras: "que gobiernan bien" y "los que trabajan en predicar y enseñar". Hay dos maneras de entender cómo estas dos frases se relacionan una con otra, y dependen de cómo uno traduce el adverbio griego *malista*. La mayoría de los comentaristas interpretan *malista* por su significado común: "especialmente", "por sobre todo" o "particularmente". Si esta interpretación es correcta, Pablo tiene en cuenta dos grupos de ancianos: los que ejercen el liderazgo pastoral bien y los que se dedican especialmente a enseñar y a dirigir. Los ancianos que dirigen bien, merecen "doble honor", pero "mayormente" (sobre todo) aquellos que trabajan arduamente en predicar y enseñar.

La otra interpretación afirma que en ciertos contextos *malista* significa "es decir", "en otras palabras" o "para ser precisos".[24] En este sentido, se usa el término cuando una afirmación general necesita ser definida con mayor precisión. Es posible que esta sea la forma correcta en que *malista* deba ser leída en 1 Timoteo 4:10; 2 Timoteo 4:13; y Tito 1:10. Si así es como *malista* es usada en 1 Timoteo 5:17, entonces el texto se leería: "Los ancianos que gobiernan bien, sean tenidos por dignos de doble honor, es decir, los que trabajan en predicar y enseñar". Si éste es el caso, la frase "los que trabajan en predicar y enseñar" define con mayor precisión la frase general "los ancianos que gobiernan bien". Ambas cláusulas se refieren a un mismo grupo: los que trabajan en predicar y enseñar.

A pesar de que ambas interpretaciones son apropiadas al contexto, es preferible la primera interpretación porque Pablo podría haber afirmado directamente que los ancianos que enseñan merecen doble honor sin hacer mención de gobernar bien. Sin embargo, el hecho de que menciona gobernar bien y trabajar en predicar y enseñar, sugiere que tiene en cuenta a todos los ancianos que merecen doble honor por su trabajo, pero principalmente los que trabajan en enseñar. Sea cual fuere la interpretación favorecida, la mayor preocupación de Pablo es que la congregación honre adecuadamente a aquellos ancianos que trabajan en predicar y enseñar. Sobre este punto no debería haber mayor desacuerdo.

Aunque todos los ancianos gobiernan, algunos ancianos merecen apoyo económico porque "gobiernan bien". La palabra "gobernar" viene de la palabra griega *prohistémi*. Como ya hemos observado en 1 Tesalonicenses 5, la palabra *prohistémi* significa "liderar", "cuidar de", "administrar", o "dirigir". La traducción de la versión Reina Valera de la palabra *prohistémi* como "gobernar" es un poco fuerte, y la traducción "cuidar de", que muchos eruditos prefieren, es demasiado débil a menos que uno comprenda claramente que el cuidado al que se refiere es el de liderar y enseñar a la gente. La idea que se comunica aquí es que los ancianos ejercen un liderazgo pastoral eficaz. Tales líderes son líderes por naturaleza, son visionarios, planificadores, organizadores y motivadores. Son el tipo de hombres que consiguen que las cosas se hagan y que pueden cuidar eficazmente de las personas. Asimismo, están dispuestos y pueden ofrecer gran parte de su tiempo, capacidades y energía al cuidado espiritual de la congregación local.

Además, los ancianos que merecen particularmente el doble honor son los que "trabajan" en predicar y enseñar. Pablo usa aquí el mismo término *(kopiaó)* para "trabajar" que usa en 1 Tesalonicenses 5:12 donde se refiere a los ancianos de la iglesia de Tesalónica que trabajan arduo en dirigir y enseñar a la gente. "Con este verbo", escribe George Knight, "está haciendo referencia tímidamente al trabajo de estos ancianos, como un trabajo enérgico y laborioso".[25] Como estos ancianos dirigen y enseñan diligentemente a la congregación, Pablo les exhorta que: "sean tenidos por dignos" lo que significa "legítimamente merecedores de" o "habilitados para". A causa de sus capacidades y esforzada labor, esos ancianos son legítimamente merecedores de doble honor.

Los buenos maestros "trabajan" arduamente durante largas horas de estudio, preparación y situaciones exigentes de enseñanza. Enseñar es una tarea absorbente. Es un trabajo mentalmente agotador que exige una gran dosis de fuerza y auto disciplina. Comentando sobre "el consumo de energía" en predicar y enseñar, el conocido autor y apologista cristiano R. C. Sproul escribe:

> Aunque los predicadores difieren en el gasto de energía en un sermón, se ha estimado que una exposición de media hora puede consumir tanta energía física como ocho horas de trabajo manual. Billy Graham, por ejemplo, ha sido advertido por los médicos del peligro de agotamiento físico por predicar... la predicación dinámica requiere fuerza y resistencia física. Cuando el cuerpo del predicador pierde su condición física adecuada, esto invariablemente afecta la calidad de su sermón.[26]

El significado preciso de la frase "en predicar y enseñar" es difícil de captar, aunque la idea general es clara. La palabra "predicar", en el texto original es en *logo*. *Logos* es la palabra griega para "palabra" o "lenguaje". El contexto, que es la primera consideración para traducir un término con un significado tan amplio, exige interpretar "predicar" en el sentido general de exhortar, amonestar o evangelizar. Ligado a predicar, pero distinto, es "enseñar" *(didaskalia)*. *Predicar* es un término más amplio, que incluiría proclamar el evangelio y exhortar a los creyentes, y *enseñar* es un término más específico, que implica la instrucción más autoritativa en la doctrina, para creyentes. Al usar "predicar y enseñar", Pablo cubre todas las dimensiones del discurso público.

La gran pregunta que surge cuando se discute este pasaje es ¿quiénes son esos ancianos? Ya que a *todo* anciano de la iglesia se le exige que sea "apto para enseñar" (1 Timoteo 3:2), pero solamente algunos ancianos trabajan en enseñar, ¿cuál es la diferencia entre los ancianos? La respuesta la encontramos en la frase "los que trabajan" *(kopiontes)*. La razón por la que estos ancianos "trabajan" en enseñar es porque están espiritualmente dotados para hacerlo. Son llamados a estudiar las Escrituras y a trabajar todo el tiempo en la enseñanza. Ninguna otra cosa les da tanta satisfacción como enseñar y predicar la Palabra de Dios. Tienen habilidad para comunicar la divina verdad, y hay una notable efectividad en su enseñanza. Atraen a muchas personas, y la gente tiene plena confianza en su conocimiento de las Escrituras. Su enseñanza produce mucho fruto. Aunque todos los ancianos tienen que poder enseñar, no todos son maestros y pastores dotados por el Espíritu que trabajan en la Palabra.

Para comprender la diferencia entre ancianos que enseñan y ancianos que trabajan en enseñar, consideremos lo siguiente. A todo cristiano se le manda que sea capaz de defender la fe (1 Pedro 3:15) y aprovechar las oportunidades para dar testimonio a los no creyentes (Colosenses 4:5,6). Aunque todos los cristianos tienen que estar dispuestos y ser capaces de dar testimonio para Cristo, solamente algunos son evangelistas dotados por el Espíritu; hay diferencias y grados de talentos y eficacia evangelística. Por ejemplo, no todo evangelista es un Billy Graham.

Lo mismo es cierto para la enseñanza. Todo cristiano maduro debería ser capaz de enseñar y defender la fe (Colosenses 3:16; Hebreos 5:12). Por lo tanto, todos los ancianos, como cristianos maduros y ejemplares, deben ser capaces de enseñar, exhortar en la sana doctrina y defender la verdad de los falsos maestros (1 Timoteo 3:2; Tito 1:9). Incluso si la condición "apto para enseñar" implica el don espiritual de enseñar, como piensan algunos comentaristas, no todo anciano tendría el mismo nivel de habilidad o interés en enseñar (Romanos 12:6). Sin embargo, como la lista de requisitos para los ancianos puede adecuarse a cualquier cristiano maduro, y todos los cristianos maduros deberían ser capaces de enseñar la verdad a otros, el requisito "aptos para enseñar" no requiere necesariamente el don espiritual de enseñar. Primera Timoteo 5:17 ayuda a confirmar este punto de vista al afirmar que solamente algunos ancianos trabajan en enseñar. Por supuesto, 1 Timoteo 5:17 no impide a otros ancianos enseñar, sino que simplemente afirma que algunos trabajan en la Palabra.

El tipo de don espiritual sugerido en 1 Timoteo 5:17 es paralelo al que encontramos en Efesios 4:11, que afirma que el Cristo resucitado confiere a la Iglesia pastores y maestros dotados para equipar a su pueblo para un mejor servicio en favor del cuerpo. "Y él mismo constituyó a unos, apóstoles; a otros, profetas; a otros, evangelistas; *a otros, pastores y maestros, a fin de perfeccionar* a los santos para la obra del ministerio, para la edificación del cuerpo de Cristo" (Efesios 4:11, 12; cursivas agregada). Según la estructura gramatical de la frase "y a otros, pastores y maestros", los pastores y los maestros están íntimamente ligados, pero no son lo mismo. Los pastores están incluidos en la categoría de maestros, pero no todos los maestros están incluidos en la categoría de pastores. Entonces, el don de pastor, combina singularmente la enseñanza y el gobierno.[27] Este es el tipo de don que permitiría a un anciano "gobernar bien" y "trabajar" en enseñar.

Existe una gran flexibilidad en cuanto a la forma en que se desempeñan los maestros. Pueden desempeñarse localmente o como maestros itinerantes. Pueden o no ser ancianos. Por otra parte, los pastores son más que maestros porque enseñan, gobiernan, protegen y cuidan del rebaño en formas prácticas. Los pastores pueden ser itinerantes, pero sus talentos se usan con más frecuencia para atender a las necesidades del rebaño local. Por eso, los ancianos que tienen el don espiritual de pastorear son extremadamente importantes para la iglesia local y para el liderazgo de ancianos.

No se debe permitir que las diferencias en los dones espirituales provoquen celos y divisiones en el liderazgo de ancianos. Al afirmar la aprobación de tales ancianos y su merecimiento de doble honor, Pablo destaca que estos ancianos deben ser vistos por la congregación y sus colegas ancianos como una fuente de bendiciones, gozo y provecho, más que como una amenaza. Además, no debemos pasar por alto el hecho de que Pablo tiene en cuenta a un grupo de ancianos que tienen derecho a doble honor, no un solo hombre que recibe doble honor. No dice "El *anciano* que gobierna bien, sea tenido por digno de doble honor". En una iglesia grande como la de la ciudad de Efeso, una sola persona sería totalmente inadecuada para enseñar y dirigir la iglesia (Hechos 13:1; 15:35).

Por fundamentales que sean los dones de predicar y enseñar para la iglesia local, el Nuevo Testamento no eleva a quienes poseen esos dones a una categoría sacerdotal o clerical especial. Tampoco crea un oficio separado del resto del liderazgo. Ni da derechos exclusivos a ningún grupo para predicar, bautizar, dirigir la adoración o administrar la cena del Señor.[28] De hecho, el Nuevo Testamento no asigna un título o nombre especial a estos ancianos aunque sus dones y su condición de trabajo de tiempo parcial o completo para la iglesia los distinguen del resto de los ancianos.

Desde la perspectiva del Nuevo Testamento es difícil incluso definir la diferencia entre aquellos que evangelizan, enseñan y pastorean a dedicación total y los que sirven de la forma que la Biblia encarga a todos los cristianos servir (Romanos 12:11; 1 Corintios 15:58; 16:15, 16; Colosenses 3:23, 24; 1 Pedro 2:16; 4:10). Divisiones definidas con precisión como las de sacerdote y pueblo, clero y laicado —tan propias de la mayoría de la práctica religiosa— no existen en la comunidad cristiana del Nuevo Testamento. Pablo fue el enigma mayor, porque se sostenía a sí mismo con trabajo manual y al mismo tiempo evangelizaba y enseñaba (Hechos 18:3; 20:34; 1 Corintios 4:12; 9:6) sin despreciar su misión divina como apóstol de los gentiles. Los ancianos, entonces, que trabajan en la Palabra y ejercen un buen liderazgo son, en palabras de las Escrituras, "varones principales entre los hermanos" (Hechos 15:22).

Doble honor

Según Pablo, todos los ancianos deben ser honrados, pero los ancianos que gobiernan bien y trabajan en predicar y enseñar son dignos de "doble honor". Al usar la expresión "doble honor", Pablo evita prudentemente dejar de lado a los demás ancianos de su merecido honor y logra llamar la atención especial sobre los que gobiernan bien y trabajan en enseñar. Por lo tanto, "doble honor" se refiere al honor que merece un anciano de la iglesia, y al honor que merece por su labor extra.

La palabra *"honor" (time)* significa "respeto", "consideración" o "gran estima", y en algunas circunstancias incluye la idea de ayuda monetaria. Este último sentido parece predominar en 1 Timoteo 5. Consideremos los siguientes puntos:

- Aunque la palabra *"honor" (time)* misma no implica necesariamente asistencia material (2 Crónicas 32:33; Proverbios 26:1; Efesios 6:2; 1 Timoteo 6:1), incluye en ciertos contextos el sentido de ayuda material (Mateo 15:3-6; comparar Números 22:17, 37; 24:11; Proverbios 3:9; 14:31; 27:18; Daniel 11:38; Hechos 28:10).

- Primera Timoteo 5:3 dice "Honra a las viudas que en verdad lo son". Las "viudas que en verdad lo son" son viudas cristianas realmente desposeídas. El mandamiento que sigue (versículos 4-16) demuestra que honrar a las viudas implica principalmente la asistencia material (versículos 4, 8, 16). Una iglesia honra a las viudas desposeídas proveyendo para sus necesidades vitales.

- Las citas bíblicas en el versículo 18 muestran que la provisión material es fundamental en el pensamiento de Pablo. Por eso, el contexto inmediato indica que "honrar" implica el sostén material. El comentarista bíblico J. E. Huther resume mejor la fuerza de este punto:

  > El versículo 18 pone en evidencia que, si bien la palabra *timés* (versículo 17) no significa explícitamente *recompensa* o *remuneración*, la idea era fundamental en el pensamiento del Apóstol, en relación con honor del que estos presbíteros debían considerarse dignos. La cita del A. T. en la primera cláusula en relación con las palabras... de la segunda, y tal como están usadas y aplicadas en 1 Corintios 9:9, prácticamente no admiten ninguna otra explicación.[29]

- Usar la palabra "honor" en lugar de otra más tangible como "dinero" está en armonía con la elección de Pablo de las expresiones en asuntos financieros. Pablo favorece términos que expresan gracia, liberalidad, amor y compañerismo: servicio (Romanos 15:25, 27; 2 Corintios 8:4; 9:1, 12, 13); comunión (2 Corintios 8:4; Filipenses 1:5; Gálatas 6:6); gracia (1 Corintios 16:3; 2 Corintios 8:6, 7); generosidad (2 Corintios 8—9); abundancia (2 Corintios 8:20); bendición (2 Corintios 9:5); buena obra (2 Corintios 9:8); cosas buenas (Gálatas 6:6); aroma fragante y sacrificio aceptable (Filipenses 4:18); semilla (2 Corintios 9:10); frutos de justicia (2 Corintios 9:10); dádivas (Filipenses 4:17); honor (1 Timoteo 5:3, 17).

- La palabra "honor" expresa la compensación económica de una manera profundamente cristiana. La provisión material a los ancianos es el verdadero honor debido a los ancianos, y tal honor comunica la estima, la consideración y la cariñosa solicitud de la congregación. No deberíamos ser como las personas que, según describe Hendriksen, piensan que "si se debe conceder algún honor, debe ser a la hora del sermón fúnebre".[30] O en las palabras del conocido comentarista luterano Richard C. H. Lenski (1864-1936): "Las coronas no deben ser colocadas en la tumba después de su muerte; hay que darles las flores ahora para animarlos en su trabajo".[31]

- El derecho de algunos entre los hermanos de recibir sostén material está en total acuerdo con otros pasajes de las Escrituras. Jesús fue un predicador dedicado totalmente a su ministerio y uno que era sostenido económicamente por la comunidad de creyentes (Lucas 8:3). El llamó a algunos discípulos a dejar sus empleos y seguirlo para que pudieran predicar el evangelio y enseñar a los creyentes (Lucas 5:4-11; Mateo 28:19, 20). Al igual que su Maestro, ellos también dependían del cariñoso sostén económico de otros para sus necesidades vitales. Más todavía, Jesús enseñó que aquellos que trabajan en la Palabra "que vivan del evangelio" (1 Corintios 9:14; Mateo 10:10). Pablo también afirmó el derecho de quienes predican y enseñan de recibir provisión material de otros (1 Corintios 9:4-14; 2 Corintios 11:8, 9; Gálatas 6:6; Filipenses 4:16; 1 Tesalonicenses 2:5, 6; 2 Tesalonicenses 3:8, 9; Tito 3:13). En nuestro pasaje, Pablo instruye a la congregación a sostener a los ancianos de la congregación que predican y enseñan.

Pablo piensa muy en serio con respecto al deber de la congregación de cuidar de los ancianos que trabajan en la Palabra. No quiere ningún malentendido con relación al significado o la necesidad de su mandamiento, por eso en el versículo 18 agrega apoyo y clarificación bíblica a su encargo. Citando del Antiguo como del Nuevo Testamento, Pablo escribe: "Pues la Escritura dice: No pondrás bozal al buey que trilla; y: Digno es el obrero de su salario".

Pablo introduce ambas citas diciendo: "Pues la Escritura dice". Para el creyente, la sola mención de la palabra Escritura señala la voz de la autoridad suprema: la Palabra de Dios (Juan 10:35). Al utilizar esta frase calificadora, Pablo está diciendo que existe total unidad entre el Antiguo y el Nuevo Testamento: tanto Moisés como Jesús sostienen que el hombre que trabaja "es digno de su salario".

La cita de Pablo del Antiguo Testamento es de Deuteronomio 25:4, "No pondrás bozal al buey cuando trillare". El contexto de Deuteronomio se relaciona con la equidad y la justicia en la vida diaria, incluso los derechos de un animal a disfrutar del fruto de su esfuerzo mientras trabaja para su dueño. El significado pleno de Deuteronomio 25:4 se explica en 1 Corintios 9:6-14:

"¿O sólo yo y Bernabé no tenemos derecho a no trabajar? ¿Quién fue jamás soldado a sus propias expensas? ¿Quién planta viña y no come de su fruto? ¿O quién apacienta el rebaño y no toma de la leche del rebaño? ¿Digo esto sólo como hombre? ¿No dice esto también la ley? Porque en la ley de Moisés está escrito: No pondrás bozal al buey que trilla. ¿Tiene Dios cuidado de los bueyes, o lo dice enteramente por nosotros? Pues por nosotros se escribió; porque con esperanza debe arar el que ara, y el que trilla, con esperanza de recibir el fruto. Si nosotros sembramos entre vosotros lo espiritual, ¿es gran cosa si segáramos de vosotros lo material? Si otros participan de este derecho entre vosotros, ¿cuánto más nosotros? Pero no hemos usado de este derecho, sino que lo soportamos todo, por no poner ningún obstáculo al evangelio de Cristo. ¿No sabéis que los que trabajan en las cosas sagradas, comen del templo, y que los que sirven al altar, del altar participan? Así también ordenó el Señor a los que anuncian el evangelio, que vivan del evangelio".

Dos veces en el Nuevo Testamento se cita Deuteronomio 25:4 para apoyar el derecho de los maestros y los predicadores de recibir sostén material por su trabajo (1 Corintios 9:9; 1 Timoteo 5:18). Negarse a sostener a los maestros de la Palabra que trabajan arduo, es tan injusto, tan cruel y tan egoísta como poner bozal al animal mientras está trabajando, que era una práctica común entre los antiguos granjeros codiciosos. En consecuencia el pasaje implica la provisión del adecuado sostén vital para el obrero, no meramente dádivas simbólicas.

La cita de Pablo del Nuevo Testamento: "Digno es el obrero de su salario", es de Lucas 10:7. Jesús había dicho esas palabras originalmente a los setenta antes de enviarlos a predicar. Pablo aplicó esas Palabras a todos los que enseñan y predican el evangelio (1 Corintios 9:14). Aquí, en 1 Timoteo 5:17, 18, Pablo aplica las mismas palabras a los ancianos que trabajan en la Palabra.

No importa lo pobre que sea la congregación local, debe ejercitar la fe y la generosidad delante del Señor (2 Corintios 8:1-5) dando a quienes trabajan en la Palabra. En resumen, el pueblo de Dios debe honrar a sus ancianos. "Porque, qué podría ser más hiriente", escribe Calvino, "que no cuidar de aquellos que cuidan de toda la Iglesia".[32]

Hoy en día necesitamos desesperadamente captar la pasión y la visión de Pablo de la centralidad de predicar y enseñar la Palabra con el poder del Espíritu Santo. Si lo hacemos, gustosamente concederemos doble honor a los ancianos que trabajan en la Palabra. De lo contrario, estaremos condenados a andar desviados del camino, cerca de aguas prohibidas, como ocurrió con la iglesia de Efeso.

Protegiendo al anciano

Honrar a los ancianos también incluye protegerlos de la gente maliciosa y de las falsas acusaciones. Las Escrituras dicen: "Contra un anciano no admitas acusación sino con dos o tres testigos" (versículo 19). No debemos ser ingenuos respecto al hecho de que hay muchas personas odiosas, inestables que intentan arruinar a las personas con autoridad. Hombres piadosos como José, Moisés, David, Jeremías, Nehemías y Pablo, todos experimentaron el amargo sabor de las falsas acusaciones. David, por ejemplo, suplicó al rey Saúl que no escuchara los informes falsos acerca de sus intenciones para con él. "Y dijo David a Saúl: ¿Por qué oyes las palabras de los que dicen: Mira que David procura tu mal?" (1 Samuel 24:9; comparar con Nehemías 6:5-9).

Miembros descontentos y rencorosos de la naciente China Inland Mission, prácticamente destruyeron la misión por sus falsos informes y quejas contra su santo líder Hudson Taylor. La esposa de Taylor, María, escribió indignada a la esposa de uno de los acusadores de su esposo, recordándole 1 Timoteo 5:19:

> Estoy enterada de que (su esposo) ha recibido... serias falsificaciones —para no llamarlas algo peor. ¿No hubiera sido el procedimiento correcto, antes de permitir que las mismas afectaran su *conducta,* haberse esforzado por ver el otro lado del asunto? "Contra un anciano" —y tal es con seguridad mi querido esposo para el resto del grupo— "no admitas acusación sino con dos o tres testigos". Conozco más íntimamente que ningún otro el tenor de la conducta privada y social de mi amado esposo, y... esa conducta es en toda *mansedumbre* y *paciencia,* en toda *pureza* y *sinceridad de propósito,* y *en toda unidad.*[33]

Lamentablemente, la amonestación bíblica de María Taylor no fue escuchada hasta que causó mucho dolor y daño en su familia.

Si un anciano se interpone entre un esposo y una esposa en conflicto, o disciplina a un destacado miembro de la iglesia, se dispararán las acusaciones. Amós (alrededor de 755 a.C.), el granjero que se convirtió en profeta, del Antiguo Testamento, escribió: "Ellos aborrecieron al reprensor en la puerta de la ciudad, y al que hablaba lo recto abominaron" (Amós 5:10). Cuanto más diligente y comprometido se vuelva el anciano en los problemas de los demás, tanto mayor será el riesgo de enfrentar amargas y falsas acusaciones.

Cuando las personas se enojan con sus líderes, piensan que tienen el derecho de atacarlos y decir lo que se les ocurra. Por eso las Escrituras proveen protección a los ancianos al afirmar: "Contra un anciano no admitas acusación sino con dos o tres testigos". Esto significa: no escuchen acusaciones sin fundamento, y no acepten automáticamente como verdadero un cargo hecho contra un anciano.

En el fondo, a todos nos gusta escuchar rumores y escándalos. Proverbios 18:8 dice: "Las palabras del chismoso son como bocados suaves, y penetran hasta las entrañas". Pero los cristianos deben ser gente de verdad, amor y luz. Por eso, deberíamos detestar las habladurías escandalosas y los rumores infundados. Deberíamos silenciarlos ni bien los escuchemos porque son destructivos y dañinos a las personas como individuos y a la vida de la comunidad. Buenas personas han sido arruinadas por acusaciones infundadas, por lo tanto no debemos permitir que esto ocurra en la comunidad cristiana.

El amor siempre trata de ver a los demás con la mejor óptica posible, no con la peor (Proverbios 17:9). En consecuencia, nuestros juicios deben estar dominados por los hechos, las evidencias y los testigos, no por los rumores. Debemos vivir según el principio de "no juzgar sin los hechos". No debemos creer ninguna historia, ni siquiera de nuestros amigos más confiables, hasta tener todos los hechos de todas las personas implicadas.

Sin embargo, la protección justa, razonable de las acusaciones no implica inmunidad. Por eso Pablo agrega la condición: "sino con (en base a la evidencia de) dos o tres testigos". Esto significa que una acusación presentada por dos o tres personas que han presenciado el pecado, o por dos o tres personas que han verificado una situación, debe ser investigada y adecuadamente juzgada. George Knight explica acertadamente esta condición:

> En efecto, Pablo insta a Timoteo a seguir a... Mateo 18 y el Antiguo Testamento antes de que la iglesia acepte o reconozca como correcta alguna acusación contra un anciano. El proceso puede consistir en dos o tres testigos que traen una acusación, pero normalmente sería el de dos o tres testigos que verifiquen una acusación que puede venir de un individuo, antes de que se la siga considerando.[34]

El principio legal en el que se basa esta directiva es Deuteronomio 19:15: "No se tomará en cuenta a un solo testigo contra ninguno en cualquier delito ni en cualquier pecado, en relación con cualquiera ofensa cometida. Sólo por el testimonio de dos o tres testigos se mantendrá la acusación" (Deuteronomio 19:15, comparar Juan 8:17; Deuteronomio 17:6; Hebreos 10:28). Una acusación de pecado fundamentada por testigos debe ser escuchada; no puede ser dejada de lado sin darle importancia. Por más desagradable y consumidora de tiempo que pudiera ser la justa investigación de una acusación, es necesario realizarla. El pecado no puede quedar oculto, ni puede una persona inocente permanecer acusada falsamente.

La disciplina de un anciano

¿Cómo debe ser tratado un anciano si una acusación de pecado resulta ser verdadera? El versículo 20 provee la respuesta: "A los que persisten en pecar, repréndelos delante de todos". Algunos expositores piensan que el versículo 20 inicia un nuevo tema en relación con el tratamiento de los pecadores en general, pero esta perspectiva es incorrecta. Semejante interrupción de pensamiento sería demasiado abrupta e inesperada. Más aun, es claro que los versículos 19-25 continúan el tema de los ancianos, particularmente el pecado de los ancianos.

La cláusula, "A los que persisten en pecar" traduce un participio presente activo *(tous hamartanontas)* que refuerza la naturaleza persistente del pecado. No obstante, hay desacuerdo entre los comentaristas de lo que implica ese participio presente en voz activa.

Algunos comentaristas creen que solamente aquellos ancianos que persisten obstinadamente en el pecado después de advertencias en privado, deben ser reprendidos públicamente. Sin embargo esta interpretación no se ajusta al pasaje. Una interpretación más precisa reconoce que hay un contraste entre ancianos inocentes (v. 19) y ancianos que pecan (v. 20). Los ancianos que deben ser reprendidos públicamente son aquellos que han sido hallados culpables de pecado por testigos probados (v. 19).

La disposición del anciano hacia su pecado no es el asunto aquí. El asunto es: el pecado de un anciano exige exposición pública. Pablo no presta ninguna consideración al asunto de si el anciano se arrepiente. El participio presente del verbo debería ser traducido "los que pecan" no "los que persisten en pecar". El verbo describe la "culpa actual"[35] que ha sido comprobada por testigos (versículo 19). Agregar la condición de que una sola oportunidad de pecado o el pecado de un anciano arrepentido no debe ser reprendido públicamente es distorsionar la enseñanza de Pablo. El pasaje enseña que una acusación pública probada contra un anciano que ha pecado (o continúa pecando) debe ser expuesta y reprendida públicamente.

Además, 1 Timoteo 5:20 no es simplemente un ejemplo de Mateo 18:15-17 (la enseñanza de Cristo sobre la disciplina) en acción. Primera Timoteo 5:20 provee instrucción bíblica adicional sobre la disciplina en la iglesia, específicamente el asunto del pecado del anciano de iglesia. Por supuesto, si un anciano se niega a arrepentirse, debe ser excomulgado de la congregación según Mateo 18.

La enseñanza de Pablo sigue para agregar que un anciano a quien se ha probado culpable de pecado mediante testigos debe ser reprendido delante de la iglesia. El verbo "reprender" (que en el texto está en imperativo) se traduce del griego *elenchó*, que es un término rico que transmite las ideas de "exponer", "demostrar culpa", "corregir" o "reprobar". En este contexto, "reprender" incluye las ideas de exposición pública, corrección y reprobación. Después de la partida de Timoteo de Efeso, los ancianos serían los responsables de reprender a cualquier anciano que pecara.

El contexto indica que el pecado al que Pablo se refiere es grave. El "pecado" es el problema, no simplemente un error o un descuido del anciano. Se requiere que los testigos verifiquen la veracidad del cargo (versículos 19, 20) y se exige una reprobación pública, cosa que no se requiere para ofensas menores. Como el versículo 20 está escrito en términos muy generales, las instrucciones de Pablo cubren diversos grados de pecado, circunstancias y consecuencias. Una piadosa sabiduría, consejo y oración guiarán a la iglesia local y sus líderes espirituales para la ejecución de estas instrucciones en casos individuales.

Pablo requiere específicamente que el líder culpable sea reprendido "delante de todos". Esto significa exposición pública frente a toda la congregación, no solamente ante el concilio de ancianos. El punto principal es que el pecado de un anciano debe ser expuesto públicamente, no escondido ni barrido bajo la alfombra. El pecado de un líder espiritual debe ser tratado con mucha seriedad, porque tiene graves ramificaciones; puede desviar a más personas y puede hacer que los no creyentes se burlen de Dios, la iglesia y el evangelio. Si el mundo ve que las iglesias locales toman el pecado con seriedad, especialmente en cuanto a la disciplina de un líder que ha pecado, entonces creerán que los cristianos viven lo que predican. Además, sólo cuando la disciplina de un líder descarriado de la iglesia se hace pública, hay alguna posibilidad de controlar una de las fuerzas más divisoras de la iglesia: la circulación de rumores, los chismes y la desinformación.

La reprensión pública de un anciano que peca cumple otro propósito importante: "Para que los demás también teman". La disciplina pública no solamente es para la corrección del anciano pecador, es también para disuadir a otros de pecar. "Los demás" parece referirse a los demás ancianos, pero toda la congregación experimentará también alguna medida de temor (Hechos 5:11). El temor que experimentarán los ancianos incluye no solamente el temor a pecar, sino a la exposición pública. Ver expuesto públicamente delante de la iglesia el pecado de un anciano colega, producirá temor a pecar y a sus vergonzosas consecuencias (Deuteronomio 13:11). Dios usa ese temor como un poderoso instrumento para disuadir a las personas de pecar, especialmente a los líderes de iglesia.

Un llamado a obedecer y hacer justicia con valor

Ninguna parte del ministerio cristiano es más difícil que la investigación y la disciplina del pecado, especialmente el pecado de un anciano de iglesia. Uno puede pensar en miles de excusas razonables para evadir la disciplina de un líder de iglesia. Esto es particularmente cierto si el líder es un miembro rico o destacado de una familia poderosa o grande de la iglesia. En el fondo, somos cobardes, tenemos temor de actuar, temor de perturbar el equilibrio de los intereses de la iglesia. Tememos que la gente abandone la iglesia o que las ofrendas bajen si llevamos hasta el final la disciplina correspondiente.

Conociendo la propensión humana a esquivar esas duras realidades, Pablo encarga vehementemente a Timoteo (y a la iglesia) que cumpla con sus instrucciones de los versículos 19 y 20. La absoluta seriedad de "guardar estas cosas" se entiende por el uso que hace Pablo de la primera persona singular: "Te encarezco" y la mención de "Dios" mismo, de "Cristo Jesús" el Mediador, y de los "ángeles" escogidos por Dios, todos los cuales son testigos, y algún día juzgarán las actuaciones. Además, Timoteo debe cumplir "estas cosas" con justicia y sin parcialidad. No debe mostrar discriminación ni favoritismo cuando trata acusaciones de pecado.

"Sin prejuicios" implica sin discriminación, sin juzgar a alguien culpable o inocente antes de conocer los hechos. "Sin prejuicios" parece referirse particularmente al versículo 19. Es posible tener prejuicio contra quienes acusan a un anciano de pecado, o hacia ciertos ancianos, por eso debemos guardarnos de esos prejuicios. El segundo término, "sin parcialidad" puede referirse especialmente al versículo 20. Mostrar "parcialidad", es decir, "hacer favoritismo", o "dar trato preferencial" hacia líderes destacados es una practica común en el mundo. De manera que al escuchar a un acusador o reprender a un culpable, todos los procedimientos deben ser hechos "sin prejuicios" y "sin parcialidad". Este es un requisito importante porque Dios, Cristo, y los ángeles ven todas estas cosas y algún día juzgarán los procedimientos.

A pesar de esta forzosa apelación a la acción, la disciplina pública de los líderes de iglesia ha sido —hasta recientemente— casi desoída en la mayoría de las iglesias. La práctica de cubrir los pecados de los encargados de la iglesia, y la triquiñuela de trasladar silenciosamente al ofensor a otra iglesia, no son raras.[36] Lamentablemente, el motivo predominante por el que las iglesias están comenzando a disciplinar a sus pastores pecadores no es porque temen y honran a Dios, sino por la proliferación de juicios onerosos contra las iglesias iniciados por personas que han sido perjudicadas y abusadas por pastores pecadores.

La ausencia de disciplina pública de los líderes de iglesia demuestra una lamentable falta de amor a Dios y a su Palabra. Revela que no tememos ni servimos a Dios, y que no tomamos la iglesia en serio. No importa lo difícil o doloroso que pueda ser esa disciplina, debemos "guardar estas cosas" en obediencia a Dios. El temor al juicio de Dios y la evaluación de nuestra mayordomía deben ser nuestra permanente motivación y estímulo en todos esos asuntos difíciles.

La evaluación de los presuntos ancianos

La investigación de las acusaciones de pecado y la disciplina de los líderes son siempre experiencias emocionalmente traumáticas. De manera que en los versículos 22-25, Pablo aconseja a Timoteo acerca de la mejor forma de evitar futuros problemas con los líderes de iglesia. Su consejo: "No impongas con ligereza las manos a ninguno" muestra que la prevención sigue siendo la mejor forma de curar.

La imposición de manos es una expresión bíblica del nombramiento para un oficio o tarea específica (Números 27:18-23; Hechos 6:6). De modo que en el versículo 22, Pablo encarga a Timoteo que no nombre ancianos (ni nadie) "con ligereza", o "apresuradamente". A causa de la urgente necesidad de líderes de iglesia, siempre hay presión para hacer nombramientos apresurados, pero esos nombramientos precipitados producen problemas más graves y de mayor duración. El tiempo y la prueba siguen siendo los mejores principios que hay que seguir cuando hay que designar líderes de iglesia.

La advertencia de Pablo de no imponer "con ligereza las manos a ninguno" indica que los ancianos se designaban con imposición de manos. Aunque el Nuevo Testamento no provee ningún ejemplo específico de la imposición de manos en el momento de la designación de un anciano, probablemente era la práctica común usada por Pablo y los primeros cristianos (Hechos 6:6; 13:3; 1 Timoteo 4:14).

La advertencia de no nombrar ancianos con precipitación se puede aplicar en dos sentidos: al nombramiento inicial de un anciano para el oficio o a la restauración a su oficio de un anciano que ha sido disciplinado. En numerosos casos de fracaso en el liderazgo (pero ciertamente no en todos), el verdadero problema es que hombres inadecuados y no examinados fueron nombrados precipitadamente para posiciones de liderazgo espiritual. Por eso Pablo advierte a Timoteo que una manera de evitar que hombres indignos se conviertan en líderes espirituales es no caer en designaciones imprudentes y precipitadas.

El mismo principio se aplica, particularmente en este contexto, a un anciano que ha sido disciplinado y que busca la restauración a su posición después de haber sido removido de su oficio a causa del pecado. No es infrecuente que un líder ambicioso presione a la iglesia para su restauración al oficio. El problema con hombres tan dinámicos es que suelen estar tan consumidos por la ambición personal y "el ministerio" que no tienen idea del daño que hacen al pueblo del Señor o al nombre del Señor. No comprenden que incluso cuando son posibles, la sanidad y la restauración llevan mucho tiempo. J. Carl Laney, autor de *A Guide to Church Discipline*, (Una guía para la disciplina de la iglesia) señala:

La restauración lleva *tiempo*. Si el empleado de la estación de servicio me da instrucciones que terminan haciendo que me pierda, pasará un buen tiempo antes de que pueda volver a confiar en sus instrucciones. Si un esposo comete adulterio, llevará un largo tiempo de fidelidad para restaurar la confianza de su esposa. De manera similar, debe pasar bastante tiempo antes de que un obrero cristiano que ha sido disciplinado, sea examinado y sometido a prueba. El líder que ha caído debe ganar una vez más la reputación de ser "irreprensible". Lleva años de vida cristiana fiel para ser aprobado la primera vez. Después de una caída, puede llevar igual tiempo para nuevamente calificar al liderazgo.[37]

La iglesia local y sus líderes, entonces, necesitan recordar que no deben imponer las manos precipitadamente sobre un anciano que ha caído ni sobre un nuevo candidato. La posible consecuencia de tales nombramientos precipitados e imprudentes por parte de Timoteo (o los ancianos) podría significar participar en "pecados ajenos".

La mención de "pecados" en el versículo 22 continúa con la idea de pecado que se presenta en el versículo 20, el pecado de un anciano que se demostró culpable y requirió disciplina pública. La imposición de manos produce un vínculo entre las dos partes. El que nombra o los que nombran con la imposición de manos "participa" *(koinoneó)* en los pecados o el éxito del nombrado. Si se nombra un individuo inadecuado para el liderazgo y éste peca produciendo división, enseñando falsa doctrina o actuando con inmoralidad, quienes lo nombraron como líder, "participan" en ese pecado (2 Juan 11). Cuanto más comprendamos la solemne responsabilidad personal de nombrar individuos para cargos de liderazgo en la iglesia, tanto más ejerceremos la precaución, la reflexión y la oración en nuestros nombramientos. Una buena razón para estimular la práctica es que produce un sentido de responsabilidad tangible, observable y personal y un compañerismo entre las partes involucradas.

Plenamente consciente de la seriedad de su encargo a Timoteo, Pablo agrega la advertencia: "Consérvate puro". El nombramiento imprudente de un anciano no calificado podía manchar el carácter y la reputación de Timoteo. Podía hacer que "participe" en el pecado y el fracaso de tal persona. Por eso Pablo recomienda a Timoteo que se mantenga puro de participar en los pecados de los ancianos inadecuados, examinando cuidadosamente y en oración todos los candidatos para oficios de la iglesia (1 Timoteo 3:10; 5:24, 25).

El versículo 23 es una corta digresión, iluminada por la palabra "puro", que requiere clarificación. Conociendo la situación en Efeso

(1 Timoteo 4:1-5) y los hábitos personales de Timoteo y sus frecuentes problemas de salud, Pablo lo insta a beber "un poco de vino por causa de tu estómago". "Un poco de vino" no mancha, mientras que beber mucho vino sí lo hace. Por eso, Timoteo podía beber un poco de vino y seguir siendo puro ante las personas a quienes dirigía. Esta breve digresión personal que expresa consideración por la salud personal de Timoteo, es un claro ejemplo de la naturaleza realista de esta carta y es una confirmación de que Pablo es el autor.

Ayuda para evaluar presuntos ancianos

La advertencia de Pablo contra participar de pecados ajenos podía atemorizar fácilmente a quienes debían designar las personas para posiciones de responsabilidad en la iglesia. Para contrarrestar ese temor, Pablo retoma donde dejó en el versículo 22 y cita dos breves principios:

> "Los pecados de algunos hombres se hacen patentes antes que ellos vengan a juicio, mas a otros se les descubren después. Así mismo se hacen manifiestas las buenas obras; y las que son de otra manera, no pueden permanecer ocultas" (1 Timoteo 5:24, 25).

"En lo que respecta a evitar errores", dice Lenski, "y a la posibilidad de nombrar a un hombre inadecuado para anciano, Timoteo no necesitaba preocuparse, porque la dificultad para juzgar no es tan grande. Esto fue dicho para consolar a Timoteo".[38] E. K. Simpson comenta: "Timoteo ha sido llamado a diagnosticar el carácter y Pablo le provee una clave para la tarea y los veredictos que debe dictaminar".[39]

El primer principio se refiere a dos categorías de líderes inadecuados: aquellos que son evidentemente inadecuados y aquellos que luego de un cuidadoso examen se ven inadecuados. El segundo principio se refiere a dos categorías de candidatos adecuados: los que son evidentemente adecuados y los que luego de un cuidadoso examen resultan ser adecuados. Consideremos cada una de las categorías de candidatos.

Los pecados de algunos hombres son tan obvios que nadie pensaría en nombrarlos para un oficio en la iglesia, para ellos no es necesario ningún tipo de evaluación: "Los pecados de algunos hombres se hacen patentes antes que ellos vengan a juicio". Sus "pecados" los preceden, es decir, muestran en forma adelantada a cualquier examen formal, que el hombre es totalmente inadecuado para una posición de liderazgo espiritual. El "juicio" al que se refiere Pablo es la evaluación humana

(Mateo 5:21; Juan 7:24), no el juicio de Dios. Dios no es el sujeto aquí porque todos los pecados son evidentes para él (1 Corintios 4:5).

Los pecados de algunos hombres no son fáciles de ver, así es que se debe suspender el proceso hasta examinar el carácter y la conducta del hombre. "Mas a otros se les descubren después". Pablo asegura a Timoteo que los pecados de estos hombres serán expuestos en el momento de su examen. Dios no es el único que puede ver el pecado. Los hombres también pueden hacerlo si se toman el tiempo para investigar. Al igual que la primera categoría de hombres inadecuados, aunque sus pecados son más sutiles, estos hombres también deben ser rechazados para el liderazgo porque no son irreprensibles.

Si se nombra para un oficio a un hombre indigno después de un cuidadoso examen, los encargados de hacerlo no pueden ser acusados de pecado porque hicieron todo lo humanamente posible para evaluar el carácter del candidato. "'En casos excepcionales de engaño e hipocresía' señala Lenski, citando a otro comentarista, 'que sólo (Dios) que es capaz de ver el corazón podría detectar, evidentemente no se puede acusar de pecado al juez consciente que sin embargo ha sido engañado'... . En esos casos poco frecuentes, Timoteo no estaría compartiendo los pecados de esos hombres; seguiría siendo puro".[40]

La forma del segundo principio es similar al primero. Las buenas obras de algunos hombres son evidentes antes de cualquier examen: "Asimismo se hacen manifiestas las buenas obras". Estos hombres se identifican fácilmente como adecuados para el liderazgo de la iglesia.

Las obras buenas de algunos hombres no son evidentes, pero con un examen sus buenas obras se ponen de manifiesto: "Y las que son de otra manera, no pueden permanecer ocultas", las buenas obras de estos hombres no se pueden esconder, y se hará evidente que son candidatos adecuados para ser nombrados al liderazgo de ancianos.

Pablo está asegurando a Timoteo que mientras él no actúe precipitadamente al nombrar ancianos y examine cuidadosamente a los candidatos, encontrará los hombres adecuados. Armado con estas palabras de estímulo, Timoteo y los líderes de la iglesia están preparados para realizar la desafiante tarea que tienen por delante.

Capítulo 10

Las instrucciones de Pablo a Tito

"Porque es necesario que el obispo sea irreprensible, como administrador de Dios".

Tito 1:7

Tito era uno de los colaboradores más dotados de Pablo. Al igual que Timoteo, Tito se había dedicado fielmente a asistir a Pablo en su misión apostólica de proclamar el evangelio y afirmar las iglesias. Poco después de la liberación de Pablo de la prisión (62 d.C.) Pablo y Tito (y probablemente otros) visitaron la isla de Creta. Al partir de Creta, Pablo dejó a Tito allí para que terminara de organizar y enseñar a las iglesias. Tito era el representante especial de Pablo para cumplir una asignación temporaria, un papel que había hecho muchas veces antes para Pablo. Tito fue reemplazado pronto por Artemo o Títico (Tito 3:12).

Aunque es posible —como afirman algunos— que Pablo hubiera plantado iglesias recientemente en la isla de Creta, no hay ninguna evidencia convincente en apoyo de esa posición. La presencia de maestros falsos infiltrados en los hogares cristianos (Tito 1:10-16; 3:9-11) y la extensa introducción de Pablo en relación con su apostolado (Tito 1:1-3) parecen indicar que las iglesias en Creta habían sido establecidas antes de la visita de Pablo. El hecho de que no hubiera ancianos oficiales en esas iglesias, no implica que Pablo las hubiera fundado. Más bien, la ausencia de ancianos indica que las iglesias eran débiles y tenían una urgente necesidad de cuidado y dirección apostólica. Tal vez Pablo sentía por los cretenses lo mismo que sentía por los cristianos romanos: "Porque deseo veros, para comunicaros algún don espiritual, a fin de que seáis confirmados" (Romanos 1:11).

Poco después de su partida de Creta, Pablo escribió a Tito para reafirmar sus instrucciones verbales en una forma escrita y oficial. Bajo ningún aspecto la carta de Pablo a Tito es correspondencia estrictamente personal (Tito 3:15c). Esta carta, lo mismo que sus otras cartas, era una parte significativa de la obra y la estrategia misioneras de Pablo. La carta estaba destinada a autorizar a Tito, que no era un apóstol, a actuar con autoridad apostólica. "Esto habla, y exhorta y reprende con toda autoridad. Nadie te menosprecie" (Tito 2:15). La carta también estaba destinada a proveer directivas continuas y permanentes para las iglesias para mucho tiempo después que Tito se hubiera ido. Pablo esperaba plenamente que las iglesias obedecieran su carta y a su enviado personal, Tito.

CORREGIR LO DEFICIENTE Y ESTABLECER ANCIANOS

Después de su introducción formal para afirmar su apostolado y sus propósitos (Tito 1:1-4), Pablo recuerda a Tito que hay asuntos pendientes que terminar. Las iglesias de Creta carecen de una estructura organizacional y un orden adecuados, por eso Tito debe "corregir" lo deficiente en esas iglesias:

> "Por esta causa te dejé en Creta, para que corrigieses lo deficiente, y establecieses ancianos en cada ciudad, así como yo te mandé" (Tito 1:5).

El primer lugar en los asuntos y la primera prioridad para Tito era nombrar ancianos calificados para cada iglesia: "establecieses ancianos en cada ciudad, así como yo te mandé". Para Pablo, corregir lo deficiente en las iglesias significaba, entre otras cosas, establecer un grupo de ancianos calificados. Pueden existir iglesias sin ancianos (ver Hechos 14:23), pero es necesario establecer ancianos calificados y activos para la protección y el orden adecuado de la iglesia.

La palabra griega que aquí se traduce por "establecer" es *kathistémi*. Este verbo se usa con frecuencia para expresar el acto de nombrar una persona para una posición oficial, como el nombramiento de un juez o gobernador (Hechos 7:10). El mismo verbo se usa en Hechos 6:3 en relación con los doce apóstoles que nombraron a los Siete para cuidar de los pobres de la iglesia de Jerusalén. En esa situación, la gente eligió a siete hombres, y los apóstoles los establecieron oficialmente como administradores del cuidado de los pobres por parte de la iglesia. El verbo también puede indicar nombramiento en un sentido no oficial. De cualquier manera, como dice el comentarista bíblico R. J. Knowling, "El verbo implica en todas las oportunidades un ejercicio de autoridad".[1]

El verbo *kathistémi*, sin embargo, no tiene ninguna connotación religiosa o clerical especial. Es la palabra común utilizada para el nombramiento de jueces, gobernadores, o cualquier otro en una posición oficial. De manera que traducir el verbo como "ordenar", como lo hacen ciertos eruditos, comunica ideas erróneas.

A Tito se lo instruyó para que designara hermanos calificados de entre las iglesias locales, no para ordenar sacerdotes ni clérigos sagrados. Los ancianos no son sacerdotes. No tienen ninguna posición de ordenación sagrada, como los sacerdotes del Antiguo Testamento (ver Capítulo 14). Además, *kathistémi* no sugiere nada sobre el procedimiento mismo que lleva al establecimiento de ancianos. El nombramiento de Tito era el acto final del proceso y por eso resume todo el proceso.

La frase "en cada ciudad" es otra manera de decir "en cada iglesia". Como lo afirman constantemente los escritores del Nuevo Testamento, la iglesia local abarcaba todos los creyentes de una ciudad determinada (ver Hechos 20:17). El Nuevo Testamento nunca habla *de iglesias* dentro de una ciudad, sino *de la iglesia*. Por lo tanto, en cada ciudad, es decir, en cada iglesia, Tito debía nombrar un grupo de ancianos. "De esa manera", escribe F. J. A. Hort, "en este caso Tito debía hacer lo que Pablo y Bernabé habían hecho en las ciudades del sur de Asia Menor a su regreso del primer viaje misionero".[2]

Un punto clave para destacar es que Tito debe realizar los nombramientos de acuerdo con las directivas de Pablo: "así como yo te mandé". El "yo" implica un énfasis en el idioma original, de modo que es una orden autoritativa de parte del propio apóstol. El verbo que se traduce por "mandar" *(diatassó)* significa "ordenar", "encargar". Pablo dio órdenes apostólicas específicas sobre este asunto vital para que ni Tito ni los cristianos locales pudieran proceder como les pareciera. Estas directivas apostólicas siguen siendo universalmente obligatorias para las iglesias locales de hoy.

LOS REQUISITOS PARA LOS ANCIANOS

¿Cuáles eran exactamente las directivas de Pablo para el nombramiento de los ancianos? Nuestra traducción dice: "El que fuere irreprensible". Para comprender mejor lo que dice Pablo, necesitamos expandir un poco sus palabras: "Nombra ancianos como yo te ordené, es decir, considera únicamente el tipo de hombre de carácter moral irreprensible para el nombramiento de ancianos". La paráfrasis de F. F. Bruce transmite muy bien lo que Pablo quiere decir:

> El motivo por el que te dejé en Creta es el siguiente: Quería que organizaras las cosas que quedaban por resolver, y en particular, que nombraras ancianos en cada ciudad, de acuerdo con mis instrucciones.

> Recuerda mis instrucciones respecto al tipo de hombre que está en condiciones de ser nombrado anciano —el que es irreprensible... El hombre que ejerce el liderazgo pastoral debe ser irreprensible porque eso corresponde a un mayordomo de la casa de Dios.[3]

Al igual que en 1 Timoteo 3:1-7, los requisitos apostólicos son la base del nombramiento de ancianos. Estos requisitos representan las normas de Dios que ningún hombre ni organización tiene derecho a modificar. Los ancianos cristianos deben ser calificados de acuerdo con los criterios de Dios:

> "... (5b) y establecieses ancianos en cada ciudad, así como yo te mandé; (6) el que fuere irreprensible, marido de una sola mujer, y que tenga hijos creyentes que no estén acusados de disolución ni de rebeldía. (7) Porque es necesario que el obispo sea irreprensible, como administrador de Dios: no soberbio, no iracundo, no dado al vino, no pendenciero, no codicioso de ganancias deshonestas, (8) sino hospedador, amante de lo bueno, justo, santo, dueño de sí mismo, (9) retenedor de la palabra fiel tal como ha sido enseñada, para que también pueda enseñar con sana enseñanza, y convencer a los que contradicen. (10) Porque aún hay muchos contumaces, habladores de vanidades y engañadores, mayormente los de la circuncisión, (11) a los cuales es preciso tapar la boca; que trastornan casas enteras, enseñando por ganancia deshonesta lo que no conviene" (Tito 5b-11, números de versículos agregados).

Notemos que Pablo no cambia de tema en el versículo 5, aunque sí pasa del plural "ancianos" (v. 5) al singular "el que fuere" (v. 6). De manera que en el versículo 6, Pablo sigue hablando de los ancianos, aunque usa la expresión singular "el que fuere". Pablo utiliza una construcción singular parecida a "si alguno anhela obispado" en 1 Timoteo 3:1.

IRREPRENSIBLE: El término "Irreprensible" (*anegkletós*, sinónimo de *anepilémptos*, 1 Timoteo 3:2) significa "de conducta intachable", es decir, alguien cuyo carácter y conducta están libres de cualquier acusación moral o espiritual nociva. Este primer requisito, como en 1 Timoteo, se presenta como el requisito fundamental en el que se incluyen todas las otras calificaciones. Vale la pena repetir el resumen que hace Juan Calvino de este requisito omnicomprensivo: "Por *anegkléton*, o inocente, no quiere decir alguien libre de toda culpa, no existe tal hombre, sino uno que no esté manchado por alguna deshonra que pudiera disminuir su autoridad —debe ser un hombre de reputación intachable."[4]

Pablo enumera a continuación dos aspectos críticos en la vida del candidato a líder, que deben estar especialmente por encima de cualquier reproche: la vida matrimonial-sexual del anciano, y el control de sus hijos.

MARIDO DE UNA SOLA MUJER: Ver comentarios de 1 Timoteo 3:2.

Y TENGA HIJOS CREYENTES: Un anciano no solamente debe ser matrimonialmente confiable, "hombre de una sola mujer", también debe tener un control adecuado sobre sus hijos. La traducción "y tenga hijos creyentes" sería más adecuada si dijera "y tenga hijos fieles" como aparece en otras versiones en inglés. La palabra griega para "creer" es *pistos*, que puede traducirse en forma activa como "creyente" (1 Timoteo 6:2) o en forma pasiva como "fiel", "confiable" u "obediente" (2 Timoteo 2:2).

El contraste que se establece no es entre hijos creyentes y no creyentes, sino entre hijos obedientes y respetuosos e hijos rebeldes e incontrolables. Los términos fuertes, "disolución" y "rebeldía" destacan la conducta de los hijos, no su condición eterna. Un hijo fiel es obediente y sumiso para con su padre. El concepto es similar al del "siervo fiel" a quien se considera fiel porque obedece al Señor y hace lo que le pide el Señor (Mateo 24:45-51).

El pasaje paralelo de 1 Timoteo 3:4 afirma que el anciano postulado debe tener "a sus hijos en sujeción, con toda honestidad". Como

237

1 Timoteo 3:4 es el pasaje más claro, debemos permitir que ayude a interpretar la ambigüedad de Tito 1:6. "En sujeción con toda honestidad" es estrechamente paralelo a "tener hijos fieles". En el pasaje de Tito, el requisito está presentado en su forma activa —el anciano debe tener hijos que sean confiables y obedientes.

Quienes interpretan este requisito como que un anciano debe tener hijos creyentes, cristianos, ponen una carga imposible sobre un padre. Ni siquiera los mejores padres cristianos pueden tener la garantía de que sus hijos serán creyentes. La salvación es un acto sobrenatural de Dios. Dios, no los buenos padres (aunque con toda seguridad son usados por Dios), es quien en definitiva trae la salvación (Juan 1:12, 13).

En marcado contraste con los hijos fieles están aquellos que son violentos o insubordinados: "que no estén acusados de disolución ni de rebeldía". Estas son palabras muy fuertes. "Disolución" significa "libertinaje", "corrupción" o "relajamiento" de vida y costumbres (comparar con 1 Pedro 4:3, 4; Lucas 15:13). "Rebeldía" tiene que ver con ser "desobediente", "ingobernable" o "insubordinado". Los hijos ingobernables, insubordinados son un fuerte reflejo del hogar, especialmente de la capacidad del padre de cuidar y guiar a otros. Un hombre que aspira al liderazgo de ancianos pero tiene hijos libertinos, no es un candidato viable para el liderazgo de la iglesia.

La necesidad incuestionable de que un posible anciano sea irreprensible como esposo y como padre se refuerza en el versículo 7a: "Porque es necesario que el obispo sea irreprensible, como administrador de Dios". La repetición de Pablo de la idea de que el anciano debe ser "irreprensible" muestra la intensidad de su pensamiento en esta cuestión. El término "porque" en el versículo 7a muestra el nexo íntimo y lógico en el pensamiento con el versículo 6. El versículo 7 aclara una profunda razón para la necesidad de los requisitos que aparecen en el versículo 6. El anciano es un superintendente de la casa de Dios. Como el anciano debe administrar la casa de Dios, lógicamente debe poder administrar su propia familia. Es el mismo razonamiento que Pablo utiliza en 1 Timoteo 3:5: "Pues el que no sabe gobernar su propia casa, ¿cómo cuidará de la iglesia de Dios?".

En el versículo 7a, Pablo cambia al título de "sobreveedor" *(episkopos):* "Porque es necesario que el obispo (sobreveedor) sea irreprensible". Algunos eruditos tratan de demostrar que el cambio en la terminología indica un cambio en el tema. Afirman que Pablo ya no está hablando de ancianos sino del obispo de la iglesia. Dicen que el obispo de la iglesia se elegía de entre los ancianos, quienes constituían un cuerpo informal de miembros mayores. Entonces el sobreveedor es el líder oficial de la iglesia.[5] Por lo tanto, concluyen, Tito recibió instrucciones de nombrar un "sobreveedor" para cada ciudad de entre los ancianos.

Sin embargo, esta interpretación viola la lectura natural del pasaje. El texto no dice que el sobreveedor es elegido de entre el cuerpo de ancianos. Además, si el versículo 7 comienza una lista de requisitos para alguien aparte de los ancianos de los versículos 5 y 6 —alguien superior a los ancianos— es un cambio de tema desconcertante y muy extraño. Semejante cambio hace de la palabra de transición "porque", que conecta los versículos 6 y 7, una verdadera necedad. El mensaje claro del versículo 5 es que Pablo dejó a Tito en Creta para nombrar "ancianos", no para nombrar ancianos y un obispo o un sobreveedor de entre los ancianos. Es mejor afirmar la interpretación común de que "sobreveedor" es un término intercambiable para *anciano*, y de que no hay cambio de sujeto entre los versículos 6 y 7.

El término *sobreveedor* acentúa la función más que el honor, y en este caso se adapta mejor a la imagen de superintendente de la casa que el término *anciano*. La forma singular "sobreveedor" (obispo) se puede explicar como una forma genérica singular tal como en el caso de 1 Timoteo 3:2. Pablo ya ha pasado del plural "ancianos", en el versículo 5, al singular "el que fuere" (cualquier anciano) en el versículo 6, de manera que no debemos sorprendernos de su uso del singular "sobreveedor" (obispo), que concuerda con el singular "el que fuere" del versículo 6 y enfoca la atención del lector en el carácter individual del sobreveedor (obispo).

Un sobreveedor debe ser irreprensible porque es "administrador de Dios" *(oikonomos)*. La palabra griega *oikonomos* significa el que gobierna una casa *(oikos* es la palabra griega para "casa"). Entonces, un administrador es un mayordomo, encargado o depositario de la casa, la propiedad o el negocio de algún otro (Lucas 12:42; 16:1-8; Gálatas 4:2). Un administrador actúa en beneficio de los intereses o las posesiones de otro. Es responsable ante otro de lo que le ha sido confiado a su cuidado.

"Administrador" es una descripción apropiada para un anciano. Ya que a la iglesia local se la llama casa de Dios (1 Timoteo 3:15), un anciano que la gobierna puede ser llamado apropiadamente administrador. La idea de Pablo al usar la figura del administrador de la casa es sencilla y profunda: puesto que un anciano es un administrador de la casa de Dios, debe estar moral y espiritualmente por encima de todo reproche. E. F. Scott expresa en pocas palabras la idea de Pablo: "En una casa común, el siervo más confiable era escogido como administrador (mayordomo), la misma regla se debe respetar en la casa de Dios".[6]

También debemos observar que el énfasis de Pablo es en Dios como el Señor y dueño del administrador. El administrador es el mayordomo *de Dios*, no de la iglesia. Por lo tanto, la casa pertenece a Dios, no a los ancianos. Dios exige que aquellos a quienes confía sus preciosos hijos sean moral y espiritualmente aptos. No permitirá que administradores inadecuados e indignos de confianza cuiden de sus hijos y de la verdad del Evangelio.

Después de demostrar magistralmente en el versículo 7a por qué un anciano debe ser irreprensible, Pablo continúa su lista de requisitos en el versículo 7b, donde enumera cinco vicios pecaminosos. Cuando cualquiera de estos vicios controla la vida de una persona, la persona se vuelve "reprensible", y eso la descalifica para ser un administrador de la casa de Dios:

- "soberbio".
- "iracundo".
- "dado al vino".
- "pendenciero".
- "codicioso de ganancias deshonestas".

No querríamos que una persona dominada por cualquiera de estos vicios gobierne nuestra familia o nuestras posesiones, y Dios tampoco lo quiere.

SOBERBIO: Ser soberbio o arrogante es lo opuesto de ser "amable", que es uno de los requisitos enumerados en 1 Timoteo 3:3. Un hombre soberbio sigue su propio camino. Es testarudo, arrogante y desconsiderado con las opiniones, los sentimientos o los deseos de los demás y no puede trabajar junto con otros, que es una condición indispensable para ser anciano.

Debemos recordar que la congregación local pertenece a Dios, no al administrador. El administrador es un siervo de Dios, no un amo ni un dueño, por tanto no tiene derecho a ser soberbio al cuidar del precioso pueblo de Dios. Un hombre soberbio dispersará a las ovejas de Dios, porque es despótico e inflexible y ciego a los sentimientos y opiniones de los demás (2 Pedro 2:10).

IRACUNDO: Uno de los atributos de Dios es ser lento para la ira, de manera que sus administradores también deben ser lentos para la ira. La ira del hombre es un obstáculo a la obra de Dios "porque la ira del hombre no obra la justicia de Dios" (Santiago 1:20). Puesto que un anciano debe tratar con las personas y sus problemas, un hombre "arrebatado" encontrará rápidamente mucho material para alimentar su ira. Proverbios advierte contra el peligro de un hombre enojado: "El hombre iracundo levanta contiendas, y el furioso muchas veces peca" (Proverbios 29:22). Con sus palabras perniciosas y airadas, un hombre iracundo destruirá la paz y la unidad de la familia de Dios. La mirada violenta y las palabras duras del hombre arrebatado destruirán emocionalmente a las personas dejándolas enfermas y con el espíritu quebrantado. Por eso un hombre que desee ser pastor de iglesia debe ser paciente y controlado.

Por supuesto, todo el mundo experimenta ira, y los líderes que deben tratar con situaciones conflictivas a menudo pueden experimentar mucho enojo. Hudson Taylor, por ejemplo, confesó su propia lucha con el enojo: "Mi mayor tentación es perder el control por la negligencia y la ineficacia tan desconcertante de parte de quienes dependo. No sirve de nada perder el control —sólo la amabilidad. Pero ¡qué lucha es!"[7] El asunto es si el individuo que aspira al pastorado de ancianos reconoce y controla su ira. Si no se controla, es como un recipiente de pólvora que estallará en medio del siguiente problema.

DADO AL VINO, PENDENCIERO: Ambos requisitos están comentados en 1 Timoteo 3:3.

CODICIOSO DE GANANCIAS DESHONESTAS: La palabra griega *aischrokerdes*, que se usa aquí, es similar en significado a *aphilargyros* ("no codicioso de ganancias deshonestas") usada en 1 Timoteo 3:3. Ver el comentario sobre 1 Timoteo 3:3.

Después de enumerar los cinco vicios, Pablo enumera siete virtudes. El versículo 8 comienza con "sino", que contrasta los cinco vicios del versículo 7 con las siete virtudes de los versículos 8 y 9. Dios requiere que sus administradores se caractericen por estas virtudes.

HOSPEDADOR: Ver el comentario de 1 Timoteo 3:2.

AMANTE DE LO BUENO: Íntimamente relacionada con la hospitalidad, "amante de lo bueno" es una virtud que se requiere de quienes buscan ayudar a la gente y vivir como ejemplos de vida cristiana. La palabra griega usada aquí es *philagathos*, que un léxico griego define como "quien *voluntaria* y abnegadamente hace el bien, o es amable".[8] William Hendriksen explica la palabra como "dispuesto a hacer lo que beneficia a otros".[9] El *Theological Dictionary of the New Testament* (Diccionario teológico del Nuevo Testamento) afirma: "De acuerdo con la interpretación de la Iglesia primitiva, se relaciona con la infatigable actividad del amor".[10]

El rey David fue amante de lo bueno. Perdonó a su enemigo Saúl, que tuvo que admitir que: "Tú has mostrado hoy que has hecho conmigo bien; pues no me has dado muerte, habiéndome entregado Jehová en tu mano. Porque ¿quién hallará a su enemigo, y lo dejará ir sano y salvo?" (1 Samuel 24:18, 19a). David procuró mostrar amabilidad para con su amigo Jonatán fallecido, el hijo de Saúl, llevando a su propia casa al hijo lisiado de Jonatán, Mefi-boset (2 Samuel 9).

Los amigos de Job tuvieron que admitir que Job amaba lo bueno: "He aquí, tú enseñabas a muchos, y fortalecías las manos débiles; al que tropezaba enderezaban tus palabras, y esforzabas las rodillas que caían" (Job 4:3,4). Pero el mayor ejemplo de alguien que amaba lo bueno es nuestro Señor Jesucristo que "anduvo haciendo bien" (Hechos 10:38b, Versión Popular).

Un anciano que ama lo bueno, procura hacer cosas útiles y amables para las personas. Será cariñoso, generoso y amable para con todos y nunca dará lugar a conductas malas y vengativas (Hechos 11:24; Romanos 12:21; 15:2; Gálatas 6:10; 1 Tesalonicenses 5:15; 1 Pedro 3:13). En contraste, Pedro profetizó que en los últimos días habrá más gente "sin afecto natural, implacables, calumniadores, intemperantes, crueles, aborrecedores de lo bueno" (2 Timoteo 3:3). Una sociedad conducida por personas que aman el bien en lugar de aborrecer el bien, es verdaderamente bendecida.

SOBRIO: Por alguna razón, la versión Reina Valera traduce el mismo término griego *sophron*, como "prudente" en 1 Timoteo 3:2 y como "sobrio" en Tito 1:8. Ver el comentario sobre la palabra "prudente" en 1 Timoteo 3:2.

JUSTO: "Justo" *(dikaios)* significa "recto", "honrado". Ser recto es vivir de acuerdo con las normas de rectitud de Dios, ser sujeto a la ley. Juan escribe que "el que hace justicia es justo, como él (Jesús) es justo" (1 Juan 3:7).

Se puede contar con un anciano recto como un hombre de principios y capaz de tomar decisiones justas, rectas y equitativas para la iglesia (Proverbios 29:7). Job es un buen ejemplo de un hombre justo:

> "Hubo en la tierra de Uz un varón llamado Job; y era este hombre perfecto y recto, temeroso de Dios y apartado del mal" (Job 1:1).

> "Me vestía de justicia, y ella me cubría;
> Como manto y diadema era mi rectitud.
> Yo era ojos al ciego,
> Y pies al cojo.
> A los menesterosos era padre,
> Y de la causa que no entendía, me informaba con diligencia;
> Y quebrantaba los colmillos del inicuo,
> Y de sus dientes hacía soltar la presa" (Job 29:14-17).

Entonces, el administrador de Dios debe ser como Job. Debe vivir una vida moralmente recta y vestirse de justicia práctica.

SANTO: Ser "santo" *(hosios)* es estar firmemente comprometido con Dios y su Palabra. Es estar separado para Dios y agradarle a él. A pesar de los vientos cambiantes de la cultura y las circunstancias, la persona santa se aferra confiadamente a Dios y a su Palabra.

Uno de los hechos terribles de la historia de Israel es que muchos de sus líderes no fueron "justos" ni "santos" por lo que el pueblo fue conducido a la deriva. ¡Un anciano no debe conducir el pueblo a la deriva! Debe ser un ejemplo de devoción, carácter y conducta piadosos, y así conducir al pueblo en rectitud y devoción a Dios.

DUEÑO DE SÍ MISMO: El administrador de Dios se debe caracterizar por ser dueño de sí mismo, y por la autodisciplina en todos los aspectos de su vida, especialmente en sus deseos físicos (Hechos 24:25; 1 Corintios 7:9; 9:25). Un hombre indisciplinado tiene poca resistencia, especialmente frente a la lujuria sexual, la ira, la pereza, el espíritu negativo y otros deseos bajos. Es presa fácil para el diablo.

Salomón advierte contra la vulnerabilidad del hombre indisciplinado frente a todos los enemigos de su alma: "Como ciudad derribada y sin muro es el hombre cuyo espíritu no tiene rienda" (Proverbios 25:28). En la época de Salomón, los muros eran parte estratégica del sistema de defensa de una ciudad. Una ciudad fuerte y segura fortificaba sus murallas. Salomón asemeja el poder de control propio de una persona con las paredes fortificadas de una ciudad. Sin el control de sí misma, una persona está expuesta al ataque y se convierte en presa fácil para el enemigo.

El control de sí mismo es una parte esencial de la vida controlada por el Espíritu (Gálatas 5:23). Los líderes que carecen de disciplina frustran a sus compañeros de trabajo y también a aquellos a quienes dirigen. No solamente son ejemplos pobres, sino que no logran hacer lo que hace falta hacer. Como consecuencia, su rebaño está mal gobernado y carece del cuidado espiritual adecuado.

RETENEDOR DE LA PALABRA FIEL... QUE TAMBIÉN PUEDA EXHORTAR CON SANA ENSEÑANZA Y CONVENCER A LOS QUE CONTRADICEN: El versículo 9 presenta el punto final y crucial en la lista paulina de requisitos para los ancianos. Es el nudo de la preocupación de Pablo. Los versículos que siguen a este requisito tratan de por qué este requisito es indispensable para un anciano y para las iglesias locales de Creta (Tito 1:10-16). Este último requerimiento es más que otra cualidad personal del carácter, es una tarea específica que el anciano debe poder realizar: enseñar la doctrina correcta y reprender a los falsos maestros.

Para que un anciano exhorte en la sana doctrina y reprenda a los falsos maestros, debe estar incondicionalmente comprometido con la sana doctrina. De manera que Pablo comienza diciendo que un anciano debe retener "la palabra fiel tal como ha sido enseñada". Con "palabra" *(logos)* Pablo se refiere a la predicación o proclamación oral original del mensaje del Evangelio que habían escuchado y recibido. Es el mensaje de Dios de salvación y vida en Cristo. Esta "palabra" se describe como (1) "fiel" (confiable) y (2) "tal como ha sido enseñada". La "palabra" es "fiel" porque está en pleno acuerdo con "la enseñanza". "La enseñanza" se refiere al mensaje apostólico, es decir, el auténtico y autoritativo cuerpo fijo de doctrinas enseñadas por Cristo y comunicadas por sus santos apóstoles. Hay solamente una doctrina apostólica (Hechos 2:42; Efesios 4:5), un patrón, una enseñanza, y es absolutamente "fiel". Cualquier enseñanza que contradiga a la enseñanza de los apóstoles como está registrada en el Nuevo Testamento es falsa, no merece confianza, y viene del diablo (Tito 1:10 y siguientes; Gálatas 1:8, 9).

Dios requiere que un anciano sea "retenedor" de su Palabra. "Retener" *(antecho)* significa "aferrarse firmemente a", "estar comprometido en " o "adherir incondicionalmente". "Pablo... exige la firme aceptación del sobreveedor (a la palabra fiel)"[11] escribe George Knight. Este término implica un compromiso y una convicción inconmovibles. Newport White dice que este requerimiento para los ancianos sugiere "la noción de enfrentar la oposición".[12] Un hombre que no se adhiere tenazmente a la doctrina bíblica ortodoxa no es apto para dirigir la casa de Dios porque, quien está en error o incredulidad, desviará al pueblo de Dios. Un hombre así no es un contrincante adecuado para los "espíritus engañadores" y las "doctrinas de demonios" (1 Timoteo 4:1). Los sacerdotes, reyes y líderes del Antiguo Testamento que no se aferraron firmemente a la ley de Dios fueron barridos por las presiones de las religiones idólatras. De manera que, un anciano que rechaza o tiene dudas acerca de la doctrina bíblica, será devorado por los lobos junto con el rebaño.

La razón por la que se requiere que un anciano se adhiera firmemente a la Palabra es "para que también pueda", es decir esté "equipado para" realizar dos tareas específicas: (1) exhortar a los creyentes y (2) refutar a los que contradicen. "Un pastor necesita dos tonos de voz" dice Calvino, "uno para reunir las ovejas y el otro para alejar a los lobos y los ladrones. Las Escrituras le proveen los medios para ambas cosas".[13]

Sin duda Pablo requiere que *todos* los ancianos, no solamente uno, sean capaces de exhortar en la sana doctrina y contradecir a los falsos maestros. En 1 Timoteo 3:2, Pablo requiere que todos los ancianos sean "aptos para enseñar". Tito 1:9 amplía 1 Timoteo 3:2 agregando que el anciano debe poder "exhortar con sana enseñanza y refutar" a los falsos maestros. Debemos exigir lo mismo para *todos* nuestros ancianos.

La exhortación está muy vinculada con la enseñanza (1 Timoteo 4:13; 6:2), pero mientras que la enseñanza se relaciona principalmente con el intelecto, la exhortación influye mayormente en la conciencia, el corazón, la voluntad y las acciones del oyente. La exhortación insta a las personas a recibir y aplicar la verdad que ha sido enseñada.

Específicamente, los ancianos deben exhortar a los creyentes en "la sana enseñanza". La palabra "sana" significa saludable o físicamente íntegra (Lucas 5:31; 3 Juan 2). Aquí se usa metafóricamente para describir la enseñanza, de manera que significa enseñanza "correcta", "saludable" o "firme". "La sana enseñanza" está en franca oposición a la falsa enseñanza, la cual está enferma, corrompida y viciada. La doctrina enferma arruina la vida de sus adherentes (1 Timoteo 6:3-5), mientras que la sana enseñanza produce vidas saludables, limpias, piadosas (Tito 1:13; 2:1). La salud y el bienestar de la congregación dependen de ancianos que continuamente "exhorten en la sana enseñanza". Ningún hombre es apto para el liderazgo de ancianos a menos que sea capaz de usar la Palabra de Dios de esa manera.

Al igual que en Hechos 20:28-31, la tarea del anciano es proteger a la iglesia de los falsos maestros —aquellos que hablan contra la "sana enseñanza". Por eso un anciano debe poder "refutar a los que contradicen" la sana enseñanza. Una palabra más adecuada para refutar (*elenchó*) en este contexto, sería "reprender", que se usa en el versículo 13. En realidad el versículo 13 es una aplicación práctica del versículo 9, de manera que el propósito para reprender un falso maestro sería "para que sean sanos en la fe". Entonces, para ser apto para el liderazgo de ancianos, uno debe ser capaz de detectar las enseñanzas falsas y confrontarlas con la sana doctrina.

El punto más significativo de este último requisito se aclara en los versículos 10-16. "Porque hay aún muchos contumaces, habladores de vanidades y engañadores, mayormente los de la circuncisión, a los cuales es preciso tapar la boca; que trastornan casas enteras, enseñando por ganancia deshonesta lo que no conviene" (Tito 1:10, 11). La situación en Creta era alarmante. Había "muchos contumaces, habladores de vanidades y engañadores". En un ambiente tan amenazador, la principal necesidad de las iglesias era de ancianos pastores que mantuvieran una firme adhesión a la Palabra de Dios y tuvieran la capacidad para exhortar, enseñar y convencer.

Sin el nombramiento de ancianos calificados, las iglesias de Creta estaban destinadas a seguir débiles y desordenadas. Sin embargo, con el esfuerzo de Tito en nombrar ancianos calificados, había todos los motivos para confiar en que las iglesias florecerían a pesar de los peligros que las rodeaban.

Capítulo 11

Las instrucciones de Pedro a los ancianos de Asia

"Y cuando aparezca el Príncipe de los pastores, vosotros recibiréis la corona incorruptible de gloria".

1 Pedro 5:4

Pedro envió la carta que conocemos como 1 Pedro a cristianos que sufrían la dispersión por las provincias romanas de Ponto, Galacia, Capadocia, Asia y Bitinia (1 Pedro 1:1). Es muy probable que escribiera la carta desde Roma alrededor del año 63 d.C. En ella, se dirige directamente a los ancianos de las iglesias del noroeste de Asia Menor. El hecho de que Pedro pueda dirigirse en una carta a los ancianos de las iglesias de cinco provincias romanas, demuestra que el sistema de gobierno de ancianos era la práctica común. También vale la pena notar que Pedro utiliza la designación *anciano* en lugar de *sobreveedor* al escribir a estas iglesias predominantemente gentiles. Probablemente *anciano* era el término más comúnmente usado para describir a los miembros del cuerpo de líderes de las iglesias:

> "Ruego a los ancianos que están entre vosotros, yo anciano también con ellos, y testigo de los padecimientos de Cristo, que soy también participante de la gloria que será revelada: Apacentad la grey de Dios que está entre vosotros, cuidando de ella, no por fuerza, sino voluntariamente; no por ganancia deshonesta, sino con ánimo pronto; no como

247

teniendo señorío sobre los que están a vuestro cuidado, sino siendo ejemplos de la grey. Y cuando aparezca el Príncipe de los pastores, vosotros recibiréis la corona incorruptible de gloria. Igualmente, jóvenes, estad sujetos a los ancianos; y todos, sumisos unos a otros, revestíos de humildad; porque: Dios resiste a los soberbios, y da gracia a los humildes" (1 Pedro 5:1-5).

Primera Pedro 5 separa a los ancianos del resto de la congregación para exhortarlos y animarlos directamente. El otro gran ejemplo de exhortación a los ancianos en el Nuevo Testamento se encuentra en el mensaje de despedida de Pablo a los ancianos efesios (Hechos 20:17-38), que es sorprendentemente similar al de 1 Pedro 5. En realidad, podríamos considerar a 1 Pedro 5 como el mensaje de despedida de Pedro a los ancianos de Asia Menor porque muchos eruditos creen que uno o dos años después de haber escrito 1 y 2 Pedro, Pedro fue martirizado en Roma durante la persecución de Nerón contra los cristianos romanos (alrededor del año 65 d.C.).

Hay un profundo sentido de preocupación y urgencia personal en la exhortación de Pedro. En algunas traducciones la exhortación a los ancianos (1 Pedro 5:1-4) está ligada a las instrucciones precedentes a toda la iglesia (1 Pedro 4:12-19) mediante la expresión "por lo tanto" al comienzo del párrafo de 1 Pedro 5:1-4. Estas instrucciones se refieren a lo inevitable de las grandes pruebas, persecuciones, sufrimientos y a la ominosa advertencia del juicio purificador que comienza por la casa de Dios: "Pero si alguno padece como cristiano, no se avergüence, sino glorifique a Dios por ello. Porque es tiempo de que el juicio comience por la casa de Dios; y si primero comienza por nosotros, ¿cuál será el fin de aquellos que no obedecen el evangelio de Dios?" (1 Pedro 4:16,17).

El punto a que quiere llegar Pedro es que si el juicio purificador debe comenzar con la casa de Dios, entonces, como lo ejemplifica el profeta Ezequiel, debe comenzar con los ancianos (Ezequiel 9:1-6). Además, cuando las iglesias experimentan persecución y sufrimiento, los primeros que deben proveer ayuda, consuelo, fuerza y guía son los líderes. De modo que el bienestar espiritual de la casa de Dios depende significativamente de los ancianos: deben cumplir con su tarea pastoral y hacerlo con el espíritu cristiano adecuado.

El ferviente deseo de Pedro de comunicar su sentida carga a los ancianos de Asia se evidencia por su larga descripción triple que hace de sí mismo como "anciano también entre ellos", "testigo de los padecimientos de Cristo" y "participante de la gloria que será revelada (1 Pedro 5:1). Esta es la primera vez desde el versículo de apertura en que Pedro se identifica a sí mismo en su carta. Ya que ningún otro grupo de personas a quienes se dirige en la carta recibe una apelación tan personal y persuasiva, tanto los pastores como el rebaño deben prestar una meticulosa atención a esta enseñanza.

Al identificarse como un "anciano también entre ellos", Pedro establece un vínculo especial de afecto con los ancianos de la iglesia. Crea un sentido de compañerismo y respeto mutuo. Al ubicarse en el mismo nivel que ellos, asegura su atención. Sin embargo, el llamarse a sí mismo "anciano también" es más que una metáfora conveniente. En un tiempo Pedro había sido un anciano de iglesia local. Había servido con otros once hombres durante tiempos difíciles en la iglesia de Jerusalén. Aunque a los doce apóstoles no se les llamaba *ancianos*, estaban actuando como ancianos en la naciente comunidad. Para la fecha en que escribió 1 Pedro, Pedro era un sobreveedor activo que cuidaba muchas iglesias. En consecuencia, Pedro tenía todo el derecho de llamarse a sí mismo "anciano".

Como anciano colega, Pedro simpatiza plenamente con los problemas y peligros que enfrentan los ancianos asiáticos. No es un pastor de sillón, ni un autor erudito que dispensa consejos teóricos; es un experimentado anciano pastor veterano. Al igual que sus colegas ancianos, sirve diariamente en el frente de batalla. Sabe lo difícil que es el trabajo, y está familiarizado con las muchas trampas, abusos y tentaciones propias del liderazgo. También siente las presiones y tensiones diarias de la responsabilidad pastoral. Su enseñanza surge de una profunda fuente de experiencias de vida ganadas pastoreando el pueblo de Dios durante más de treinta años.

A continuación, Pedro afirma que comparte con sus colegas ancianos, tanto su sufrimiento como su gloria futura. Los "sufrimientos de Cristo" de los que Pedro es testigo, son los sufrimientos propios de todos los creyentes como resultado de confesar a Cristo y vivir como Cristo en un mundo injusto y pecador (1 Pedro 2:12, 19-21; 4:1, 4, 14, 16). En las palabras del comentarista del Nuevo Testamento J. Ramsey Michaels: "Los cristianos no comparten los sufrimientos de Cristo en forma sacramental en el bautismo ni en unión mística con él, sino sencillamente siguiendo su ejemplo de conducta cuando enfrentan situaciones similares".[1] La gloria futura que Pedro comparte con los ancianos asiáticos es la gozosa anticipación de la gloria que será revelada cuando Cristo regrese. De la misma manera que han compartido los sufrimientos de Cristo, también compartirán su gloria venidera. A la luz de estas experiencias compartidas, Pedro está singularmente calificado para hablar a los ancianos de Asia.

APACENTAD LA GREY DE DIOS

Después de ganarse con discreción la confianza de los ancianos, Pedro apela a ellos para el cumplimiento de su tarea: "Ruego a los ancianos que están entre vosotros... apacentad la grey de Dios". La exhortación de Pedro exige atención inmediata. Utiliza el verbo imperativo indeterminado *poimanate* (que viene de *poimano*), que significa "pastorear" o "vigilar". En efecto, exhorta a los ancianos a ser los mejores pastores posibles, o, como dice R. C. H. Lenski, "hacer todo lo que requiere el pastoreo".[2] El rey Salomón expresó una idea similar de la tarea de pastoreo en las siguientes palabras: "Sé diligente en conocer el estado de tus ovejas, y mira con cuidado por tus rebaños" (Proverbios 27:23).

El encargo de Pedro incluye toda la responsabilidad de alimentar, reunir, proteger y guiar. El comentarista bíblico Charles E. B. Cranfield resume brevemente: "Las principales funciones del pastor, como se describen en la Biblia, son buscar a los perdidos, reunir a los dispersos, vigilar y defender de las bestias salvajes y de los ladrones, alimentar y proveer de agua, guiar".[3]

Unos treinta y cinco años antes de que Pedro escribiera esas palabras, en una escena inolvidable en la costa del lago de Galilea, Jesús encargó a Pedro que pastoreara sus ovejas:

> Cuando hubieron comido, Jesús dijo a Simón Pedro: "Simón, hijo de Jonás, ¿me amas más que éstos?" Le respondió: "Sí Señor; tú sabes que te amo". El le dijo: *"Apacienta mis corderos"*.
>
> Volvió a decirle la segunda vez: "Simón, hijo de Jonás, ¿me amas?" Pedro le respondió: "Sí Señor; tú sabes que te amo". Le dijo: *"Pastorea mis ovejas"*.
>
> Le dijo la tercera vez: "Simón, hijo de Jonás, ¿me amas?" Pedro se entristeció de que le dijese la tercera vez: ¿Me amas? y le respondió: "Señor, tú lo sabes todo; tú sabes que te amo". Jesús le dijo: *"Apacienta mis ovejas"* (Juan 21:15-17; cursiva del autor).

Pedro ahora pasa la misma comisión a los ancianos de Asia. El mandato a los ancianos de pastorear el rebaño de Dios es sumamente importante para la iglesia local. La Biblia enseña que las personas son como ovejas (1 Pedro 2:25), y las ovejas no pueden ser desatendidas. Su bienestar depende de mucho cuidado y atención. Como ovejas de Dios, el pueblo cristiano necesita alimentarse de la Palabra de Dios y ser protegido de los lobos vestidos de ovejas. Necesitan constante estímulo, consuelo, guía, oración y corrección. Por eso la vida del anciano es una de trabajo dedicado al bienestar del rebaño. En ocasiones puede llegar a ser una vida de peligro, cosa que era cierta en el caso de los ancianos asiáticos.

Puesto que los ancianos deben "pastorear" la iglesia local, aquellos a quienes apacientan se denominan figurativamente "la grey *[poimnion]* de Dios que está entre vosotros". Lo que hace que este rebaño sea especial es que es el rebaño de Dios. Es su preciosa posesión —las ovejas que le pertenecen, a las que cuida y ama. Como Pablo recordó a los ancianos de Efeso, este rebaño es "al cual él ganó por su propia sangre" (Hechos 20:28). De manera que los ancianos nunca deben olvidar que el rebaño no les pertenece, y que nunca deben ser indiferentes a una sola de sus ovejas. Cranfield extrae las inferencias de esta verdad cuando escribe: "Una iglesia que pudiera pertenecernos sólo sería una iglesia falsa. Por eso las ovejas no son nuestras para que las usemos o abusemos a gusto. Si perdemos una, perdemos la propiedad de otra persona, no la nuestra: y él no es indiferente a lo que le sucede a su rebaño".[4]

La metáfora del rebaño implica la verdadera pertenencia de la Iglesia y reconoce su dependencia y necesidad de alimentación, protección y cuidado. Otras figuras que describen la Iglesia, expresan la fuerza y el esplendor de la misma. De modo que la imagen de la Iglesia como rebaño no debe aislarse de otras imágenes bíblicas como la de pilar y fundamento de la verdad, sacerdocio santo, templo de Dios, casa de Dios, cuerpo de Cristo, nación santa, etc. Aislar una figura de las otras es interpretar mal el mensaje bíblico. Por ejemplo, el mal uso de la metáfora del pastor y el rebaño ha resultado en un trágico abuso de las personas, ha sido utilizado para justificar al pastor imperial y para rebajar al pueblo de Dios casi hasta la condición de ovejas incapaces, totalmente dependientes de su pastor. Esto no es lo que pretenden las Escrituras. Cada metáfora acentúa un aspecto particular de la Iglesia de Dios y, por consiguiente, es limitada en su capacidad para describir todas las dimensiones de la Iglesia. Sin embargo, cuando se reúnen todas estas diversas figuras, presentan una imagen equilibrada y gloriosa de la naturaleza multidimensional de la Iglesia.

Siguiendo el mandamiento imperativo de apacentar la grey de Dios, Pedro describe la tarea del anciano: "Apacentad la grey de Dios que está entre vosotros, cuidando de ella". Utiliza el participio *episkopountes*, que significa "cuidando". Este participio proviene del verbo griego *episkopéo*, que corresponde al nombre *episkopos*, que significa "cuidador", "superintendente".[5]

Los términos pastorear y sobreveer a menudo están íntimamente relacionados porque son conceptualmente similares.[6] En este pasaje, sobreveer es equivalente a pastorear. Pastorear es la expresión figurativa del gobierno, mientras que sobreveer es el término literal, que se puede utilizar para clarificar el primero. Pastorear el rebaño implica vigilancia —la supervisión general y el cuidado atento del rebaño. De los dos términos, pastorear transmite una imagen más rica y vívida que sobreveer. Hay una sorprendente similitud entre los verdaderos pastores y las ovejas, y los pastores de Dios y su pueblo. El vocabulario pastor-rebaño comunica la imagen habilidosa, amante y abnegada del tipo de relación líder-seguidor que cuadra bien a la comunidad cristiana.

APACENTAR LA GREY DE DIOS COMO DIOS QUIERE

En relación con la responsabilidad de los ancianos de la iglesia, Pablo y Pedro están en pleno acuerdo. El tipo de superintendentes que tienen en cuenta son los pastores superintendentes. En Hechos 20:28, Pablo les recuerda a los ancianos efesios que el Espíritu Santo los puso sobre el rebaño como "obispos". Su propósito era "apacentar la iglesia de Dios". Pedro también encarga a los ancianos "apacentad la grey de Dios", y agrega "cuidando de ella" con el espíritu adecuado. De manera que la responsabilidad básica del anciano se puede describir mejor como la de proveer cuidado pastoral al rebaño de Dios.

Pedro está muy preocupado acerca de la forma en que los ancianos pastorean y cuidan del rebaño de Dios. Dios está principalmente preocupado por los motivos, las actitudes y los métodos de quienes conducen a su pueblo, de manera que Pedro considera muy importantes las actitudes y los motivos que deberían o no caracterizar a los ancianos. Por ello, describe cuidadosamente la forma en que deben servir los ancianos: "cuidando de ella, no por fuerza, sino voluntariamente; no por ganancia deshonesta, sino con ánimo pronto; no como teniendo señorío sobre los que están a vuestro cuidado, sino siendo ejemplos de la grey" (1 Pedro 5:2,3).

Este énfasis en la motivación y las actitudes adecuadas para los ancianos pastores, complementa perfectamente el tema de la vida santa que encontramos en 1 Pedro:

252

"Como hijos obedientes, no os conforméis a los deseos que antes teníais estando en vuestra ignorancia; sino, como aquel que os llamó es santo, sed también vosotros santos en toda vuestra manera de vivir; porque escrito está: Sed santos, porque yo soy santo" (1 Pedro 1:14-16).

"Amados, yo os ruego como a extranjeros y peregrinos, que os abstengáis de los deseos carnales que batallan contra el alma, manteniendo buena vuestra manera de vivir entre los gentiles; para que en lo que murmuran de vosotros como de malhechores, glorifiquen a Dios en el día de la visitación, al considerar vuestras buenas obras" (1 Pedro 2:11, 12).

Si todos los cristianos deben ser santos como Dios es santo, es particularmente importante que los ancianos de la iglesia sean santos. Si los ancianos actúan con ánimo codicioso o motivaciones impías, el rebaño será engañado y se desviará de su camino santo.

Jesús enseñó con frecuencia a sus discípulos que actuaran unos con otros de manera humilde, amante, abnegada y servicial. Reprendió la ambición orgullosa, la codicia, y la devoción a medias. Como los ancianos deben pastorear el rebaño de Dios de manera claramente cristiana, Pedro reitera algunas de las enseñanzas de Jesús —incluso utilizando algo de la misma terminología que se encuentra en los Evangelios (Marcos 10:42). Los tres contrastes adverbiales siguientes indican las formas correctas y erradas de apacentar el rebaño de Dios.

NO POR FUERZA, SINO VOLUNTARIAMENTE: Dios no quiere pastores renuentes, mal dispuestos, para cuidar de su rebaño, por eso Pedro advierte contra los ancianos que sirven "por fuerza". Pedro no niega la enseñanza de Pablo de que hace falta la imposición divina en el servicio a Dios (1 Corintios 9:16). Sin embargo, en esta oportunidad, utiliza la expresión "por fuerza" en un sentido negativo, para significar carente de motivación divina (2 Corintios 9:7; Filemón 14). Si un hombre sirve como anciano porque su esposa o sus amigos lo presionan a servir, o porque está atrapado por las circunstancias, o porque no hay nadie más para hacer el trabajo, está sirviendo "por fuerza". Lenski capta bien el espíritu del pensamiento de Pedro cuando dice que los ancianos no deben servir "como soldados reclutados sino como voluntarios".[7]

En contraste con servir por la fuerza, Pedro dice enfáticamente que los ancianos deben pastorear su grey "voluntariamente", bien dispuestos, libremente. Quienes cuidan la iglesia "voluntariamente" lo hacen porque han elegido libremente servir. Es lo que quieren hacer. John

Henry Jowett (1863-1923), el famoso predicador británico y ex ministro de la Westminster Chapel de Londres, expresa magistralmente la idea de Pedro: "'Un voluntario vale más que dos hombres forzados'. No estoy tan seguro de que el proverbial dicho sea pertinente... en los altos niveles del servicio espiritual, ningún número de hombres forzados puede ocupar el lugar de un voluntario".[8]

El espíritu dispuesto del que habla Pedro es "conforme a la voluntad de nuestro Dios" (literalmente conforme a Dios). El servicio voluntario y gozoso es la norma de Dios. Es la forma en que Dios espera que se hagan las cosas. Dios no es un pastor mal dispuesto. Dios cuida de sus ovejas gustosamente, voluntariamente, libremente y amablemente. De la misma manera que Dios "ama al dador alegre" (2 Corintios 9:7), ama a los ancianos dispuestos y gozosos.

NO POR GANANCIA DESHONESTA, SINO CON ANIMO PRONTO: Pedro luego trata lo que Cranfield llama "espíritu mercenario".[9] Pedro usa la palabra griega *aischrokerdós,* "ganancia deshonesta", la forma adverbial de la misma palabra que usa Pablo en relación con los ancianos en Tito 1:7 (Ver comentarios en 1 Timoteo 3:3 y Tito 1:7).

En contraste, Pedro describe el espíritu correcto con que debemos pastorear el rebaño de Dios, "con ánimo pronto", lo que significa "prontamente", "afanosamente" y "con entusiasmo". "Con ánimo pronto" enfatiza, más que el término "voluntariamente", deseo personal y pasión. Es este tipo de disposición —un fuerte deseo y motivación— que está respaldado por la expresión "palabra fiel" de 1 Timoteo 3:1: "si alguno anhela obispado, buena obra desea".

Los ancianos dispuestos se sienten llamados a cuidar de las ovejas. Las ovejas son su vida, su principal preocupación. Por eso, no les preocupa el sacrificio personal que hacen, ni sus beneficios económicos. Como Pablo, que a veces procuraba su propio ingreso mediante la fabricación de carpas, sirven gustosamente sin paga ni reconocimiento. Van más allá de la responsabilidad mínima, el interés y el dinero. Aman pastorear el pueblo de Dios.

NO COMO TENIENDO SEÑORIO, SINO SIENDO EJEMPLOS: Pedro deja lo peor y lo mejor para el final. El tercer motivo indigno para un anciano es mucho más sutil y generalizado que el de la codicia. Este motivo indigno es el abuso de autoridad, el deseo de poder y control sobre otros. Jowett destaca lo sutil del liderazgo autocrático: El orgullo siempre está en acecho siguiendo muy de cerca al poder. Hasta la mínima autoridad es proclive a convertir un paso decoroso en el más ofensivo contoneo.[10] En un comentario similar, Cranfield observa perceptivamente: "¡Cuán profundamente penetra y permanece la visión del poder en la vida de la iglesia! La verdad del dicho "el poder corrompe" se confirma con demasiada frecuencia en la Iglesia, y cuando se abusa de esa manera del liderazgo espiritual '¡la corrupción del mejor es la peor!'"[11]

La forma verbal de "teniendo señorío" *(katakyrieuó)* transmite la idea de tener dominio sobre otros por la fuerza. Describe una actitud autoritaria. El liderazgo autocrático siempre ha sido una tentación para los líderes de las iglesias.

- El profeta Ezequiel describe a los pastores señoriales, autocráticos de Israel al escribir: "os habéis enseñoreado de ellas (las ovejas) con dureza y con violencia" (Ezequiel 34:4).

- Jesús prohíbe especialmente a cualquier persona de la familia de Dios tratar a los hermanos y las hermanas como súbditos para ser gobernados, que es lo que hacen los líderes de este mundo con frecuencia. Jesús les dijo a ellos: "Sabéis que los que son tenidos por gobernantes de las naciones se enseñorean de ellas *(katakyrieuó)*, y sus grandes ejercen sobre ellas potestad. Pero no será así entre vosotros, sino que el que quiera hacerse grande entre vosotros, será vuestro servidor, y el que de vosotros quiera ser el primero, será siervo de todos" (Marcos 10:42-44).

- Siguiendo la enseñanza del Señor, el apóstol Juan denuncia a un hombre llamado Diótrefes, el primer pastor dictatorial conocido, por aprovecharse de su autoridad sobre una congregación cristiana. "Yo he escrito a la iglesia; pero Diótrefes, *al cual le gusta tener el primer lugar entre ellos,* no nos recibe... no recibe a los hermanos, y a los que quieren recibirlos se lo prohíbe, y los expulsa de la iglesia" (3 Juan 9, 10b, cursiva agregada por el autor).

No hay lugar para líderes señoriales, dominantes en una familia que debe caracterizarse por el amor mutuo (1 Pedro 1:22; 3:8; 4:8; 5:14), la hermandad, la sumisión y la humildad (1 Pedro 2:13, 14, 18; 3:1; 5:5). Los ancianos no deben pastorear la iglesia como "pequeños papas o tiranos insignificantes".[12] De hecho, en el versículo 5, Pedro dice a todos los cristianos cómo prepararse para el éxito: deben vestirse de "humildad". Lo que es más importante, hay solamente un Señor y un Maestro en la Iglesia de Dios: El Señor Jesucristo. Todos los demás son sus siervos.

La cláusula "los que están a vuestro cuidado" reafirma el concepto de que las personas no son posesión de los ancianos. Las personas no pertenecen a los ancianos; pertenecen a Aquel que los asignó al cuidado de los ancianos, es decir, a Dios. Esta cláusula representa el artículo definido y la forma plural de la palabra *kléros*, que traducido literalmente es: "la suerte", "la parte" o "la asignación". De manera que la versión griega dice "no como teniendo señorío sobre las partes".

Los apóstoles usaron la suerte para determinar la elección de Dios para reemplazar a Judas: "Y les echaron suertes *(klérous)*, y la suerte *(kléros)* cayó sobre Matías; y fue contado con los once apóstoles" (Hechos 1:26). Pero *kléros* también significa "adjudicación" o "parte asignada a alguien" (Hechos 1:17; 8:21).[13] Kleros, entonces, es algo dado, no ganado. En este contexto, no es un terreno, o dinero, o una responsabilidad lo que se ha dado, sino el pueblo de Dios. Por eso a los ancianos se les prohibe dominar a la gente.

Pedro dice que Dios ha destinado partes del rebaño completo de Dios a diversos grupos de ancianos (Juan 10:16; 1 Pedro 5:9). De manera similar, Pedro se refiere al rebaño específico de Dios en el que los respectivos ancianos actúan, como "la grey de Dios que está *entre vosotros (a vuestro cuidado)*" (1 Pedro 5:2, cursiva agregada). Los ancianos no deben enseñorearse sobre su parte asignada del rebaño de Dios. La firme advertencia de Pedro contra el enseñorearse sobre otros, demuestra ciertamente que los ancianos tenían autoridad para gobernar.

En contraste con enseñorearse sobre otros, los ancianos deben ser ejemplos o modelos de vida santa. "Siendo ejemplos", dice el comentarista Peter Davids "calza bien con la imagen del 'rebaño', porque el antiguo pastor no empujaba a su rebaño, sino que caminaba delante de las ovejas y las llamaba a seguirlo".[14] El Espíritu de Dios pone en el corazón de los creyentes obedientes un deseo de buscar buenos ejemplos para seguir. Gran parte de la Biblia es biográfica, demuestra mediante ejemplos cómo se debe y cómo no se debe vivir para Dios. Jesús es el principal ejemplo y el principal modelo para seguir (1 Pedro 2:21). De modo que en la iglesia, el principal estilo de liderazgo es el modelo de Cristo.

A lo largo de toda la epístola, Pedro destaca la importancia de la humildad y la sumisión (1 Pedro 2:13-3:12; 5:5). Si los ancianos son tiranos insignificantes que se enseñorean con su autoridad sobre la iglesia local, otros seguirán su ejemplo, abusándose y peleándose por obtener poder y reconocimiento. Si los ancianos son ejemplos de fidelidad incondicional a las Escrituras, entonces la congregación será fiel a las Escrituras. Si los ancianos confían en Dios, la gente confiará en Dios. Si los ancianos aman a Dios y a su pueblo, la gente también los amará. Si los ancianos son pacíficos, amables, cariñosos y oran constantemente, la iglesia (en su mayor parte) imitará su modelo. Si los ancianos son humildes, la gente será humilde, y se evitarán muchas dificultades. Si los ancianos son líderes siervos, la iglesia se caracterizará por el servicio humilde. "¡Qué bendita influencia", escribe el pastor y comentarista escocés John Brown (1807-1858), "es el carácter y la conducta santa de los ancianos cristianos destinada a difundirse en la iglesia!"[15]

LA FUTURA RECOMPENSA PARA LOS PASTORES AUXILIARES DE CRISTO

Pedro termina su apelación a los ancianos de Asia recordándoles del día triunfante y glorioso cuando "aparezca el Príncipe de los pastores" y cuando recibirán "la corona incorruptible de gloria". ¡El día de la victoria está por delante! ¡Vendrá el día de la recompensa! Ese día, todos los esfuerzos, sacrificios y sufrimientos de la vida pastoral serán plenamente reconocidos y generosamente recompensados.

Pedro llama adecuadamente a Jesucristo el "Príncipe de los pastores". Según el Nuevo Testamento, hay sólo "un rebaño, y un pastor" (Juan 10:16) y Jesucristo es ese Pastor incomparable e irremplazable. En el capítulo 2, Pedro afirma: "Porque vosotros erais como ovejas descarriadas, pero ahora habéis vuelto al Pastor y Guardián de nuestras almas" (1 Pedro 2:25). En efecto, Jesucristo es el "gran pastor de las ovejas" (Hebreos 13:20) y "el buen pastor" (Juan 10:11,14). Como el Buen Pastor, Jesús ama a sus ovejas, dio su vida por las ovejas. Las llama por su nombre. Un día volverá en toda su gloria a llevar a su rebaño para estar con él para siempre: él "los pastoreará, y los guiará a fuentes de agua de vida" (Apocalipsis 7:17). Entonces, el "pastor Principal" re-compensará plenamente a sus pastores auxiliares.

La figura del "pastor Principal" *(archipoimenos)*, destaca la relación de Cristo con todos los demás pastores. Debido a que él es el "Principal", todos los demás pastores son los pastores auxiliares. Como tales, todos los ancianos están bajo la autoridad y el gobierno del pastor Principal. Por eso, el trabajo de pastoreo de los ancianos debe ser hecho en completo acuerdo con su manera y enseñanza. Al igual que su amante pastor Principal, los ancianos que pastorean deben pastorear su rebaño con buen ánimo y voluntariamente, como ejemplos de buena disposición. Los ancianos que pastorean no tienen libertad para hablar o dirigir a la gente como les plazca, porque deben responder ante el pastor Principal. Todo cuanto hagan los ancianos será juzgado sobre la base de su fidelidad para con él. En las palabras del comentarista y profesor Y. Howards Marshall, "Por eso el liderazgo cristiano de ancianos implica compartir el liderazgo de Cristo bajo su dirección".[16]

¿Qué podría ser más estimulante para los pastores fieles que enfrentan sufrimientos, problemas, pruebas y persecuciones, que mirar hacia el futuro, al regreso de Cristo como el "pastor Principal" y compartir su gloria divina? Cuando los ancianos piensan en Cristo como en el "pastor Principal", su obra presente se ve aumentada, y su regreso se vuelve más personal.

Pedro afirma que en el regreso de Cristo los ancianos fieles recibirán una "corona incorruptible de gloria". En este contexto, "corona" se usa simbólicamente para representar recompensa u honor especial. La recompensa es por los logros fieles y honorables como pastores auxiliares del rebaño de Dios. Esta corona es diferente de cualquier corona terrenal hecha de metales preciosos o de laureles, porque es "incorruptible". Nunca se marchitará como una guirnalda de laureles ni perderá el brillo como el oro. "Placeres de pompa real, casamientos y festejos", escribe el Arzobispo Robert Leighton (1611-1684), "¡se desvanecen pronto como un sueño...! Pero este día comienza un triunfo y una fiesta que nunca terminarán ni se agotarán, permitiendo deleites siempre frescos y nuevos".[17]

El motivo de la calidad incorruptible de esta corona es que el material usado para hacer esta corona es la gloria divina y celestial. La palabra "gloria" nos habla de lo que consiste la corona. En griego, "gloria" está en genitivo, en este caso un genitivo posesivo, indicando que la corona consiste en gloria. La gloria es la realidad, y la corona es la metáfora. Esta gloria es la gloria de Cristo que se desplegará cuando él aparezca. Él entregará la "corona de gloria" a sus pastores auxiliares.

¡Qué tiempo de victoria, de vindicación y de gozo traerá la aparición de Cristo, a los ancianos humildes, que pasaron desapercibidos, que han pastoreado fielmente el rebaño de Dios! Pastores desinteresados, trabajadores, que tal vez no tengan bienes terrenales como fruto de una vida de esfuerzos; pero un día el pastor Principal vendrá y recompensará plenamente a sus pastores auxiliares. Su obra ya no pasará desapercibida ni será despreciada, porque los recompensará públicamente ante las huestes de los cielos. Les concederá honra y gloria celestiales. Los ancianos deben mantener sus ojos continuamente puestos en su venida ¡Ya viene el día de la recompensa!

LA NECESIDAD DE QUE LOS JOVENES SE SOMETAN A LOS ANCIANOS

A continuación de su exhortación a los ancianos, Pedro agrega unas breves palabras de consejo a los hombres jóvenes de la iglesia: "Igualmente, jóvenes, estad sujetos a los ancianos". Muchos comentaristas piensan que el versículo se refiere a que los "jóvenes" deben sujetarse a los "hombres mayores". Si así fuera, esta sería simplemente una afirmación general (similar a 1 Timoteo 5:1, 2) con respecto a las relaciones cristianas adecuadas entre grupos de edad. Sin embargo, a causa del uso del término *presbyteroi* en el versículo 1 como un título oficial para un cargo, la palabra conectiva "igualmente" del versículo 5, que puede significar la continuación del mismo tema (comparar 3:6, 7), y el llamado a "sujetarse" que sugiere autoridad más que simple respeto, es más probable que Pedro se esté refiriendo a los ancianos oficiales de la iglesia. Pedro acaba de exhortar a los ancianos a no enseñorearse sobre el rebaño. Ahora se siente impulsado a instruir a los jóvenes a sujetarse a los ancianos.

Los "jóvenes" que trabajan diligentemente —deseosos de ver cambios y de servir en el futuro— son los que tienen más probabilidades de tener conflictos con los ancianos de la iglesia. Policarpo, en su carta a la congregación de los Filipenses, también instó a los jóvenes a someterse a los ancianos: "De la misma manera, también los jóvenes deben ser intachables en todo... sometiéndose a los obispos y diáconos como a Dios en Cristo".[18] Si el anciano está estancado o no es eficaz, es probable que los hombres jóvenes sean los más descontentos. Vale la pena repetir el vívido retrato que Peter Davids describe sobre la tensión natural entre los jóvenes y los ancianos de la iglesia:

> En consecuencia, parece mejor ver a los "jóvenes" como la gente juvenil de la iglesia... Tales personas juveniles son, con frecuencia (pero no necesariamente) líderes jóvenes, dispuestos a aprender y ayudar a los que dirigen la iglesia... pero su misma disponibilidad para el servicio y devoción los puede hacer impacientes con los líderes, quienes, ya sea debido a la sabiduría pastoral o el conservadurismo que con frecuencia viene con la edad (las dos cosas no son lo mismo) no están preparados para moverse tan rápida o radicalmente como ellos. Sería muy adecuado hablar a esas personas y amonestarlas a estar sujetas a sus ancianos. En efecto, especialmente en el tiempo de persecución, su disposición a tomar posturas radicales sin considerar las consecuencias, podría poner en peligro la iglesia.[19]

La mejor preparación que puede tener un joven cristiano al disponerse para el liderazgo de la iglesia es aprender primero a someterse a los que tienen el liderazgo espiritual. Un joven espiritualmente despierto puede adquirir sabiduría y valiosos conocimientos de liderazgo por medio de la experiencia de hombres mayores dedicados, incluso si no son modelos de excelencia en el liderazgo.

Conociendo el potencial siempre al acecho para el desacuerdo, la discordia y la división entre todas las partes de la iglesia local, que se acentúa con las presiones de una sociedad hostil, Pedro ofrece el mejor consejo posible: "y todos, sumisos unos a otros, revestíos de humildad; porque: Dios resiste a los soberbios, y da gracia a los humildes". Sólo cuando todos usen la vestidura de humildad —ancianos, jóvenes, mujeres y diáconos— prevalecerán la paz y la unidad.

Capítulo 12

Las palabras de Santiago a los enfermos

"Llame a los ancianos de la iglesia, y oren por él, ungiéndole con aceite en el nombre del Señor".

Santiago 5:14a

El autor de la epístola de Santiago, es Santiago el "hermano del Señor" (Gálatas 1:19). Es el mismo Santiago que se menciona en Hechos 21:18. Junto con Pedro y Juan, Santiago fue uno de los líderes más destacados y sumamente respetados de la iglesia de Jerusalén (Gálatas 1:9).

Santiago, un maestro principal como su hermano, dirige su epístola a "las doce tribus que están en la dispersión" (Santiago 1:1). Parece mejor interpretar este versículo como que Santiago estaba escribiendo a judíos cristianos que vivían fuera de Palestina. Estos judíos cristianos estaban dispersos en el extranjero posiblemente por causa de la persecución (ver Hechos 11:19) y habían formado congregaciones cristianas locales (Santiago 2:2; 5:14). Lo que es de especial interés para nosotros es el hecho de que estas primeras iglesias cristianas judías tenían ancianos. Si estamos en lo correcto al suponer que la Epístola de Santiago fue escrita entre los años 45 y 48 d.C., entonces Santiago provee la más antigua mención registrada de ancianos cristianos.[1]

261

Según Santiago, había que llamar a los ancianos en momentos de enfermedad para que oraran y ungieran con aceite al enfermo. Escribiendo en un estilo audaz de sermón, Santiago afirma:

"¿Está alguno entre vosotros afligido? Haga oración. ¿Está alguno alegre? Cante alabanzas. ¿Está alguno enfermo entre vosotros? Llame a los ancianos de la iglesia, y oren por él, ungiéndole con aceite en el nombre del Señor. Y la oración de fe salvará al enfermo, y el Señor lo levantará; y si hubiere cometido pecados, le serán perdonados" (Santiago 5:13-15).

LLAMAR A LOS ANCIANOS

La carta de Santiago comienza y termina con oración (Santiago 1:5-7; 5:13-18). Insiste en que creer en la oración es una de las principales soluciones a las pruebas y adversidades de la vida. Santiago declara que "la oración eficaz del justo puede mucho", o como lo traduce un comentarista "la oración de un hombre justo funciona poderosamente" (Santiago 5:16b).[2] De modo que para todas las aflicciones y las alegrías de la vida, Santiago prescribe la oración y la alabanza: "¿Está alguno entre vosotros afligido? Haga oración. ¿Está alguno alegre? Cante alabanzas. ¿Está alguno enfermo entre vosotros? Llame a los ancianos de la iglesia, y oren por él, ungiéndole con aceite en el nombre del Señor". Es esta tercera categoría, los enfermos, sobre los que Santiago habla en los versículos 13-15a.

La enfermedad es un tipo específico de sufrimiento que con frecuencia requiere la ayuda y las oraciones de otros. En este pasaje, Santiago se figura un cristiano postrado en cama cuya condición debilitada requiere atención y oraciones especiales. Por eso insta a la persona enferma a llamar a los ancianos de la iglesia.

El predicador puritano Thomas Manton (1620-1677) nos recuerda que "Los que adoran a Cristo no están exentos de enfermedades, no más que de cualquier otra aflicción... Aquellos que son caros para Dios también tienen su parte en el sufrimiento."[3] Cuando un hijo de Dios se enfrenta con enfermedades debilitadoras, Santiago le indica que tome la iniciativa de llamar a los ancianos de la iglesia. El verbo "llamar" está en una forma imperativa (que llame) que implica acción urgente.

Algunos cristianos no llaman a los ancianos porque dudan del poder de Dios para sanar. Otros pueden estar abrigando pecados y rebelión contra Dios. Por ejemplo, el rey Asa estaba muy enojado con Dios y no buscaba el perdón ni la sanidad de Dios cuando se enfermó. "En el año treinta y nueve de su reinado, Asa enfermó gravemente de los pies, y en su enfermedad no buscó a Jehová, sino a los médicos" (2 Crónicas 16:12). Sin embargo, la principal razón por la que las personas no llaman a los ancianos de la iglesia cuando están enfermas, es que nunca se les ha enseñado a hacerlo. S. J. Kistemaker, coautor de la serie *New Testament Commentary* (Comentario del Nuevo Testamento), expresa acertadamente la situación: "La práctica de llamar a los ancianos de la iglesia a orar por los enfermos parece pertenecer a una época pasada".[4]

Santiago especifica que los enfermos "llamen a los ancianos de la iglesia" no a los diáconos, o amigos, o sanadores milagrosos. Claramente supone que todas las congregaciones tienen un cuerpo oficial y reconocido de ancianos. También es importante observar que se requiere una pluralidad de ancianos, no un solo anciano. De la misma manera que los ancianos gobernaban en conjunto, también visitaban y oraban por los enfermos en conjunto. Santiago afirma que no menos de dos ancianos deben estar presentes al lado de la cama del enfermo. Este importante punto, que se omite o ignora fácilmente porque es inconveniente, es un elemento esencial de la enseñanza bíblica.

Los ancianos de la iglesia deben ser llamados a reunirse al lado de la cama del enfermo no por ser particularmente dotados como sanadores, sino porque son los representantes oficiales de la iglesia cuya tarea es pastorear el rebaño. Visitar a los enfermos y orar por su sanidad son responsabilidades fundamentales de la tarea pastoral. Por ejemplo, Ezequiel denuncia a los pastores de Israel porque se niegan cruelmente a cuidar de los enfermos: "No fortalecisteis las débiles, ni curasteis la enferma; no vendasteis la perniquebrada" (Ezequiel 34:4; comparar Zacarías 11:6). Todo pastor compasivo y experimentado sabe que cuidar de la gente enferma es una fase particularmente significativa e íntima de la tarea pastoral.

LOS ANCIANOS OREN POR EL, UNGIENDOLE CON ACEITE

Es perfectamente claro, a partir de estos versículos, que los enfermos deben convocar a los ancianos de la iglesia y que los ancianos deben orar. Lo que describe Santiago es una reunión oficial de oración de la iglesia al lado de la cama del enfermo, donde los ancianos sirvan como representantes oficiales de la iglesia. ¡Qué experiencia profundamente conmovedora sería una reunión así —tanto para el enfermo como para los ancianos!

La principal instrucción de Santiago a los ancianos es orar por la persona enferma. La oración es el tema principal de todo este pasaje, en el que la palabra oración se usa siete veces (Santiago 5:13-18). Los enfermos necesitan oración, y no se debe permitir que el asunto de ungir con aceite ensombrezca la oración, que es el punto principal.

La frase "por él" en el versículo 14 no implica la imposición de manos, aunque es seguro que se hacía. La frase preposicional "por él" representa la situación real, en que la persona enferma yace en cama y los ancianos están de pie o arrodillados cerca de él. Los ancianos y la persona enferma están frente a frente. Este tipo de contacto de carne y hueso alimenta el fuego de la oración en el alma. En presencia del sufrimiento la oración cobra vida y es imbuida de mucha más vitalidad. Manton comenta que "se debe orar por ellos (los enfermos), para que su vista obre sobre nosotros (los ancianos), como nuestras oraciones sobre ellos".[5] R. V. G. Tasker, traductor y comentarista bíblico y ex profesor de la Universidad de Londres, desarrolla más esta idea:

> Aunque es verdad que ellos (los ancianos) podrían interceder por el enfermo sin estar presentes al lado de su cama, en realidad, al estar en la escena real de sufrimiento y orar a vista y oído del sufriente mismo, no solamente es posible que la oración sea más sentida y ferviente, sino que el hombre herido pueda adquirir más conciencia del poder eficaz de la oración de fe, por medio de la cual, incluso en los momentos de mayor debilidad física, se puede mantener la comunión con Dios.[6]

También merecen repetirse los comentarios de C. L. Mitton sobre este punto:

> ¿No podrían haberse ofrecido las oraciones con la misma eficacia en la reunión de la iglesia? ¿Era necesario estar físicamente presente con el hombre enfermo? Si nuestra religión fuera un asunto teórico, estas preguntas estarían justificadas. Pero tratamos con hombres y mujeres que necesitan de ayuda. Nuestro Señor mismo no se negó a acercarse a las personas en necesidad, cuando lo invitaban, aunque podía sanar desde la distancia con una palabra, cuando era apropiado hacerlo. En efecto, la oración ofrecida en nuestra presencia y por nuestras necesidades específicas, por parte de amigos cristianos, tiene un poder y una eficacia que pueden estar ausentes en las oraciones ofrecidas en ausencia

nuestra. Somos criaturas de carne y hueso, tanto como de espíritu, y cuando se nos demuestra amor por la disposición de amigos cristianos en dar su tiempo para venir a nuestro hogar cuando estamos en necesidad, tomamos conciencia más rápidamente de ese amor. Su eficacia en la oración se ve aumentada por el hecho de que hemos tomado conciencia de ello.[7]

Acompañando la oración de los ancianos por sanidad, Santiago habla de la unción con aceite.[8] Santiago no explica el significado del aceite, de manera que es difícil estar seguros de su significado exacto. Podemos suponer que si el uso del aceite hubiera tenido un sentido nuevo u oscuro, Santiago hubiera tenido que explicarse a sus lectores. Entonces, en una carta dirigida a una audiencia judía en relación con la oración especial de los ancianos oficiales de la iglesia por los enfermos, es probable que la unción con aceite estaba destinada a ayudar a la oración por el enfermo, dedicando tangiblemente la persona enferma al cuidado y la atención especiales del Señor.

A lo largo del Antiguo Testamento, una de las principales ideas que fundamentan el uso del aceite es la de separar las cosas o las personas para un propósito especial, particularmente para ser usadas por Dios. El primer ejemplo de esto en la Biblia es cuando Jacob derramó aceite sobre una piedra que había levantado para dedicar el lugar especial donde Dios le había hablado por primera vez: "Y se levantó Jacob de mañana, y tomó la piedra que había puesto de cabecera, y la alzó por señal, y derramó aceite sobre ella. Y llamó el nombre de aquel lugar Bet-el" (Génesis 28:18, 19a). El aceite se usaba para consagrar ("separar" o "dedicar") los sacerdotes, sus vestimentas, el tabernáculo y todo lo que estaba al servicio de Dios (Exodo 29:21; 30:30; 40:9). También a los reyes se los consagraba con la unción de aceite (1 Samuel 10:1; 16:13; 1 Reyes 1:39; 2 Reyes 9:6).

El uso del aceite para separar a la persona enferma para una atención especial encuadra bien con nuestro pasaje de Santiago. La persona enferma ha convocado a los ancianos para que oren. Los ancianos, como representantes oficiales de la iglesia, se reúnen alrededor de la cama de la persona para orar por su sanidad. La unción con aceite en el nombre del Señor ayuda a sus oraciones dedicando visual y físicamente la persona enferma al cuidado y la sanidad de Dios. El aceite, aplicado en nombre del Señor, ayuda al enfermo a recordar que es el objeto especial de oración y del cuidado del Señor.

Uso medicinal versus uso simbólico del aceite

Algunos comentaristas piensan que Santiago indica que el aceite se debe usar con propósitos medicinales únicamente (Lucas 10:34; Isaías 1:6). Concluyen que su mensaje es que la medicina y la oración obran juntas.

Por supuesto, esto es cierto, pero es poco probable que Santiago tenga intención de comentar sobre la medicina o de estimular a los ancianos a actuar como médicos. Con seguridad Santiago no es tan ingenuo como para creer que el aceite es curativo en todas las enfermedades. Podemos suponer que si se hubiera requerido aceite para fines medicinales, hubiera sido aplicado mucho antes de la visita de los ancianos. Es debido a que la medicina no funciona que se llama a los ancianos. La tarea de los ancianos es orar por la sanidad, y de acuerdo al versículo 15, es la oración de fe —no el aceite— lo que restablece al enfermo. No importa cuál sea la enfermedad, la receta bíblica es la oración de los ancianos acompañada por el aceite.

En el único otro pasaje en el que aparece la unción del enfermo con aceite (Marcos 6:13), la unción sugiere solamente un significado simbólico. De acuerdo con el relato del Evangelio los apóstoles practicaban la unción del enfermo con aceite durante el ministerio terrenal del Señor, presumiblemente según su enseñanza. Marcos 6:13 provee ayuda para interpretar el uso del aceite mencionado en Santiago 5:14: "Y saliendo, predicaban que los hombres se arrepintiesen. Y echaban fuera muchos demonios, y ungían con aceite a muchos enfermos, y los sanaban" (Marcos 5:12, 13).

Según los relatos del Evangelio, Jesús envió a los doce de dos en dos para predicar, echar fuera demonios y sanar a los enfermos (Marcos 6:7, 12; Mateo 10:1; Lucas 9:1, 2). Solamente Marcos agrega que los doce ungían *(aleiphó)* a los enfermos con aceite. Algunos comentaristas creen que los apóstoles ungían a la gente con aceite con propósitos medicinales (Lucas 10:34), pero esto es dudoso. Aplicar aceite con propósitos medicinales hubiera debilitado y confundido seriamente el ministerio único en su género y milagroso de los apóstoles que estaba destinado a confirmar sobrenaturalmente su mensaje mesiánico (Lucas 10:9). Cristo dio a los doce poder para "sanar toda enfermedad y toda dolencia", de modo que no necesitaban medicinas (Mateo 10:1, comparar Lucas 9:2). Entonces, el aceite tiene que haber tenido un significado simbólico.

Quienes apoyan la visión de la unción medicinal también afirman que si Santiago pretendía que los ancianos ungieran con aceite por motivos simbólicos y espirituales, entonces hubiera utilizado el término más sagrado para ungir, *chrió*, en lugar de *aleiphó*. Sin embargo la diferencia entre *aleiphó* y *chrió* no es tan clara. Aunque *chrió* es el término usado con más frecuencia en el Antiguo Testamento griego (LXX) para la unción ceremonial de sacerdotes y reyes, *aleiphó* también se usa (por lo menos tres veces) para la unción de sacerdotes. "Después harás que se acerquen sus hijos, y les vestirás las túnicas; y los ungirás (*aleiphó*), como ungiste a su padre (*aleiphó*), y serán mis sacerdotes, y su unción les servirá por sacerdocio perpetuo, por sus generaciones" (Exodo 40:14, 15). El historiador judío Josefo también usa *aleiphó* en forma intercambiable con *chrió* (comparar Antigüedades 6.165 con 6.157). De manera que el uso de Santiago de *aleiphó* es evidencia insuficiente para adoptar el punto de vista medicinal.

Finalmente, la cláusula, "en el nombre del Señor", sugiere una significancia espiritual del ungimiento más bien que una medicinal.

Santiago especifica además que el símbolo físico del aceite se aplica "en nombre del Señor". No hay ningún poder mágico, curativo en el aceite, ni en los ancianos. Todo el poder y la autoridad está en Jesucristo exaltado en el cielo. En su voluntad soberana radica el poder de sanar; porque nada es imposible para él. De modo que los ancianos actúan, y los enfermos se sanan solamente en el nombre de Cristo (Hechos 4:7-10; Lucas 10:17). Poniendo toda la confianza en el Señor. Dándole a él toda la gloria.

La oración de fe

En el versículo 15, Santiago agrega la maravillosa promesa de que "la oración de fe salvará al enfermo, y el Señor lo levantará". Aquí, como en muchos otros relatos de los Evangelios, las oraciones y la fe de las personas que procuran la sanidad (no aquellos que están siendo sanados) realmente producen sanidad (Mateo 8:5-13; 9:18-26; 15:21-28; 17:14-21; Marcos 2:5). Lo que hace la diferencia en la sanidad del enfermo no es el aceite, sino el tipo de oración que los ancianos ofrecen a Dios (Santiago 1:6, 7; 4:3).

La oración de fe es una oración inspirada por una confianza sincera y firme en Dios (Mateo 21:21, 22; 17:20). Eficazmente, la oración misma es una expresión de profunda fe en Dios. Los ancianos que no oran, de mentalidad mundana y espiritualmente impotentes, no pueden ofrecer ese tipo de oración (Santiago 1:5-8; 4:3). Entonces esto pone una solemne responsabilidad sobre los ancianos, para que sean hombres de oración y fe vivas.

La promesa incondicional de recuperación de Santiago, es similar a otras afirmaciones incondicionales acerca de la oración que se encuentran en los Evangelios. La oración de fe es tan poderosa que Santiago, al igual que nuestro Señor, afirma su eficacia en términos ilimitados: "Y todo lo que pidiereis en oración, creyendo, lo recibiréis" (Mateo 21:22; comparar Marcos 9:23; 11:22-26; Lucas 11:5-13; Juan 15: 7, 16; 16:24). Estas afirmaciones absolutas, sin restricción, enseñan el poder de la fe y la oración. Tales expresiones absolutas son parte de una rica diversidad de figuras[9] utilizadas por nuestro Señor para enseñar en forma vívida y dramática a las personas que por naturaleza somos torpes para los asuntos espirituales (Romanos 6:19).

Santiago espera acertadamente que sus oyentes comprendan que hay condiciones legítimas, no expresadas, para esas afirmaciones. Como dice un comentarista acerca del estilo provocativo de la enseñanza de Santiago: "Es un aspecto del estilo de Santiago decir las cosas directamente sin dar explicaciones detalladas ni usar refinamientos".[10] Es por eso que no dice cuándo ni cómo el Señor sanará al enfermo. Sin comprender las condiciones de tales afirmaciones, uno se enfrenta a contradicciones y absurdos. Por ejemplo, a pesar de que oró tres veces por un "aguijón en la carne", Pablo no recibió aquello por lo que oraba (2 Corintios 12:8,9). Eso no significaba que Pablo carecía de fe. Sin embargo, Dios tenía sus perfectas razones para responder de una manera diferente (2 Corintios 12:9).

Dios tiene muchas maneras de sanar los males de las personas, como lo demuestra el caso de Epafrodito en Filipenses 2. Epafrodito estaba gravemente enfermo, hasta el punto de morir, y Pablo parecía impotente para impedirlo. ¿Por qué no oró Pablo y recibió una sanidad milagrosa inmediata para Epafrodito? ¿Cómo podía ocurrir semejante experiencia de lecho de muerte si estaban involucrados dos grandes hombres de fe? La respuesta es que ni siquiera los apóstoles podían sanar indiscriminadamente (Gálatas 4:13, 14; 1 Timoteo 5:23; 2 Timoteo 4:20). Por lo tanto, Pablo escribe que Dios tuvo misericordia de Epafrodito (Filipenses 2:27). Dios ciertamente se preocupa por los suyos. Epafrodito se recuperó, pero no, al parecer, por los medios espectaculares que hubiéramos esperado. No se revela el medio por el que sanó. Lo que se revela es Dios, la fuente fundamental de la sanidad.

"El amor por los miembros
enfermos
debería tener un lugar
especial
en la congregación
cristiana.
Dios se nos acerca por medio
de los enfermos.
El pastor que descuida la visita
del enfermo
debe preguntarse
si en realidad puede o no
ejercer su oficio".

(Dietrich Bonhoeffer,
Spiritual Care (Cuidado espiritual), 56)

La enseñanza de Santiago no implica que tiene que ocurrir un milagro espectacular de sanidad. Escribe de una manera general que no dice nada específico sobre cómo sanará el Señor. Por eso, la enseñanza de Santiago no se puede dejar de lado como si fuera una práctica provisoria, única en su género, del primer siglo.

TRATAR CON EL PECADO

Santiago agrega una segunda promesa a su enseñanza: "Y si hubiere cometido pecados, le serán perdonados". Santiago deja abierta la posibilidad de que el pecado puede haber causado la enfermedad de la persona. Efectivamente, Dios castiga a sus hijos descarriados con la vara de la enfermedad física. Las peleas mezquinas y divisiones escandalosas en la iglesia de Corinto trajeron la mano disciplinadora de Dios sobre los transgresores en forma de enfermedad, incluso muerte. Pablo escribe: "Por lo cual hay muchos enfermos y debilitados entre vosotros, y muchos duermen. Si, pues, nos examináramos a nosotros mismos, no seríamos juzgados; más siendo juzgados, somos castigados por el Señor, para que no seamos condenados con el mundo" (1 Corintios 11:30-32).

Entre los lectores de Santiago encontramos "celos amargos y contención" (Santiago 3:14); "guerras y pleitos" (Santiago 4:1); "codicia" por las comodidades y posesiones terrenales (Santiago 4:1-4, 13, 16); discriminación contra los pobres (Santiago 2:1-13); quejas de unos contra otros (Santiago 4:11, 5:9); y falta de unidad práctica, fe y amor cristianos (Santiago 1:22-27; 2:14-26). Por lo tanto, Santiago está agudamente consciente de que en algunos casos el pecado puede ser la causa fundamental de la enfermedad física (Santiago 5:12).

Al visitar a los enfermos, los ancianos también deben estar conscientes de la posibilidad de que el pecado pueda ser la causa de la enfermedad. Una persona dispuesta a llamar a los ancianos de la iglesia está más inclinada a confesar el pecado y a recibir la sanidad física y espiritual total. Suponiendo que se haya hecho una sincera confesión, Santiago promete que los pecados de la persona enferma serán perdonados. De modo que los ancianos que la visitan tendrán que tratar con algo que va mucho más allá de la enfermedad. La visita puede convertirse en una oportunidad de consejo espiritual, confesión, estímulo o restauración.

Aunque la enfermedad puede venir por el pecado, debemos afirmar enfáticamente que no toda enfermedad es el resultado de pecado personal. El libro de Job deja este punto absolutamente claro. Santiago también lo aclara al agregar el condicional "y si hubiere cometido pecados". Muchos santos hombres y mujeres de fe y oración han sufrido enfermedades por motivos ajenos al pecado personal. Pablo mismo sufrió de una debilidad que se convirtió en un medio de orientación para él (Gálatas 4:13,14). Si su "aguijón en la carne" se refiere a una debilidad física, su debilidad física también se convirtió en un medio de crecimiento espiritual y protección (2 Corintios 12:7-10). Si embargo, si la enfermedad de un miembro que sufre se debe al pecado, los ancianos deben estar preparados para tratar adecuadamente la situación.

Aunque hay preguntas sin responder en relación con la unción con aceite y la naturaleza de la enfermedad en este pasaje, no se debe permitir que nos distraigan del mensaje claro: los enfermos deben llamar a los ancianos y los ancianos deben orar. ¡Qué bendición, ayuda y consuelo se niega al pueblo de Dios cuando no se les enseña fielmente esta porción de las Escrituras!

Capítulo 13

Hebreos: Obedezcan a sus líderes

"...porque ellos velan por vuestras almas".

Hebreos 13:17b

Se desconoce la identidad del autor de la Epístola a los Hebreos, aunque era bien conocido para sus lectores (Hebreos 13:18-24). Parece probable que esta carta fuera escrita poco antes de la destrucción del templo de Jerusalén en el año 70 d.C. Fue escrita a una comunidad predominantemente judía cristiana, posiblemente ubicada en Roma (Hebreos 13:23,24). De interés para nuestro estudio es el cierre del autor, en el que exhorta a sus lectores a obedecer a sus "pastores".

> "Obedeced a vuestros pastores, y sujetaos a ellos; porque ellos velan por vuestras almas, como quienes han de dar cuenta; para que lo hagan con alegría, y no quejándose, porque esto no os es provechoso" (Hebreos 13:17).

> "Saludad a todos vuestros pastores, y a todos los santos" (Hebreos 13:24).

Aunque no se revela la identidad exacta de estos pastores, seguramente incluía a los ancianos locales, si existían, y hay sólidas razones para creer que sí existían. Hay desacuerdo acerca de la ubicación geográfica de la congregación a la que se dirigió el escritor de Hebreos. Si la carta fue escrita a una comunidad judía cristiana en Palestina, lo que es una visión muy aceptada, entonces con toda seguridad los ancianos estarían incluidos bajo la designación de "pastores". Si la carta

273

fue escrita a Roma, que es la opinión de la mayoría de los eruditos hoy, los ancianos seguirían siendo considerados como parte del liderazgo designado para la iglesia. Hay amplias y sólidas evidencias que apoyan la existencia de un liderazgo congregacional de parte de ancianos en Roma en la época en que fue escrito Hebreos:

- Sabemos del libro *"Pastor de Hermas"* (alrededor del año 140 d.C.), el llamado *"Progreso del Peregrino"* del cristianismo primitivo, que representa bien el estado de la cristiandad romana en los primeros 25 años del segundo siglo, que un cuerpo de ancianos —no un sobreveedor único— presidía la iglesia de Roma. Hermas afirma: "Y después tuve una visión en mi casa. Vino la anciana, y me preguntó si ya había entregado el libro a los ancianos... Pero debo leer (el libro) a esta ciudad (Roma) junto con los ancianos que presiden la Iglesia".[1] Además, Hermas usa dos veces el término obispo, pero es un sinónimo de anciano y está usado siempre en plural.[2]

- En la carta de Ignacio a la iglesia de Roma en el año 115 d.C. no se menciona en ningún momento un obispo romano. Esta es una separación radical de las otras seis cartas en las que se refiere a un solo obispo.

- En el año 96 d.C. la iglesia en Roma escribió una carta a la iglesia en Corinto, que se titula erróneamente *Epístola de San Clemente a los corintios* (también llamada *1 Clemente*). La carta demuestra que hubo una estrecha relación entre ambas iglesias. Lo que es de suma importancia para nosotros es que la carta de *1 Clemente* exhorta a los corintios a someterse a sus ancianos porque sus ancianos han sido establecidos por los apóstoles y prescritos por las Escrituras del Antiguo Testamento:

Los Apóstoles recibieron el Evangelio para nosotros del Señor Jesucristo. Jesucristo fue enviado por Dios. Entonces Cristo viene de Dios, y los Apóstoles de Cristo... Así que, predicando en todas partes en el campo y en la ciudad, designaron sus primeros frutos, una vez que los hubieron probado con el Espíritu, para ser obispos (ancianos) y diáconos entre los creyentes. Y esto lo hicieron sin innovar, porque ciertamente estaba escrito acerca de los obispos y diáconos desde tiempos muy antiguos; porque decían las escrituras en cierto lugar, *designaré sus obispos en justicia y sus diáconos en fe*.[3]

Y nuestros Apóstoles sabían por nuestro Señor Jesucristo que habría rivalidad por el nombre del oficio de obispo (anciano). Por ese motivo, habiendo recibido la presciencia completa, designaron a las personas antedichas (ancianos) y después ellos (los apóstoles) proveyeron una continuación, para que si estos (ancianos) se durmieran, otros hombres aprobados (ancianos) les sucedieran en su ministerio (de los ancianos).

Por eso, aquellos que fueron designados (por los apóstoles), o después por otros hombres de buena reputación (ancianos), con el consentimiento de toda la Iglesia, y que han ministrado intachablemente al rebaño de Cristo con humildad de mente, pacíficamente y con toda modestia, y durante mucho tiempo han tenido buena reputación entre todos —a estos hombres consideramos injusto que sean echados de su ministerio.[4]

Aunque *1 Clemente* no dice nada acerca de la presencia de ancianos en Roma, la afirmación de que era práctica regular de los apóstoles designar un grupo de obispos (ancianos) implica que los cristianos romanos aceptaban y seguían el mismo modelo.

- La Epístola a los Hebreos, escrita treinta años antes que *1 Clemente*, se refiere a una pluralidad solamente, no a un líder único. La acción conjunta de estos líderes, que se describe como cuidando del bienestar espiritual de los lectores, sugiere la tarea de los ancianos de la iglesia que hemos observado a lo largo del Nuevo Testamento (Santiago 5:14, 15; Hechos 20:28; 1 Pedro 5:2).

- La primera comunidad cristiana en Roma estaba compuesta de "judíos y prosélitos" que habían escuchado el evangelio en Jerusalén el día de Pentecostés (Hechos 2:10). Las comunidades judías cristianas fuera de Jerusalén probablemente imitaban el modelo de la iglesia madre en Jerusalén (Santiago 5:14) y los cristianos romanos habrían sabido que en Jerusalén se establecían ancianos entre los creyentes judíos.

Basados en estas evidencias, tenemos buenos motivos para creer que existían ancianos en Roma en la época en que fue escrita la epístola a los Hebreos. Por eso incluimos Hebreos 13:17 como parte de nuestro estudio sobre los ancianos.

OBEDECER Y SUJETARSE A LOS LIDERES ESPIRITUALES

El autor inspirado señala a sus lectores la responsabilidad de tener en cuenta y obedecer a sus líderes espirituales porque eso los ayudará significativamente en su lucha contra el pecado. En el versículo 7 de Hebreos 13, el autor insta a sus lectores a reflexionar sobre el ejemplo destacado de devota fidelidad de sus antiguos líderes: "Acordaos de vuestros pastores, que os hablaron la palabra de Dios; considerad cual haya sido el resultado de su conducta, e imitad su fe". En el versículo 17, el autor exhorta a sus lectores a obedecer y sujetarse a sus líderes actuales. El propósito de estas exhortaciones es doble: primero, al considerar los ejemplos de las vidas de sus líderes anteriores, los lectores se sentirán inspirados a ser más fieles a Cristo. Segundo, al obedecer a sus líderes actuales, serán espiritualmente alimentados y protegidos.

Es tremendamente importante que los cristianos comprendan la voluntad de Dios en relación con la sujeción y la obediencia a sus guías espirituales. Más que ningún otro pasaje del Nuevo Testamento, Hebreos 13:17 trata sobre la responsabilidad de obedecer a los pastores de la iglesia. Al usar dos verbos en forma imperativa, "obedeced" y "sujetaos", el autor inspirado intensifica su exhortación. Su encargo es de suma importancia. Aunque es difícil distinguir las diferencias precisas de significado entre ambos verbos, "sujetaos" es la más fuerte y amplia de los dos. Los cristianos no sólo deben "obedecer" a sus líderes (*peithó*, que significa "obedecer", "atender a", "seguir a") sino que deben "sujetarse" a ellos (*hypeikó*, que significa "rendirse a", "dar lugar a", "ceder a"). Esto significa que los cristianos deben responder a sus líderes, sujetarse a su autoridad, y subordinarse a ellos incluso cuando tengan una opinión diferente.

La sujeción a la autoridad es necesaria para el adecuado ordenamiento de la sociedad, y la iglesia de Dios no es una excepción. "Entonces la anarquía es un pecado, y la causa de la ruina", afirma el antiguo religioso Juan Crisóstomo, "pero no es menos pecado la desobediencia a los gobernantes. Porque en definitiva es lo mismo. Si una persona no obedece a su gobernante, es como si no lo tuviera; y tal vez peor".[5]

Un espíritu de obediencia y sumisión a la autoridad es fundamental para la vida cristiana (Romanos 16:19; 2 Corintios 2:9; Filipenses 2:12; Filemón 21; 1 Pedro 1:2, 14). La sumisión es el fruto de la genuina humildad y de la fe. Es una señal de una vida llena del Espíritu (Efesios 5:18-6:9). La Biblia dice, primero y principalmente "someteos, pues, a Dios..." (Santiago 4:7a). La verdadera sumisión a Dios se expresa naturalmente en obediencia y sumisión a la autoridad terrenal. De esa manera, la sumisión genuina a Dios y a su Palabra se expresa en la obediencia y sumisión en el hogar, en el matrimonio, en el trabajo, en la sociedad, y en la asamblea local de creyentes.

La eficacia de cualquier cuerpo de líderes de iglesia se ve directamente afectada por la respuesta del pueblo que dirigen. Personas obstinadas e insumisas son duras para aprender e incapaces de cambiar para bien. Consideremos la nación de Israel: a causa de la continua desobediencia, la nación como un todo no entró en la Tierra Prometida (Hebreos 3:16-4:16) Lo mismo es verdad hoy. Cuando el pueblo de Dios obra en forma independiente y terca, hay poco crecimiento, paz o gozo en el ministerio de la iglesia local. Sólo cuando los creyentes se someten adecuadamente a sus líderes espirituales, la iglesia local tiene la posibilidad de ser la familia de Dios creciente, gozosa y amante que pretende ser. William Kelly resume admirablemente la importancia de este tema al escribir: "Cristo mismo abrió el camino aquí en la tierra en esta senda de obediencia firme e invariable... (los creyentes) sólo son bendecidos cuando caminan en obediencia y sumisión, en lugar de andar por un camino de vanas exigencias de sus derechos, cosa que si se cumpliera sería esclavitud a Satanás".[6]

No debemos pasar por alto el hecho de que el autor inspirado pide a sus lectores que se sometan a un grupo de líderes. No dice: "obedeced a vuestro pastor, y someteos a él"; dice, "obedeced a vuestros pastores". Como hemos visto a lo largo del nuestro estudio, el equipo de líderes pastores, no una sola persona, es responsable de proteger el bienestar espiritual de una congregación local de creyentes.

La palabra griega que se usa aquí para "líderes" es *hégoumenoi*, que viene de *hégeomai*, que es un término genérico, como *líder*. Se la puede usar para describir líderes militares, políticos o religiosos. En el Antiguo Testamento griego *hégoumenos* se usaba para describir a los jefes de tribu (Deuteronomio 5:23), el jefe de un ejército (Jueces 11:11), el gobernante de la nación de Israel (2 Samuel 5:2; 7:8), el superintendente de tesorería (1 Crónicas 26:24) y el sacerdote principal (2 Crónicas 19:11). En Hechos, a Silas y a Judas se los llama "varones principales *(hégoumenous)* entre los hermanos "(Hechos 15:22). En una afirmación paradójica acerca del liderazgo, Jesús dice: "sea el mayor entre vosotros como el más joven, y el que dirige *(hégoumenous)*, como el que sirve" (Lucas 22:26). El uso que hace el autor de la palabra *hégoumenoi* en Hebreos 13:7, 17, 24, puede servir para cubrir un amplio espectro de líderes desde los apóstoles hasta los ancianos. La obra de los dirigentes en el versículo 17, que se describe como que "velan por vuestras almas", realmente suena como la tarea de los ancianos de la iglesia local (Hechos 11:30; 15:6, 22; Santiago 5:14,15). Aunque el término *anciano* no aparece aquí, la exhortación a obedecer y sujetarse a los dirigentes de la iglesia, ciertamente incluye los ancianos que velan por la iglesia.[7]

ELLOS VELAN POR VUESTRAS ALMAS

Sabiendo que la sumisión a la autoridad con frecuencia produce resistencia o resentimiento, incluso de parte de los hijos de Dios, el autor refuerza su exhortación agregando razones importantes para la sujeción y la obediencia. Los líderes espirituales merecen obediencia porque "ellos velan por vuestras almas". El verbo "velar" *(agripneó)* significa literalmente "mantenerse despierto". Pero aquí está usado metafóricamente para vigilar, proteger y cuidar a las personas. Al igual que los antiguos centinelas de la ciudad o pastores de un rebaño, los líderes espirituales deben estar siempre sumamente alerta, y ser concienzudos y diligentes. Velar exige un esfuerzo inagotable, autodisciplina y una preocupación desinteresada por la seguridad de los demás.

Estos dirigentes están comprometidos en el cuidado espiritual. Velan por "vuestra alma". La palabra griega para *alma* es *psyche*. En muchas oportunidades *psyche* se usa en sentido equivalente a "persona" o a "uno mismo", entonces podríamos traducir *psyche* como el pronombre personal *"ustedes"*, cosa que hacen algunas versiones: "ellos cuidan sin descanso de ustedes" (Versión Popular). Sin embargo, en este contexto *psyche* parece tener un sentido más profundo que se relaciona con la dimensión interior y espiritual de la vida (comparar Hebreos 10:39; 3 Juan 2). Por sobre todo, estos dirigentes velan por el bienestar espiritual de la congregación. Si esta tarea se tomara livianamente, podría producir severos daños en la vida espiritual de los hijos de Dios.

El comentarista bíblico R. C. H. Lenski, señala que velar implica peligro potencial: "Velar implica mantenerse a uno mismo y a otros seguros en medio de una situación de peligro conocido o cuya existencia se teme. Donde no existe peligro, no hace falta vigilar... Todo esto se aplica a la iglesia en el más alto nivel en que se debe proteger la seguridad de las almas".[8] Puesto que abundan los falsos maestros y las trampas espirituales, y ya que todos los cristianos se inician como niños recién nacidos en Cristo, y considerando que algunos cristianos son definitivamente débiles en la fe, el velar por el desarrollo espiritual del pueblo de Dios es una tarea indispensable y continua.

Hebreos mismo es un ejemplo de centinelas espirituales en acción. Existían serios problemas entre algunos creyentes: apatía e inmadurez espiritual, descuido de la verdad, transigencia con costumbres antiguas del judaísmo, reincidencias y falta de consideración por los pastores de Dios. Los dirigentes responsables de esta comunidad necesitada enfrentaban problemas que requerían alerta vigilancia y acción.

Si los líderes a los que hace referencia el versículo 17 fueron quienes advirtieron al autor de Hebreos sobre los problemas de la congregación, son ejemplos excelentes de vigilancia espiritual. Da la impresión que estos dirigentes eran cristianos estables y maduros en quienes el autor tenía plena confianza. Efectivamente, como señala un comentarista: "La palabra [velan] es un elogio a los dirigentes como hombres con autoridad y responsabilidad pastoral dadas por Dios".[9] Sin embargo, sus buenos esfuerzos pastorales tendrían poco éxito si los creyentes no se sujetaban a su liderazgo sabio y cariñoso.

Los líderes no solamente merecen ser obedecidos porque velan por el pueblo de Dios, sino que su gran responsabilidad requiere un examen más riguroso y un grado de confiabilidad frente a Dios. Todos los dirigentes espirituales son vigilantes y pastores a quienes se les pedirá cuentas. Jesús dijo: "Porque a todo aquel a quien se le haya dado mucho, mucho se le demandará; y al que mucho se le haya confiado, más se le pedirá" (Lucas 12:48b; comparar Marcos 12:40). Si estos líderes espirituales fracasan en su tarea, el pueblo de Dios se verá perjudicado. Por eso, como los vigilantes de una ciudad, son agudamente conscientes de que deberán rendir cuentas ante Dios de la importante tarea que se les ha confiado. Lenski nos recuerda bien: "Quienquiera que asume o recibe responsabilidad sobre el alma de otros, *incluso si es uno solo*, es completamente responsable" (cursiva agregada).[10]

Según el Antiguo Testamento, Dios prometió que llamaría a rendir cuentas a los centinelas en relación con su responsabilidad sagrada:

> "Cuando yo dijere al impío: De cierto morirás; y tú no le amonestares ni le hablares, para que el impío sea apercibido de su mal camino a fin de que viva, el impío morirá por su maldad, pero su sangre demandaré de tu mano. Pero si tú amonestares al impío, y él no se convirtiere de su impiedad y de su mal camino, él morirá por su maldad, pero tú habrás librado tu alma" (Ezequiel 3:18,19).

De manera similar, Pablo se veía a sí mismo como un centinela responsable ante Dios de quienes habían sido confiados a su cuidado: "Por tanto, yo os protesto en el día de hoy, que estoy limpio de la sangre de todos; porque no he rehuido anunciaros todo el consejo de Dios" (Hechos 20:26, 27). Como Pablo sabía la certeza de la evaluación de Dios de su labor, buscaba diligentemente la aprobación de Dios respecto de todo su trabajo (1 Corintios 4:1-5; 9:27; 2 Corintios 5:9-11; 2 Timoteo 2:15; 4:7, 8).

La Biblia dice que los maestros recibirán un juicio más severo a causa de su responsabilidad e influencia (Santiago 3:1). Como las posiciones de enseñanza y liderazgo requieren mayor responsabilidad y confiabilidad, un hombre prudente nunca correrá hacia el liderazgo. El conocimiento de que un dirigente debe dar cuenta a Dios debería influir enormemente en la calidad del liderazgo espiritual del dirigente. Más aun, cuando el pueblo de Dios comprenda que sus dirigentes deben rendir cuenta a Dios, será mucho más tolerante, comprensivo y sensible para con las acciones y decisiones de sus líderes. Estará más dispuesto a obedecer y sujetarse a ellos.

HACER QUE SU TRABAJO SEA GOZOSO Y NO PENOSO

El resultado de la sujeción de parte de quienes son dirigidos es un gozo profundo y satisfactorio para quienes dirigen. Todo pastor conoce el gozo indecible de ver vidas transformadas por el poder del Evangelio, de ver personas crecer como resultado de la enseñanza de la Palabra, y de ver prosperar el rebaño. Juan, el apóstol, expresó este gozo: "No tengo yo mayor gozo que este, el oír que mis hijos andan en la verdad" (3 Juan 4). Este gozo, que todo dirigente tiene derecho a esperar (2 Corintios 2:3), es posible únicamente cuando las personas obedecen y se sujetan a sus líderes.

Sin embargo, cuando el pueblo de Dios desobedece, se queja y riñe, el gozo de pastorear desaparece. Cuando los cristianos se niegan prestar atención a las advertencias de los pastores, los pastores sienten "pena". Por eso el autor dice: "Procuren hacerles el trabajo agradable y no penoso". La palabra "pena" también se puede traducir como "lamento", "gemido", "suspiro". La palabra "pena" indica una fuerte emoción interior —una emoción que las palabras son incapaces de expresar (Marcos 7:34; Romanos 8:23, 26). Aquí la palabra expresa un profundo dolor y un anhelo de mejores condiciones.

Los pastores suspiran por un hermano o hermana que sigue deliberadamente la falsa doctrina. Gimen de dolor por aquellos que se niegan a crecer, aprender, cambiar o aceptar corrección. Moisés se lamentó muchas veces por la desobediencia y la terquedad de su pueblo. En una oportunidad, las quejas de la gente se volvieron tan insoportables que Moisés le suplicó a Dios que le quitara la vida: "No puedo yo solo soportar a este pueblo, que me es pesado en demasía. Y si así lo haces tú conmigo, yo te ruego que me des muerte, si he hallado gracia en tus ojos y que yo no vea mi mal" (Números 11:14,15). Pablo también sufrió muchas angustias a causa de las desobediencias de sus conversos. La conducta rebelde afecta a los pastores. A veces buenos pastores renuncian a causa de las dolorosas coces y profundas mordeduras de las ovejas desobedientes. Cuando eso ocurre, toda la congregación sufre.

Aunque la desobediencia produce aflicción a los pastores de la iglesia, produce un impacto más grave en el creyente rebelde. Esta es la razón fundamental por la que los lectores deben obedecer y sujetarse a sus dirigentes espirituales. Por medio de una afirmación intencionalmente insuficiente "porque esto no os es provechoso", el autor de Hebreos advierte a los creyentes desobedientes contra causar aflicción a sus líderes espirituales. Este un recurso literario, llamado *lítotes*, en que se usa una afirmación negativa atenuada, en lugar de una declaración afirmativa fuerte. Es lo opuesto de la hipérbole. (Por ejemplo, en lugar de decir "es un excelente trabajo" diría "No es mal trabajo".) La expresión hace que el lector se detenga, reflexione y complete el significado. En sentido afirmativo, esta frase sería "esto es dañino para ustedes" o bien "esto es desastroso para ustedes".

Aislarse de los atalayas de Dios o huir del cuidado de los pastores es asunto peligroso. Dios puede castigar severamente al creyente desobediente (1 Corintios 11:29-34), el diablo puede engañar la mente (2 Corintios 11:3), o puede instalarse un espíritu de amargura, interrumpiendo el crecimiento y la madurez. Con seguridad, quienes se niegan a escuchar los lamentos y súplicas de los pastores de la iglesia, se pierden todas las bendiciones que Dios da por medio del ministerio pastoral. De modo que la última frase es, como lo señala el comentarista bíblico William Lane, "un sobrio recordatorio de que el bienestar de la comunidad está ligado a la calidad de la forma en que responden a sus dirigentes".[11]

Cuarta parte

TEMAS
RELACIONADOS

Capítulo 14

La designación de ancianos

"Y constituyeron ancianos en cada iglesia, y habiendo orado con ayunos, los encomendaron al Señor en quien habían creído".

Hechos 14:23

Otro aspecto malentendido y lamentablemente descuidado del liderazgo bíblico de ancianos, se relaciona con el proceso de designación de los ancianos. Es en este aspecto donde fracasan muchas iglesias, con el triste resultado de que se nombran hombres inadecuados como ancianos pastores, y/o nunca se desarrollan ni reconocen apropiadamente a los hombres bien calificados. La mayoría de las iglesias tienen dos normas diferentes para el proceso de designación: una para la clase profesional, que es muy exigente y completa, y otra para la llamada clase laica o los ancianos de la junta, que es muy abreviada. Pero este sistema dual de normas no tiene base en la Escritura. Todos los ancianos pastores deben ser totalmente aptos, formalmente examinados y establecidos públicamente en su oficio.

Para entender lo que implica el proceso bíblico de nombramiento de ancianos, primero debemos observar a quienes inician y conducen el proceso de designación, y luego considerar los elementos principales del proceso: el deseo, las aptitudes, la selección, el examen, el establecimiento y la oración.

EL INICIO Y LA CONDUCCION
DEL PROCESO DE DESIGNACION
DEL ANCIANO

Según 1 Timoteo 3:1 y Tito 1:7, una iglesia local debe tener sobreveedores. Por definición, los obispos supervisan las actividades de la iglesia. En 1 Timoteo 5:17, los ancianos son los que "gobiernan" la iglesia local. La palabra "gobernar" viene de la palabra griega *prohistémi*, que significa dirigir, conducir o administrar. De modo que en asuntos de vital importancia como seleccionar, examinar, aprobar y establecer a los futuros ancianos o diáconos, los sobreveedores deben dirigir todo el proceso. (En todos los casos de nombramiento inicial de ancianos o diáconos del Nuevo Testamento, los apóstoles, o un delegado apostólico, iniciaban y supervisaban el proceso de designación. Ver Hechos 6:1-6; 14:24; Tito 1:5). Si los ancianos no supervisan el proceso de nombramiento, sobrevendrá el desorden y el desconcierto, y las personas se perjudicarán. Además, si los ancianos no toman la iniciativa, el proceso se estancará. Los ancianos tienen la autoridad, la posición y el conocimiento para poner en movimiento toda una iglesia. Conocen sus necesidades y su gente. De manera que pueden, intencionalmente o no, ahogar o estimular el desarrollo de nuevos ancianos. El motivo por el que algunas iglesias no pueden encontrar nuevos ancianos es que nadie los está buscando realmente.

Aunque el Nuevo Testamento no provee ejemplos de ancianos nombrando ancianos, la continuidad del liderazgo de ancianos está implícita en el ministerio de los ancianos como pastores, administradores y sobreveedores de la congregación. La continuidad del liderazgo de ancianos es un aspecto fundamental de la responsabilidad del liderazgo de la iglesia. Es absolutamente vital para la marcha de la vida de la iglesia que los mismos ancianos reconozcan el deseo puesto por el Espíritu en otros para pastorear el rebaño. Si un hermano desea pastorear la iglesia y realmente manifiesta ese deseo mediante acciones apropiadas, y si está moralmente calificado para hacerlo, entonces los ancianos están obligados a ver que no se frustre su deseo. Ese hermano necesita que lo hagan oficialmente miembro del equipo de líderes de la iglesia.

Por esa razón, un buen grupo de líderes estará orando y buscando hombres capaces para unirse a ellos, y formando y entrenando hombres conscientemente para el futuro liderazgo. Lo que Pablo dijo a Timoteo se aplica al liderazgo: "Lo que has oído de mí ante muchos testigos, esto encarga a hombres fieles que sean idóneos para enseñar también a otros" (2 Timoteo 2:2). Idealmente, mucho antes de que la iglesia examine a un candidato a anciano, se habrá estado preparando y habrá sido entrenado por los ancianos y observado por la congregación. Si esto ha venido ocurriendo, el proceso de examinar y aprobar al candidato se hará rápido y de manera ordenada.

Kenneth O. Gangel, profesor y presidente del departamento de educación cristiana del Seminario Teológico de Dallas, da en el blanco cuando dice: "La clave para reproducir el liderazgo es planificarlo claramente".[1] "Los líderes de la iglesia", exhorta Gangel, "necesitan producir líderes que reproducirán líderes precisamente como ocurre en la familia —por medio de la experiencia, la instrucción y el ejemplo".[2] En comentarios relacionados sobre la necesidad de disciplinar hombres para el liderazgo de la iglesia, Bruce Stabbert dice:

> Sin embargo, casi todas las iglesias encuentran que la mayoría de los hombres están lamentablemente aturdidos espiritualmente y tienen poco conocimiento de la Biblia. Si este es el caso, esos hombres probablemente serán muy poco proclives a verse a sí mismos como posibles pastores. Es aquí donde el plan (de adiestrar ancianos) se vuelve trabajo.
>
> Podemos imaginar a Pedro, siendo informado en su primer encuentro con Cristo, que después de tres años sería un apóstol y predicaría a miles de personas a la vez. Probablemente hubiera dicho: "¿Yo?" ¿Cómo hizo Jesús para preparar a Pedro y los otros apóstoles para el liderazgo de la iglesia? Los disciplinó. Pasó tiempo con ellos. Les enseñó. Oró con ellos y por ellos.
>
> Y esa es la principal manera para que puedan desarrollarse verdaderos ancianos en la iglesia local. Alguien tendrá que discipular algunos hombres. Tal vez no contemos más que con un grupo de pescadores en nuestra congregación, pero deben ser discipulados. Alguien debe pasar tiempo con ellos. Alguien debe enseñarles. Alguien debe orar con ellos y por ellos. ¡Pero pueden ser discipulados![3]

Los ancianos de la iglesia (o los encargados de los misioneros de la iglesia) deberían tomar la iniciativa y supervisar el proceso de nombramiento. Como dicen las Escrituras "pero hágase todo decentemente y con orden" (1 Corintios 14:40).

ELEMENTOS DEL PROCESO DE DESIGNACION: DESEO, APTITUDES, SELECCION, EXAMEN, ESTABLECIMIENTO Y ORACION

Generalmente se piensa que Hechos 6:1-6 provee el modelo para todas las etapas en el proceso de nombramiento de diáconos o ancianos. Sin embargo, hechos 6 es el relato del establecimiento original de los Siete; no nos dice cómo hizo el grupo para perpetuarse, suponiendo que siguió existiendo después de la gran persecución de Hechos 8. Si el grupo continuó funcionando (y la necesidad del mismo ciertamente no desapareció), ¿pidieron los Siete a la congregación que eligiera nuevos miembros e hicieron que los apóstoles les impusieran las manos, o sencillamente los reemplazaron? ¿Fue siempre necesario que el grupo contara con siete miembros, o podía haber seis o diez? ¿Había una fecha fija cada año en que la iglesia elegía los nuevos para reemplazar a los Siete? No tenemos las respuestas a estas preguntas, y lo mismo es cierto en relación con los ancianos. Incluso si en Hechos 14:23 Pablo y Bernabé siguieron el modelo de Hechos 6, no sabemos exactamente cómo hicieron los ancianos Gálatas para perpetuarse después que se fueron los apóstoles.

El Nuevo Testamento dice muy poco con respecto a esos procedimientos detallados como el de nombramiento de ancianos. De la misma manera el Nuevo Testamento es asombrosamente silencioso en lo que atañe a procedimientos específicos para la administración de la Cena del Señor y del bautismo. Los procedimientos precisos para estas actividades han sido dejados al criterio de la iglesia local. Incluso bajo la ley de Moisés, que prescribía procedimientos detallados para cada aspecto de la vida, asuntos tales como el nombramiento y la organización de los ancianos fueron dejados al criterio del pueblo. Dios espera que sus santos utilicen la creatividad y la sabiduría que él ha provisto, para organizar todas las cuestiones dentro de los lineamientos revelados en su Palabra. Espera que su gente lo haga de manera que sea un ejemplo de la verdad del Evangelio y la verdadera naturaleza de la Iglesia. Estoy de acuerdo con Neil Summerton, que capta el espíritu bíblico cuando escribe:

Es característico del Hombre Tecnológico del siglo veinte preocuparse anormalmente por el mecanismo preciso de elección. Pero bíblicamente es de mucha mayor importancia la manera y el espíritu. Por más precisos que fuéramos en el *modus operandi*, no sería de ninguna utilidad si el mecanismo funciona eligiendo personas equivocadas. Por este motivo tal vez no importe tanto si la elección de los ancianos la realizan quienes plantaron la iglesia, los líderes actuales, o la congregación en pleno, mientras todos estén seguros de que el resultado es la voluntad de Dios.[4]

Aunque el Nuevo Testamento no provee un esquema fijo para el nombramiento de los ancianos, sí especifica ciertos elementos clave. Consideremos los siguientes: el deseo, las aptitudes, la elección, el examen, el establecimiento y la oración.

EL DESEO PERSONAL

La Biblia dice: "Si alguno anhela obispado, buena obra desea" (1 Timoteo 3:1b). La primera cuestión para considerar al designar ancianos es el deseo personal del candidato. El deseo de ser anciano no es pecaminoso ni implica promoverse a sí mismo, si es generado por el Espíritu de Dios. Pablo recordó a los ancianos efesios que era el Espíritu Santo quien los había puesto en la iglesia como ancianos (Hechos 20:28). Esto significa, entre otras cosas, que el Espíritu Santo había puesto en el corazón de los ancianos el deseo y la motivación para ser ancianos pastores. De manera similar, Pedro se dirige a la necesidad de que el anciano pastoree el rebaño de Dios con un corazón dispuesto (1 Pedro 5:2). De modo que el punto de inicio es un deseo dado por el Espíritu de pastorear el pueblo de Dios.

Un deseo de liderazgo pastoral de ancianos puesto por el Espíritu se demostrará naturalmente a sí mismo en acción. Un hombre que anhela ser un anciano pastor permitirá que otros sepan de su anhelo. Esta es una de las formas que la congregación y los ancianos pueden saber de un candidato a anciano. El conocimiento de este deseo impulsará a los ancianos a orar y a estimularlo mediante una adecuada preparación y desarrollo en el liderazgo. Lo que es más importante, la persona con una motivación producida por el Espíritu para trabajar en el liderazgo, dedicará mucho tiempo, reflexión y energías a cuidar de las personas y estudiar las Escrituras. No hay algo como un deseo para el liderazgo puesto por el Espíritu sin la evidencia correspondiente de un servicio abnegado y solícito, y amor por la Palabra de Dios. El liderazgo de ancianos es una tarea agotadora, no solamente una posición más en un equipo de decisión. De hecho, cuanto más firme sea el deseo de un hombre por el liderazgo de ancianos, más fuerte será su liderazgo y su amor por la gente y por la Palabra de Dios.

De modo que antes de que un hombre sea nombrado para el liderazgo de ancianos, ya se estará probando al dirigir, enseñar y asumir responsabilidad en la iglesia. En 1 Tesalonicenses 5:12, Pablo recuerda a la congregación de su responsabilidad de reconocer y considerar a quienes trabajan arduo en dirigir y enseñar a otros en la congregación: "Os rogamos, hermanos, que reconozcáis a los que trabajan entre vosotros, y os presiden en el Señor, y os amonestan". Una de las maneras que una congregación y los ancianos reconocen el esfuerzo diligente de un hombre es recomendándolo y estimulándolo a prepararse para el liderazgo de ancianos. De modo que debería ser claramente conocido en la iglesia que "si alguno anhela obispado, buena obra desea".

LAS APTITUDES MORALES Y ESPIRITUALES

El Nuevo Testamento es positivamente terminante en que solamente los hombres que sean moral y espiritualmente aptos pueden servir como ancianos. Por lo tanto, además del deseo subjetivo de ser un anciano pastor, las Escrituras exigen que el candidato para el liderazgo de ancianos cumpla con ciertas calificaciones objetivas. (1 Timoteo 3:1-7; Tito 1:5-9). Como ya hemos analizado en detalle las aptitudes bíblicas para los ancianos, refiérase a los capítulos 4, 9, 10 y 11 de este libro.

SELECCION Y EXAMEN

La elección misma de los ancianos la puede realizar la congregación, especialmente en el caso de una iglesia nueva (Hechos 6:3), o la pueden realizar los ancianos en función, o una combinación de ambos.

Exactamente cómo eligió la congregación de Jerusalén a siete de sus hombres para la tarea de distribuir fondos entre las viudas, no se nos explica (Hechos 6:3). Sin embargo, no hubiera sido difícil para la congregación organizarse para una elección así. Desde sus primeros días, la nación de Israel estuvo organizada en grupos precisamente definidos y manejables para el propósito de facilitar la comunicación, la guerra, los servicios y los viajes (Exodo 13:18; 18:13-27; 36:6; Números 2:2 y siguientes; 7:2; 1 Reyes 4:7). Las decisiones y operaciones congregacionales se llevaban adelante principalmente por medio de representantes o jefes de clanes y ciudades (comparar Levítico 4:13 con 4:15; Exodo 3:15,16; comparar Exodo 4:29 con 4:31; Exodo 19:7,8; Deuteronomio 21:1, 2, 6-9). De modo que es posible que la congregación judía en Jerusalén ya estaba organizada en unidades manejables (Hechos 12:12, 17; 15:4, 6, 22; 21:17,18). Esa organización seguramente permitía que los asuntos se decidieran y la información circulara con más rapidez. No debemos llegar a la conclusión de que este relato demuestra que cada miembro tenía un voto igualitario en la elección de los Siete. Eran judíos, no gentiles, de manera que estaban acostumbrados a tener líderes representativos, como los ancianos, que actuaban en su nombre (Hechos 15:6-22; 21:18).

Estrechamente relacionado con la elección de los posibles ancianos está el examen de su aptitud moral y espiritual para el oficio. Puesto que las aptitudes para el liderazgo deben ser tomadas seriamente por parte de la congregación local, se sigue que es necesario un examen público formal de las aptitudes del candidato a anciano. Esto es exactamente lo que afirma 1 Timoteo 3:10: "Y éstos (los diáconos) también (como los ancianos) sean sometidos a prueba primero, y entonces ejerzan el diaconado, si son irreprensibles". Primera Timoteo 5:24, 25 también enseña que es necesaria una evaluación del carácter y las obras para evitar elegir a la persona equivocada como anciano o pasar por alto a los hombres calificados. "Los pecados de algunos hombres (candidatos a ancianos) se hacen patentes antes que ellos vengan a juicio (examen humano), más a otros se les descubren después. Asimismo se hacen manifiestas las buenas obras; y las que son de otra manera, no pueden permanecer ocultas".

Aunque los ancianos deben tomar el mando en todos los procedimientos de la iglesia, no significa que la congregación sea pasiva. Los ancianos bíblicos quieren que la congregación esté informada y se involucre. Los ancianos bíblicos ansían escuchar, consultar y buscar sabiduría de sus compañeros en la fe. El candidato a anciano o diácono será un servidor de la congregación, de manera que la gente debe tener voz en el examen y la aprobación de sus futuros ancianos y diáconos. El contexto en que aparece 1 Timoteo 3:10, presenta instrucciones generales para toda la iglesia (1 Timoteo 2:1-3:16), no solamente para los ancianos. En consecuencia, todos en la iglesia deben conocer las aptitudes bíblicas para los ancianos de iglesia y tienen obligación de asegurar que los ancianos cumplan con los requisitos. Algunas personas de la congregación pueden tener información sobre un posible anciano o diácono que los mismos ancianos no tengan, por eso su contribución al proceso de evaluación es absolutamente esencial, no importa cómo se lleve a cabo ese proceso en detalle.

Si se presentan objeciones o acusaciones respecto al carácter de un candidato, los ancianos deberán investigar y determinar si las acusaciones tienen base en la Escritura. De lo contrario, se deberán descartar las acusaciones u objeciones. No se debe negar el oficio a ningún candidato a causa de los prejuicios personales de alguien. Los miembros de la congregación deben presentar razones bíblicas para sus objeciones. Este proceso de examen no es un concurso de popularidad ni una elección de iglesia. Es la evaluación del carácter de un candidato de acuerdo con la luz de las Escrituras. Si una sola persona de la congregación tiene una objeción verificada conforme a la Biblia, el candidato debe ser declarado inadecuado para el oficio —incluso si todos los demás lo aprueban. *Sólo las normas divinas dadas por Dios, no la popularidad en el grupo, deben gobernar la casa de Dios.*

Durante una reunión (o varias reuniones) con el candidato a anciano, los ancianos y la congregación deberán preguntarle sobre sus creencias doctrinales, sus dones personales, su interés en el ministerio, su grupo familiar, su integridad moral y su disponibilidad de tiempo. Recordemos que uno de los requisitos para el liderazgo es que "pueda exhortar con sana enseñanza y convencer a los que contradicen" (Tito 1:9b), de manera que se debe destinar tiempo para examinar al candidato a anciano en relación con sus conocimientos y capacidad para usar su Biblia para aconsejar a la gente y dirigir la iglesia. Por ejemplo, un candidato debe poder abrir su Biblia y responder preguntas como: "¿Qué enseña la Biblia sobre el divorcio y el nuevo matrimonio?" "¿En qué lugar de la Biblia se enseña sobre la naturaleza divina de Cristo?" "¿Cuál es el mensaje del Evangelio?" "¿Qué dice la Biblia acerca de los roles del hombre y la mujer?" "¿Qué dice la Biblia acerca de la disciplina en la iglesia?" y muchas más.

Se debe proveer la oportunidad a los miembros de la congregación, ya sea verbalmente o por escrito, algo como una encuesta de evaluación de ancianos, para expresar libremente sus preguntas, dudas, y aprobación de un candidato al liderazgo de ancianos. Puesto que la Palabra de Dios provee una norma absoluta objetiva, todos son responsables de ver que se cumplan los requisitos de Dios para el liderazgo de ancianos.

Finalmente, los ancianos, actuando como los principales representantes y administradores de la casa de Dios, expresarán formalmente, luego de la consulta con la iglesia, su aprobación, rechazo, reservas o consejos en relación con el candidato a líder.

RECONOCIMIENTO DEL ANCIANO

Después del proceso de examen y aprobación final de los ancianos, el candidato deberá ser instalado públicamente en el oficio. La palabra "primero" en 1 Timoteo 3:10 nos informa de un orden que se debe seguir al nombrar ancianos o diáconos. El versículo dice: "Y éstos también sean sometidos a prueba *primero*, y *entonces* ejerzan el diaconado, si son irreprensibles" (cursiva agregada). El carácter de un candidato a anciano o diácono, debe ser examinado primero. Recién después que haya demostrado ser bíblicamente calificado podrá ser instalado en el oficio.

El Nuevo Testamento provee poca instrucción detallada acerca del establecimiento público del anciano en su oficio, y el Antiguo Testamento no dice nada sobre ello. En contraste, había un procedimiento ceremonial elaborado y detallado para el establecimiento del sacerdote del Antiguo Testamento. Había que ofrecer sacrificios especiales, hacer ciertos lavamientos especiales, usar ciertas vestiduras ceremoniales, acciones prescritas para días específicos y unción con aceite sagrado (Exodo 28:40-29:41). Nadie podía desviarse ni siquiera un ápice de las reglas prescritas.

Sin embargo, los ancianos y diáconos del Nuevo Testamento no son sacerdotes ungidos como Aarón y sus hijos (Levítico 8:12). Los ancianos y diáconos no son nombrados para un oficio sacerdotal especial ni para un orden clerical sagrado. En lugar de eso, asumen cargos de liderazgo o servicio en el pueblo de Dios. *Debemos tener cuidado de no santificar estas posiciones más de lo que indican los autores de las Escrituras.*[5] El Nuevo

Testamento nunca envuelve la instalación de los ancianos en ritos sagrados o de misterio. No hay ningún rito sagrado que realizar ni ceremonia especial que observar. El nombramiento de los ancianos no es un sacramento sagrado. El nombramiento no confiere ninguna gracia ni poder especial, ni uno se convierte en sacerdote, clérigo o santo en el momento del establecimiento. El vocabulario del Nuevo Testamento está cuidadosamente elegido para comunicar ciertos conceptos y creencias, y los autores elegidos para expresar un simple nombramiento para el oficio. En consecuencia, hablar de ancianos o diáconos ordenados es tan confuso como hablar de jueces o políticos ordenados.

La terminología del nombramiento

Lucas informa que Pablo y Bernabé "constituyeron" ancianos para las iglesias recién fundadas: "Y constituyeron ancianos en cada iglesia, y habiendo orado con ayunos, los encomendaron al Señor en quien habían creído" (Hechos 14:23). La palabra griega que usa Lucas para "constituyeron" es *cheirotoneó*, que aquí significa "nombrar" o "designar". Aunque el término *cheirotoneó* más tarde se convirtió en un término técnico para las ordenaciones en la iglesia y la imposición de manos, sencillamente significaba "constituir" en el tiempo en que Lucas escribió el libro de Hechos. (Ver capítulo 7, página 136).

Pablo escribe a Tito, su delegado personal en la isla de Creta, dando indicaciones para que "establezca" ancianos: "Por esta causa te dejé en Creta, para que corrigieses lo deficiente, y establecieses ancianos en cada ciudad, así como yo te mandé" (Tito 1:5). La palabra griega que usa Pablo para "establecer" es *kathistémi*, que es un término común para nombrar un oficio o una tarea específica. *Kathistémi* carece de connotación religiosa (ver capítulo 10, página 227).

Al referirse al nombramiento para tareas o posiciones específicas, los autores del Nuevo Testamento usan palabras comunes para la idea de nombramiento (*poieó, tithémi, kathistémi, cheirotoneó*). Estas palabras no expresan ni implican los conceptos eclesiásticos modernos. Incluso los bien conocidos eruditos de la Biblia que apoyan el ordenamiento clerical y son ellos mismos clérigos, admiten que el vocabulario del Nuevo Testamento habla de los nombramientos generales solamente. Por ejemplo, León Morris, clérigo anglicano y uno de los comentaristas bíblicos más prolíficos del siglo veinte, escribe: "Considerando el papel que juega el ministro a lo largo de la historia de la iglesia, las referencias sobre la ordenación son sorprendentemente escasas en el Nuevo Testamento. Además, la palabra 'ordenación' no aparece, y el verbo 'ordenar' en el sentido técnico no aparece tampoco. Varios verbos son traducidos por 'ordenar' en AV, pero todos tienen significados en relación a 'nombrar'".[6] De manera similar, Alfred Plummer, otro clérigo anglicano y comentarista bíblico, hace los destacados comentarios siguientes sobre los verbos griegos para *nombrar* en Tito 1:5 y otros pasajes similares:

> En estos pasajes (Tito 1:5; Marcos 3:14; Juan 15:16; 1 Timoteo 2:7; Hebreos 5:1; 8:3) se usan tres palabras griegas distintas *(poieó, tithémi, kathistémi)* en el original: pero ni una sola de ellas tiene el sentido eclesiástico especial que con tanta frecuencia asociamos con la palabra "ordenar", ninguna de ellas implica, como "ordenar" en ese contexto lo implica casi por necesidad, un rito de ordenación, una ceremonia especial, como la imposición de manos. Cuando decimos "Ordenó doce"... la mente casi inevitablemente piensa en ordenación en el sentido común de la palabra; y esto está imponiendo en el lenguaje del Nuevo Testamento un sentido que las palabras usadas no tienen realmente... Las palabras griegas usadas en los pasajes citados se pueden usar igualmente para el nombramiento de un magistrado o de un mayordomo. Y así como debemos evitar hablar de "ordenar" un magistrado o un mayordomo, deberíamos evitar el uso de "ordenar" para traducir palabras que serían totalmente apropiadas al respecto. Las palabras griegas para "ordenar" y "ordenación" en el sentido de imposición de manos a los efectos de ser admitido en un oficio eclesiástico *(cheipotheti, cheipothesia)* no aparecen en absoluto en el Nuevo Testamento.[7]

De manera que traducir las palabras del Nuevo Testamento *poieó* (Marcos 3:14), *kathistémi* (Hechos 6:3; Tito 1:5) o *cheirotoneó* (Hechos 14:23) por "ordenar" impone connotaciones sacerdotales o clericales no bíblicas en la mente de la gente. Sorprendentemente, la ordenación no sólo no se encuentra en el Nuevo Testamento, tampoco se encuentra en los escritos de la iglesia de principios del segundo siglo. Con seguridad Ignacio hubiera usado el rito de la ordenación para reforzar sus argumentos sobre la supremacía del sobreveedor sobre la congregación local si hubiera encontrado base para ello. Pero no existía tal práctica a principios del segundo siglo.

En un detallado estudio sobre la ordenación, Warkentin hace la siguiente observación acerca del período post-apostólico: "A principios del período post-apostólico, el establecimiento en el oficio aparentemente implicaba poca cosa en cuanto a ceremonia o protocolo... vemos que el vocabulario sencillo del Nuevo Testamento todavía se usa para las designaciones de oficio".[8] Para la comunidad cristiana, en la que todos los miembros son sacerdotes, santos, humildes ministros y miembros de una familia, la sencilla palabra *nombrar* expresa mejor el establecimiento de ancianos y diáconos en el oficio. En el Nuevo Testamento, no se admite ninguna clase exclusiva de hombres en el oficio ministerial por medio del rito de ordenación. Nadie necesita ser ordenado para predicar a Cristo o administrar el culto. Todos esos conceptos son extraños a las iglesias apostólicas del Nuevo Testamento.

El Nuevo Testamento indica que los ancianos eran formalmente establecidos en el oficio mediante la imposición de manos y la oración. En el contexto de sus instrucciones sobre los ancianos (1 Timoteo 5:17-25), la alusión de Pablo a la imposición de manos, debe significar la designación para el oficio: "No impongas con ligereza las manos a ninguno, ni participes en pecados ajenos" (1 Timoteo 5:22). Por consiguiente, Pablo pensaba en Timoteo como designando formalmente a los nuevos ancianos para la iglesia de Efeso por medio de la imposición de manos. Si el término "constituir" en Hechos 14:23 es una breve descripción de todo el proceso que se explica en Hechos 6, entonces Pablo y Bernabé impusieron las manos a los ancianos Gálatas. Con seguridad la imposición de manos se practicaba con frecuencia (Hechos 9:17; 13:3; 14:3; 19:6, 11; 28:8; 2 Timoteo 1:6), y en base a 1 Timoteo 4:14 sabemos que los ancianos de la iglesia impusieron las manos a Timoteo cuando estaba por iniciar sus viajes y su trabajo con Pablo.

Los primeros cristianos no se oponían a ceremonias públicas sencillas para nombrar o comisionar a sus compañeros para cargos o tareas especiales (Hechos 6:6; 13:3; 1 Timoteo 4:14). Para acontecimientos importantes, como el nombramiento de ancianos, era necesario algún tipo de reconocimiento público y oficial de los nuevos ancianos. El establecimiento formal de un anciano ante la congregación, mediante la imposición de manos y la oración (o cualquier otro medio) sería una señal del inicio del ministerio del nuevo anciano. Sería como decirle al nuevo anciano: "Ahora comienzan oficialmente tus responsabilidades. Ahora eres un miembro del equipo de ancianos de la iglesia. El cuidado pastoral del rebaño descansa sobre tus hombros y los de los ancianos compañeros". Sería como decirle a la gente: "Aquí tienen un nuevo anciano pastor para cuidar de ustedes y su familia". De manera que el establecimiento formal es un punto de partida oficial. Además, el establecimiento formal de un anciano mediante la imposición de manos comunicaría al nuevo anciano la aprobación, la bendición, las oraciones, el reconocimiento y la comunión de la iglesia.

Con respecto a la imposición de manos, el Nuevo Testamento provee pocas instrucciones (1 Timoteo 5:22). No es una práctica prescrita como el bautismo o la cena del Señor, ni se restringe a una persona o grupo particular en la iglesia (Hechos 9:12; 13:3). De manera que el significado preciso de la imposición de manos en situaciones específicas es difícil de determinar. Sabemos que la imposición de manos, como el ayuno, era una práctica de los primeros cristianos porque era útil y era una bendición para todos. A causa de la superstición y la confusión que rodean a la imposición de manos, muchas iglesias la evitan completamente. Esto es lamentable porque la imposición de manos puede ser una expresión significativa y preciosa de bendición, aprobación y compañerismo.[9] Entonces los cristianos son libres de usar la imposición de manos si lo desean, o de evitar practicarla si produce malos entendidos o división.

LA ORACION

Finalmente, todos los procedimientos relacionados con esta importante decisión deben estar inmersos en oración paciente. La iglesia y sus líderes deben orar pidiendo visión espiritual, guía y juicios rectos. Deben desear la voluntad y la elección de Dios, no las suyas. Dios dijo de Israel: "Ellos establecieron reyes, pero no escogidos por mí; constituyeron príncipes, más yo no lo supe" (Oseas 8:4a). Que Dios no diga lo mismo de nosotros.

Lamentablemente, demasiadas iglesias no dedican el más mínimo tiempo y esfuerzo a la elección y examen de los candidatos a ancianos o diáconos. Un amigo me dijo que en su iglesia el pastor invita a todos los miembros a reunirse en el subsuelo de la iglesia una vez por año, después del servicio del domingo por la noche, para elegir los diáconos. Después que todo el mundo se reúne frente al pizarrón, el presidente de los diáconos pide las propuestas para el diaconado. Se sugieren diversos nombres, y rápidamente se vota. Entonces se establecen los nuevos diáconos y el pastor cierra la reunión con una oración. Todo el proceso lleva media hora. No se consideran en absoluto las calificaciones bíblicas, la oración, y no se dedica tiempo para examinar detalladamente a los diáconos propuestos. Para muchos sencillamente se trata de "Tenemos que reemplazar a los miembros salientes del equipo. Debemos mantener el cupo".

Los procedimientos apresurados, perezosos o carentes de oración como los arriba descritos debilitan nuestras iglesias y degradan el liderazgo y el diaconado. La evaluación de la aptitud de un anciano o un diácono para el oficio debería hacerse en forma reflexiva, paciente y bíblica. Las Escrituras afirman claramente que nadie debe ser nombrado para esos oficios en forma irreflexiva o apresurada: "No impongas con ligereza las manos a ninguno" (1 Timoteo 5:22a).

Una vez que un hombre está designado para el concilio de pastores (liderazgo de ancianos) puede continuar sirviendo mientras desee hacerlo, se desempeñe en el trabajo y esté calificado para el mismo. Es antibíblico, perjudicial para la iglesia y degradante para los ancianos establecer límites al período de tiempo que puede servir un anciano pastor, o limitar la cantidad de ancianos a un número fijo. Si hay ocho hombres que anhelan ser ancianos pastores (1 Timoteo 3:1), entonces tendrá que haber ocho hombres trabajando juntos como consejo pastoral. Lawrence R. Eyres, un ministro presbiteriano y autor de *The Elders of the Church* (Los ancianos de la iglesia), argumenta bíblicamente cuando advierte contra el liderazgo de ancianos a término y los cupos limitados:

> Está también la cuestión de la competencia por el oficio, como cuando hay más postulantes que oficios para cubrir. Este es un peligro inherente a los consejos (liderazgo de ancianos) que funcionan con liderazgo a término y un número fijo de lugares para cubrir en cada sesión. Establecer un número fijo de ancianos es un precedente peligroso... si un hombre está preparado para servir a la iglesia de Cristo como anciano ¿en base a qué regla arbitraria se le impedirá hacerlo porque hay otro hombre también preparado? Si el Espíritu Santo pone algunos hombres como ancianos, entonces la iglesia debe ser gobernada por los hombres que el Espíritu ha preparado.[10]

Capítulo 15

Los ancianos y la congregación

"Tened paz entre vosotros".

1 Tesalonicenses 5:13b

Para la congregación cristiana local que desee sinceramente seguir el modelo de iglesia del Nuevo Testamento, Jesucristo es el Pastor Principal, las Escrituras son la guía fundamental y suficiente, y los ancianos son los pastores auxiliares de Cristo. Utilizando una figura diferente pero compatible, Pablo se refiere a los ancianos como a los "administradores de Dios" (Tito 1:7). Según este modelo, la autoridad para gobernar y enseñar en la iglesia local reside en la pluralidad de ancianos —los pastores auxiliares de Cristo, los administradores de la casa de Dios.

Como pastores auxiliares de Cristo y administradores de Dios, los ancianos están bajo la estricta autoridad de Jesucristo y de su Santa Palabra. No constituyen una oligarquía de gobierno. No pueden hacer ni decir cualquier cosa que quieran. La iglesia no pertenece a los ancianos; es la iglesia de Cristo y el rebaño de Dios. Por eso, el liderazgo de los ancianos debe ser ejercido de manera que sea ejemplo del liderazgo humilde y amante de Cristo.

En la iglesia local, no hay gobernantes sentados más arriba ni súbditos de pie más abajo. El mismo autor bíblico que mandó a los ancianos a pastorear y cuidar el rebaño de Dios, también advirtió contra las prácticas de liderazgo señorial y dominante (1 Pedro 5:3). Todos son igualmente hermanos y hermanas en la familia de la iglesia, aunque algunos funcionen como pastores puestos por el Espíritu para dirigir y proteger autoritativamente a la familia de la iglesia. Puesto que los ancianos tienen más reponsabilidad en el cuidado espiritual de toda la congregación que el resto de los miembros, las Escrituras enseñan que la congregación debe tener gran estima, amor y respeto por sus ancianos pastores (1 Tesalonicenses 5:12, 13; 1 Timoteo 5:17). Las Escrituras también mandan expresamente que la congregación obedezca y se sujete a sus líderes espirituales (Hebreos 13:17; comparar Santiago 5:5).

La sujeción es siempre difícil. Nuestro corazón es obstinado, orgulloso y rebelde. Sin embargo se nos pide que nos sometamos, incluso en situaciones difíciles y desagradables. Los hijos deben sujetarse a padres imperfectos, las esposas a esposos difíciles y los empleados a jefes exigentes. De la misma manera, a la congregación se le pide que se sujete y obedezca a sus ancianos, incluso si los ancianos tienen debilidades y fallas. De hecho, la mayoría de los ancianos son bastante imperfectos, de manera que los desobedientes siempre encontrarán motivos para la rebeldía. Está claro que las cosas que consideramos errores o injusticias de los ancianos bien pueden ser nuestros propios errores, por eso no debemos apresurarnos a desoír el juicio de aquellos a quienes Dios ha escogido para proveernos de cuidado espiritual.

Sin embargo, el requerimiento de sujetarnos, no implica una sumisión ciega ni insensata. Ni sugiere que los ancianos están por encima de todo cuestionamiento o sean inmunes a la disciplina pública (1 Timoteo 5:19 y siguientes). Con toda seguridad los ancianos deben dar cuenta ante la congregación, y la congregación es responsable de mantener a sus líderes espirituales comprometidos en la fiel adhesión a la verdad de la Palabra. Como vimos en el capítulo 14, la congregación debe estar directamente involucrada en el examen público y la aprobación de los candidatos a diáconos y ancianos (1 Timoteo 3:10). Todos los miembros tienen parte en asegurar que lo que se hace en la familia de la iglesia está de acuerdo con las Escrituras. De manera que debe existir una relación firmemente entretejida, delicada y recíproca entre los ancianos y la congregación.

Por medio del poder del Evangelio, en cada hijo redimido de Dios mora el Espíritu Santo, cada uno recibe una viva unión con Cristo y es hecho heredero con él, cada uno es dotado para el ministerio en el cuerpo de Cristo, constituido en sacerdote para Dios, convertido en un santo de Dios, y un hijo o hija comprados por sangre. Es por eso que cada miembro tiene un lugar elevado único en su género y debe compartir las responsabilidades, privilegios, pertenencia, obligaciones y conformación de la iglesia local. Es por esto que los autores del Nuevo Testamento siempre se dirigen a toda la iglesia —no solamente a los ancianos— cuando escriben a la iglesia local. Los lúcidos comentarios de Neil Summerton sobre la "elevada posición acordada por las Escrituras a la congregación misma" merecen ser repetidos:[1]

> A pesar de la existencia de castas levíticas y sacerdotales, y luego de reyes, esa posición ya se puede percibir en sombras en el Antiguo Testamento. El antiguo pacto era con personas más que solamente con los líderes y bajo el mismo se puede percibir una cierta similaridad en las relaciones entre el pueblo y el Dios del pacto: la categoría superior, a diferencia de la autoridad, acordada luego al rey de Israel, obviamente derivó de la dureza de corazón de la gente más que del propósito original de Dios (Ver 1 Samuel 8:10-18; Oseas 8:4, 13,14). La promesa se cumple ampliamente en el Nuevo Testamento. Allí vemos un nuevo pacto con un nuevo pueblo que abarca desde el más pequeño hasta el más anciano. Todos reciben la señal y la garantía del pacto: el Espíritu Santo; por el Espíritu todos tienen conocimiento de Dios, y todos tienen un "corazón de carne" para obedecer a Dios; todos son reyes y sacerdotes para Dios; y cada uno recibe (desde el más joven hasta el más anciano) diversos dones espirituales individuales de acuerdo con la voluntad de Dios, para el crecimiento de la iglesia. La antigua Israel generalmente dependía de unos pocos líderes; en la nueva, la visión espiritual, el poder espiritual, el carácter espiritual y la posición espiritual ahora están mucho más ampliamente distribuidos por todo el cuerpo.
>
> Consecuente con esta enseñanza, el Nuevo Testamento acuerda una posición y una misión mucho más elevada a la congregación en conjunto de lo que a menudo se ha aceptado o practicado en la experiencia de la iglesia —aunque deberíamos observar que en tiempos de avivamiento y renovación ha habido una constante tendencia a corregir estas cuestiones.[2]

La presencia de Cristo es con toda la congregación, no solamente con los ancianos. Cristo ministra por medio de todos los miembros porque en todos mora el Espíritu, pero no todos los miembros trabajan como pastores para toda la comunidad —eso lo hace el concilio de ancianos. La congregación se gobierna a sí misma por medio de sus propios ancianos. No la gobierna ninguna persona ni grupo externos.

El Nuevo Testamento no indica que la congregación se gobierne a sí misma mediante el voto de la mayoría, y no hay evidencias de que Dios haya otorgado a cada miembro un voto igual al de todos los demás miembros. Más bien, la congregación del Nuevo Testamento está gobernada por los ancianos de la propia congregación. Los ancianos, de acuerdo con la enseñanza expresa del Nuevo Testamento, tienen la autoridad para pastorear la congregación.

Claro que hay asuntos de incumbencia y debate congregacional que requieren el compromiso y la decisión de toda la congregación. Jesús enseñó que la disciplina de un miembro pecador que no se arrepiente (después que los esfuerzos individuales por corregir el pecado han fracasado), requiere la sabiduría, la acción y la disciplina conjunta de toda la congregación (Mateo 18:17-20; 1 Corintios 5:4,11; 2 Corintios 2:6). Pablo también instruye a toda la iglesia a examinar a los candidatos a diáconos o ancianos (1 Timoteo 3:10). Cuando se presentan los asuntos ante la congregación, los ancianos, como pastores designados por el Espíritu, toman la delantera en dirigir a la congregación en la toma de decisión ordenada y sometida a la oración. Así como la congregación mira a sus ancianos en busca de un liderazgo sabio, los ancianos también miran a la congregación —sus hermanos y hermanas— en busca de sabiduría, consejos, inspiración, ideas creativas, ayuda y oración. Los ancianos que comprenden la naturaleza sagrada y la energía dinámica de la congregación dotada de poder por el Espíritu, saben de la necesidad de su participación en todas las decisiones importantes.

La meta de los ancianos y la congregación siempre debería ser hablar y actuar como una comunidad unida. Tanto los dirigidos como los dirigentes deberían tomarse el tiempo y hacer el esfuerzo de trabajar y orar juntos para lograr la unidad de pensamiento. Esto significa que los ancianos deben vacunarse contra el distanciamiento, el secreto, o el buscar independientemente su propio camino. Los buenos ancianos desean involucrar a cada miembro del cuerpo en la alegría de vivir juntos como la familia de Dios. Esto requiere una buena medida de comunicación libre y abierta entre los ancianos y la congregación.

La primera congregación cristiana nos provee algunos ejemplos de trabajo conjunto entre el concilio de líderes y la congregación, en la toma de decisiones y la resolución de problemas. En Hechos 6, cuando surgió el conflicto entre las viudas judías y las helénicas de la congregación acerca de la justa distribución de los fondos, los doce (el concilio de ancianos) idearon inmediatamente un plan para resolver el problema. Reunieron a la congregación y le presentaron el plan. La congregación aprobó el plan, que implicaba su participación en la elección de siete hombres que se responsabilizaran del cuidado de todas las viudas. Después que los siete fueron elegidos por la congregación, los apóstoles establecieron oficialmente a los siete hombres a cargo de los pobres mediante la imposición de manos y la oración (ver capitulo 14, página 290).

En Hechos 15, la congregación en Jerusalén se vio confrontada con una seria controversia doctrinal. El relato muestra que toda la iglesia estaba implicada en la solución de la controversia, pero que los apóstoles y los ancianos tomaron la iniciativa en todos los procedimientos (Hechos 15:4, 6). Los apóstoles y los ancianos permitieron el debate público, incluyendo la presentación de la postura contraria (Hechos 15:5, 7). Los principales líderes del concilio de ancianos arribaron a una conclusión respecto del asunto, para que todos los líderes pudieran "llegar a un acuerdo" (15:25). La decisión final fue la de los apóstoles, los ancianos, toda la iglesia y el Espíritu Santo: "Entonces pareció bien a los apóstoles y a los ancianos, con toda la iglesia, elegir de entre ellos varones y enviarlos a Antioquía... Porque ha parecido bien al Espíritu Santo, y a nosotros, no imponeros ninguna carga más que estas cosas necesarias" (15:22, 28).

A partir de estos dos ejemplos, queda claro que el cuerpo de liderazgo de ancianos tiene la delantera en la congregación, y que la congregación participa. Según las circunstancias, los líderes utilizan sabiamente diferentes procedimientos y estrategias para ayudar a la congregación a resolver problemas y tomar decisiones.

El Nuevo Testamento no prescribe reglas y disposiciones detalladas respecto a las relaciones entre los ancianos y la congregación o al proceso de toma de decisiones. Sin embargo, el Nuevo Testamento es absolutamente claro en que el amor cristiano, la humildad y la oración deben dirigir todas nuestras relaciones y todas nuestras deliberaciones. Como señalan las Escrituras:

"Y nosotros (los líderes de la iglesia) persistiremos en la oración" (Hechos 6:4a).

"Todos éstos (la primera congregación) perseveraban unánimes en oración y ruego" (Hechos 1:14a).

"Completad mi gozo, sintiendo lo mismo, teniendo el mismo amor, unánimes, sintiendo una misma cosa. Nada hagáis por contienda o por vanagloria; antes bien con humildad, estimando cada uno a los demás como superiores a él mismo; no mirando cada uno por lo suyo propio, sino cada cual también por lo de los otros. Haya, pues, en vosotros este sentir que hubo también en Cristo Jesús, el cual siendo en forma de Dios, no estimó el ser igual a Dios como cosa a que aferrarse, sino que se despojó a sí mismo, tomando forma de siervo, hecho semejante a los hombres; y estando en condición de hombre, se humilló a sí mismo, haciéndose obediente hasta la muerte, y muerte de cruz" (Filipenses 2:2-8).

Notas

La necesidad de este libro

1. Iglesias presbiterianas, iglesias reformadas, iglesias de Cristo, iglesias cristianas, iglesias de los Hermanos, numerosas iglesias bautistas, carismáticas e independientes.

2. Citado por Alfred Kuen en *I Will Build My Church*, trad. Ruby Lindblad (Chicago: Moody, 1971), pg. 27.

3. Calvino fue uno de los primeros en escribir acerca de la pérdida del liderazgo de ancianos en la iglesia. Lamentando la pérdida del liderazgo de ancianos, Calvino cita a un autor romano de nombre Ambrosio (alrededor de 375 d.C.) quien también deploraba la pérdida de los ancianos de la iglesia, escribe:

   > Gradualmente esta institución degeneró de su condición original, de tal forma que alrededor de la época de Ambrosio, sólo el clérigo participaba del juicio eclesiástico. Se quejaba de esto en los siguientes términos: "La antigua sinagoga, y después la iglesia tenía ancianos, sin cuyo consejo nada se hacía. Todo ha caído en desuso, no sé por qué negligencia, a no ser por la pereza, o más bien el orgullo de los doctos, deseando aparentar ser ellos los únicos importantes" (*Institutes of the Christian Religion*, edit. J. T. Mc Neill, trad. F. L. Battles [Philadelphia; Westminster, 1960] 2:107).

4. Ver Emil Brunner, *The Misunderstanding of the Church*, trad. Harold Knight (Philadelphia: Westminster, 1953), pgs. 103,104.

5. Ver George Müller, *A Narrative of Some of the Lord's Dealings with George Müller* (Londres: James Nisbet, 1881), vol.1, pgs. 206, 207, 276-281; Henry Craik, *New Testament Church Order* (Bristol: W. Mack, 1863), pgs. 57, 58; H. Groves, *Memoir of the Late Anthony Norris Groves*, segunda edición (Londres: James Nisbet, 1857), pg. 385.

6. Ver Alexander Campbell, *The Christian System* (1835; repr. Nashville: Gospel Advocate, 1964), pgs. 60-67.

Capítulo 1

1. Victor A. Constien, *The Caring Elder: A. Training Manual for Serving* (St. Louis: Concordia, 1986), pg. 10.

2. D.J. Tidball, Skillful Shepherds: *An Introduction to Pastoral Theology* (Grand Rapids: Zondervan, 1986), pgs. 46, 48.

3. Phillip W. Keller, *A Shepherd Looks at the Great Shepherd and His Sheep* (Grand Rapids: Eerdmans, 1981), pg. 25.

4. Charles Edward Jefferson, *The Minister as Shepherd* (1912; repr. Fincastle: Scripture Truth, s.f.), pg. 43.

5. James Orr, *The Christian View of God and the World* (Grand Rapids: Eerdmans, 1948), pg. 20.

6. Jefferson, *The Minister as Shepherd* , pgs. 59, 60.

7. Neil Summerton, *A Noble Task: Eldership and Ministry in the Local Church,* segunda edición (Carlisle: Paternoster, 1994), pgs. 26, 27.

8. Jefferson, *The Minister as Shepherd,* pg. 47.

9. Para una buena presentación de las diferencias entre líderes y administradores, ver Kenneth O. Gangel, *Feeding and Leading* (Wheaton: Victor, 1989), pgs. 13-46.

10. A. J. Broomhall, *Hudson Taylor and China's Open Century,* 7 tomos, vol. 5.: Refiner's Fire (Londres: Hodder and Stoughton, 1985), pg. 350.

11. R. Pauls Stevens, *Liberating the Laity* (Downers Grove: InterVarsity, 1985), pg. 147.

12. Jefferson, *The Minister as Shepherd,* pg. 65.

13. John J. Davis, *The Perfect Shepherd: Studies in the Twenty-Third Psalm* (Grand Rapids: Eerdmans, 1979), pg. 39.

14. Phillip W. Keller, *A Shepherd Looks at Psalm 23* (Grand Rapids: Zondervan, 1970), pg. 130.

15. D.A.Carson, *A Call to Spiritual Reformation: Priorities from Paul and His Prayers* (Grand Rapids: Baker, 1992), pg. 81.

16. Ver Pauline G. Hamilton, *To a Different Drum* (Littleton: OMF Books, 1984), pg. 38.

17. **El sustantivo,** *episkopos:*

    "Por tanto, mirad por vosotros, y por todo el rebaño en que el Espíritu Santo os ha puesto por *obispos,* para apacentar la iglesia del Señor" (Hechos 20:28; cursiva agregada).

    "Pablo y Timoteo, siervos de Jesucristo, a todos los santos en Cristo Jesús que están en Filipos, con los *obispos* y diáconos" (Filipenses 1:1; cursiva agregada).

"Pero es necesario que el *obispo* sea irreprensible, marido de una sola mujer, sobrio, prudente, decoroso, hospedador, apto para enseñar" (1 Timoteo 3:2; cursiva agregada).

"Porque es necesario que el *obispo* sea irreprensible, como administrador de Dios; no soberbio, no iracundo, no dado al vino, no pendenciero, no codicioso de ganancias deshonestas" (Tito 1:7; cursiva agregada).

El sustantivo relacionado, *episkopé:*

"Palabra fiel: Si alguno anhela *obispado,* buena obra desea" (1 Timoteo 3:1; cursiva agregada).

La forma verbal relacionada, *episkopeo:*

"Apacentad la grey de Dios que está entre vosotros, *cuidando de ella,* no por fuerza, sino voluntariamente" (1 Pedro 5:2a; cursiva agregada).

18. Nigel Turner, *Christian Words* (Nashville: Thomas Nelson, 1981), pg. viii.

Capítulo 2

1. Ver Alexander Strauch, *The New Testament Deacon: The Church's Minister of Mercy* (Littleton: Lewis and Roth, 1992), pgs. 44-54.

2. Bruce Stabbert, *The Team Concept: Paul's Church Leadership Patterns or Ours?* (Tacoma: Hegg, 1982), pgs. 25, 26.

3. C. S. Lewis, "How to Get Along with Difficult People", *Eternity* 16 (Agosto, 1965): 14.

4. Robert Greenleaf, *Servant Leadership* (New York: Paulist, 1977), pg. 63.

5. Erroll Hulse, "The Authority of Elders", *Reformation Today* 44 (Julio-Agosto, 1978): 5.

6. Stabbert, *The Team Concept,* pg. 51.

7. Earl D. Radmacher, *The Question of Elders* (Portland: Western Baptist, 1977), pg. 7.

8. Ibid., pg. 11.

9. Phyllis Thompson, *D.E. Hoste, "A Prince with God"* (Londres: China Inland Mission, 1947), pg. 119.

10. Neil Summerton, *A Noble Task: Eldership and Ministry in the Local Church,* 2a. ed. op. cit. pg. 85.

Capítulo 3

1. John Piper, "A Vision of Biblical Complementarity", en *Recovering Biblical Manhood and Womanhood* (Wheaton: Crossway, 1991), pg. 32.

2. Wayne Grudem, "The Myth of Mutual Submission,' in *CBMW News* 1/4 (Octubre, 1996):3.

3. Wayne Grudem, "An Open Letter to Egalitarians," in *Journal for Biblical Manhood and Womanhood* 3/1 (Marzo, 1998), pg. 3.

4. Wayne Grudem, "Wives Like Sarah, and Husbands Who Honor Them," in *Recovering Biblical Manhood and Womanhood*, pag. 200.

5. Wyne Grudem, "The Meaning of 'Head' in the Bible: A simple Question No Egalitarian Can Answer," *CBMW News* 1/3 (Junio, 1996):8.

6. Ibid., 8.

7. Ibid., 8.

8. Grudem, "An Open Letter to Egalitarians," 1,3.

9. James B. Hurley, *Man and Woman in Biblical Perspective* (Grand Rapids: Zondervan, 1981), 147.

10. George Knight III, "Husband and Wives as Analogues of Christ and the Church," in *Recovering Biblical Manhood and Womanhood*, pg. 176.

11. Ibid., pg. 168.

12. Clark, *Man and Woman in Christ: An Examination of the Roles of Men and Women in Light of Scripture and the Social Sciences* (Ann Arbor: Servant, 1980), pg. 630.

13. Clark, *Man and Woman in Christ*, pgs. 196, 197.

14. Henry Scott Baldwin, "A Difficult Word: *authenteo* in 1 Timothy 2:12," in *Women in the Church: A Fresh Analysis of 1 Timothy 2:9-15* (Grand Rapids: Baker, 1995, pgs. 65-80.

15. Andreas J. Kostenberger, "A Complex Sentence Structure in Timothy 2:12," in *Women in the Church,* pgs. 81-103.

16. Leon Morris, *The First Epistle of Paul to the Corinthians*, The Tyndale New Testament Commentaries (Grand Rapids: Eerdmans, 1958), pg. 202.

17. Ibid, pg. 202.

18. Jack Cottrell, "Christ: a Model for Headship and Submission," in *CBMW News* 2/4 (Septiembre, 1997): 8.

19. S. Lewis Johnson, Jr., "Role Distinctions in the Church: Galatians 3:28," in *Recovering Biblical Manhood and Womanhood*, pg. 164.

20. David Gooding, "Symbols of Headship and of Glory," in *Bible Topics* 3 (Belfast: Operation O.F.F.E.R., n.d.). pg. 2.

21. Bruce Waltke, "The Relationship of the Sexes in the Bible," *Crux* 19 (Septiembre, 1983):14.

Capítulo 4

1. Jerónimo, "Letters 52", en *The Nicene and Post-Nicene Fathers*, 14 tomos, Segunda Serie, eds. Phillip Schaff y Henry Wace (reimp. Grand Rapids; Eerdmans, s.f.), 6:94 (De aquí en más citado como *The Nicene and Post-Nicene Fathers*).

2. "A Biblical Style of Leadership?" *Leadership* 2 (Otoño de 1981): 119-129.

3. John Mac Arthur, hijo, *Different By Design: Discovering God's Will for Today's Man and Woman* (Wheaton: Victor, 1994), pg. 114.

4. Francis A. Schaeffer, *The Church at the End of the 20th Century* (Downers Grove: InterVarsity, 1970), pg. 65.

5. Roland Allen, *Missionary Methods: St Paul's or Ours?* (1912; reimp. Grand Rapids: Eerdmans, 1962), pgs. 83, 84.

6. Robertson McQuilkin, *An Introduction to Biblical Ethics* (Wheaton: Tyndale, 1989), pg.191.

7. Para estadísticas recientes ver John H. Armstrong, *Can Fallen Pastors be Restored? The Church's Response to Sexual Misconduct* (Chicago: Moody, 1995), pgs. 17-27.

8. Richard N. Ostling, "The Second Reformation", *Time* (Noviembre 23, 1992), pg. 54.

9. Armstrong, *Can Fallen Pastors Be Restored? The Church's Response to Sexual Misconduct*, pgs. 78, 79.

10. Ibid., pg. 78.

11. J. Oswald Sanders, *Spiritual Leadership* (Chicago: Moody, 1980), pg. 20.

12. Phillip H. Towner, *1-2 Timothy and Titus*, The IVP New Testament Commentary Series (Downers Grove: InterVarsity, 1994), pg. 228.

13. P. T. Forsyth, *The Church and the Sacraments* (1917; reimp. Londres: Independent, 1955), pg. 9.

14. J. Gresham Machen, "Faith and Knowledge", en *Education, Christianity, and the State*, de John W. Robbins (Jefferson: Trinity Foundation, 1987), pg. 8.

15. Jon Zens, "The Major Concepts of Eldership in the New Testament", *Baptists Reformation Review 7* (Summer, 1978):29.

Capítulo 5

1. Kenneth Scott Latourette, *History of Christianity*, 2 tomos, segunda edición (New York: Harper and Row, 1975), 1: 269.

2. Ibid., pg. 261.

3. Charles Colson, *Kingdoms in Conflict* (Grand Rapids: Zondervan, 1987), pg. 274.

4. Ibid., pg. 272.

5. John R. Stott, *The Cross of Christ* (Downers Grove: InterVarsity, 1986), pg. 288.

6. Ibid., pgs. 286, 287.

7. El despliegue moderno de títulos eclesiásticos que acompañan los nombres de los líderes cristianos —reverendo, arzobispo, cardenal, papa, primado, metropolitano, canónigo, cura— está completamente ausente en el Nuevo Testamento y hubiera horrorizado a los apóstoles y primeros creyentes. Aunque tanto los griegos como los judíos empleaban una rica variedad de títulos para sus líderes políticos y religiosos con el objeto de expresar su poder y autoridad, los primeros cristianos evitaron tales títulos. Los primeros cristianos usaron términos comunes y funcionales para describirse a sí mismos y sus relaciones. Algunos de esos términos son: "hermano", "amado", "compañero", "obrero", "esclavo", "siervo", "prisionero", "compañero de armas" y "mayordomo".

Claro que había profetas, maestros, apóstoles, evangelistas, líderes, ancianos y diáconos en las primeras iglesias, pero estos términos no se usaban como títulos formales para individuos. Todos los cristianos son santos, pero no había ningún "San Juan". Todos los cristianos son sacerdotes, pero no había ningún "Sacerdote Felipe". Algunos eran ancianos, pero no había un "Anciano Pablo". Algunos eran obispos, pero no había un "Obispo Juan". Algunos eran pastores, pero no había un "Pastor Santiago". Algunos eran diáconos, pero no había un "Diácono Pedro". Algunos eran apóstoles, pero no había un "Apóstol Andrés".

En lugar de obtener honor mediante los títulos y la posición, los creyentes del Nuevo Testamento recibían honor principalmente por su servicio y su trabajo (Hechos 15:26; Romanos 16:1, 2, 4, 12; 1 Corintios 16:15, 16, 18; 2 Corintios 8:18; Filipenses 2:29, 30; Colosenses 1:7; 4:12, 13; 1 Tesalonicenses 5:12; 1 Timoteo 3:1). Los primeros cristianos se referían unos a otros mediante nombres personales (Timoteo, Pablo, Tito), términos como "hermano" o "hermana" o mediante la descripción de un rasgo espiritual o trabajo individual:

- Esteban, varón lleno de fe y del Espíritu Santo (Hechos 6:5).

- Bernabé, varón bueno, y lleno del Espíritu Santo y de fe (Hechos 11:24).

- Felipe el evangelista (Hechos 21:8).

- Saludad a Priscila y a Aquila, mis colaboradoras en Cristo Jesús (Romanos 16:3).

- Saludad a María, la cual ha trabajado mucho entre vosotros (Romanos 16:6).

8. Andrew Murray, *Humility* (Springdale: Whitaker, 1982), pg. 7.

9. David Prior, *Jesus and Power* (Downers Grove: InterVarsity Press, 1987), pg. 82.

10. John R. W. Stott, *Between Two Worlds: The Art of Preaching in the Twentieth Century* (Grand Rapids: Eerdmans, 1982), pg. 320.

11. J. I. Packer, *Freedom and Authority* (Oakland: International Council on Biblical Inerrancy, 1981), pg. 8.

Capítulo 6

1. R. Paul Stevens, *Liberating the Laity* (Downers Grove: InterVarsity. 1985), pg. 17.

2. George Eldon Ladd, *A Theology of the New Testament* (Grand Rapids: Eerdmans, 1974), pg. 534.

3. J. A. Motyer, *The Message of James*, The Bible Speaks Today (Downers Grove: InterVarsity, 1985), pg. 189.

4. Jon Zens, The Major Concepts of Eldership in the New Testament, *Baptist Reformation Review 7* (Summer 1978), pg. 28.

5. J. B. Lightfoot, *Saint Paul's Epistles to the Colossians and to Philemon* (Londres: MacMillan, 1892), pg. 29, 31.

6. Bruce Stabbert, *The Team Concept:* Paul's Church Leadership Parttern or Ours? (Tacoma: Heggs, 1982) pg. 43.

7. Gerhard Kittel, "aggelos", en *Theological Diccionary of the New Testament*, eds. G. Kittel y G. Friedrich, trad. y ed. G. W. Bromiley, 10 tomos (Grand Rapids: Eerdmans, 1964-76), 1 (1964): 86, 87. (A partir de aquí citado como *Theological Dictionary of the New Testament*).

8. Robert S. Rayburn, "Ministers, Elders, and Deacons" en *Order in the Offices: Essays Defining the Roles of the Church Officers,* ed. Mark R. Brown (Duncansville: Classic Presbyterian Government Resources, 1993), pgs. 223-227.

9. Robert Banks, *Paul's Idea of Community* (Grand Rapids: Eerdmans, 1980), pg. 53.

10. Ibid, pgs. 53, 54.

11. Marjorie Warkentin, *Ordination* (Grand Rapids: Eerdmans, 1982), pg.100.

12. Dave and Vera Mace, *What's Happening to Clergy Marriages?* (Nashville: Abingdon, 1980), pgs. 57, 58.

13. John E. Johnson, "The Old Testament Offices as Paradigm for Pastoral Identity", *Bibliotheca Sacra* 152 (Abril-Junio, 1995): 194.

14. Ibid., 195.

15. Ibid., 199.

16. Ladd, Op. Cit. pg. 534.

17. Alfred Kuen, *I will Build My Church*, trad. Ruby Linbald (Chicago: Moody, 1971), pg. 17.

18. Ibid., pg. 253.

Capítulo 7

1. F. F. Bruce, *The Book of the Acts*, The New International Commentary on the New Testament, edición revisada (Grand Rapids: Eerdmans, 1988), pg. 3.

2. Algunos eruditos desafían la idea popular de que los cristianos tomaron el concepto de liderazgo de ancianos de la sinagoga. Ver A. E. Harvey, "Elders" *The Journal of Theological Studies* 25 (Octubre, 1974): 319; R. Alastair Campbell, *The Elders: Seniority Within Earliest Christianity* (Edinburgh: T&T Clark, 1994), pg. 119.

3. F. F. Bruce, *The Book of the Acts*, pg. 287.

4. William Kelly, *An Exposition of the Acts of the Apostles*, 3ra. edición (1890; reimp. Denver: Wilson Foundation, 1952) pg. 209.

5. La traducción literal del original griego de la frase de Hechos 15:23 "Los apóstoles y los ancianos y los hermanos" sería "Los apóstoles y los ancianos hermanos", como lo traduce la Versión Popular "Dios Habla Hoy". Otras interpretaciones, como la *Revised Version* (1881-1885) traducen la frase griega como "Los apóstoles y los hermanos ancianos". Según esta traducción, "ancianos" es un adjetivo. Si "hermanos ancianos" es la traducción correcta, es una identificación concreta de quiénes eran los ancianos de Jerusalén. En efecto, eran los hombres mayores. Sin embargo, la gramática griega no exige la traducción "los hermanos ancianos". El uso griego del artículo en esas construcciones aposicionales es demasiado impreciso para ser cierto (Ver H. Hyman, *The Classical Review* 3 (1889): 73). Siguiendo la norma de la mayoría de las traducciones inglesas modernas, es mejor entender la palabra "hermanos" como un sustantivo sin artículo que afecta tanto a "los apóstoles" como a "los ancianos". Tanto los apóstoles como los ancianos son hermanos que escriben a otros hermanos. Esta interpretación se adapta mejor al contexto (Ver también F. F. Bruce *The Book of Acts*, pg. 298).

6. James Bannerman, *The Church of Christ*, 2 tomos (1869; reimp. Cherry Hill: Mack, 1972), 2:326. Ver también, William Cunningham, *Historical Theology*,

2 tomos (Londres: The Banner of Truth, 1969), 1:59 y ss.

7. Edwin Hatch, *The organization of the Early Christian Churches* (Londres: Longmans, Green and Co., 1901), pgs. 170-172, 175.

8. Ibid., pg. 195.

9. Para una excelente explicación del concilio de ancianos y la respuesta de Pablo, ver David Gooding, *True to the Faith: A Fresh Approach to the Acts of the Apostles* (Londres: Hodder & Stoughton, 1990), pgs. 366-372.

10. William Michael Ramsay, *Saint Paul the Traveller and the Roman Citizen*, 3ra. edición (Grand Rapids: Baker, 1951), pg. 121.

11. J. B. Lightfoot, *Saint Paul's Epistle to the Philippians* (New York: Macmillan, 1894), pg. 193.

12. Roland Allen, *Missionary Methods: St. Paul's or Ours?* 6th ed. (1912, repr. Grand Rapids, Eerdmans, 1962), pgs. 83, 87, 3.

13. Walter Bauer, *A Greek-English Lexicon of the New Testament and Other Early Christian Literature*, 2da. edición, trad. William F. Arndt y F. Wilbur Gingrish, rev. F. Wilbur Gingrich y Frederick W. Danker (Chicago: University of Chicago, 1979), s.v. *"ekklésia"* pg. 241. (A partir de aquí citado como Bauer, *A Greek-English Lexicon of the New Testament*).

14. Juan Crisóstomo, "A Commentary on the Acts of the Apostles", en *The Nicene and Post-Nicene Fathers*, 14 tomos, Primera Serie, edit. Phillip Schaff (reimp. Grand Rapids: Eerdmans, 1956), 11:90. (A partir de aquí citado como *The Nicene and Post-Nicene Fathers*, Primera Serie).

15. Lawrence O. Richards, *Expository Dictionary of Bible Words* (Grand Rapids: Zondervan, 1985), s.v. *"appoint"* (designar, nombrar), pg. 68. John Calvin, *Institutes of the Christian Religion*, 2 tomos, edit. John T. McNeill, trad. F. L. Battles (Filadelfia: Westminster, 1960) 2:1066.

16. "Esto no implica una elección por parte del grupo; aquí la palabra significa *designar, establecer,* con los apóstoles como sujeto" (Bauer, Op. Cit. s.v. "cheirotoneó", pg. 881). "En Hechos 14:23 la referencia no alude a elección por la congregación. Los presbíteros son designados por Pablo y Bernabé y luego, mediante ayuno y oración, son establecidos en sus oficios..." (E. Lohse, *"cheirotoneó"* en *Theological Diccionary of the New Testament*, 9 (1974); 437.

17. F. F. Bruce, *Answers to Questions* (Grand Rapids: Zondervan, 1972), pgs. 29, 30.

18. William Kelly, *Lectures on the Gospel of Matthew* (1868; reimp. Denver: Wilson Foundation, 1971), pg. 166.

19. Ignacio, *Ephesians*, 1. A menos que se indique otra cosa, todas las citas de los primeros Padres Apostólicos son tomadas de *The Apostolic Fathers*, eds. J. B. Lighfoot y R. J. Harmer (1891; reimp. ed. por Gran Rapids: Baker, 1984).

20. Thomas D. Lea y Hayne P. Griffin hijo, *1, 2 Timothy, Titus,* The New American Commentary (Nashville: Broadman, 1992), pg. 109; ver también Campbell, *The Elders: Seniority Within Earliest Christianity,* pg. 172.

21. Campbell,*The Elders: Seniority Within Earliest Cristianity,* pg. 172.

22. F. F. Bruce, "Lessons from the Early Church" en *In God's Community: Essays on the Church and Its Ministry,* eds. David J. Ellis y W. Ward Gasque (Wheaton: Shaw, 1978), pg. 155. William L. Lane, *Hebrews* 1-8, Word Biblical Commentary (Dallas: Word, 1991), pgs. liii, lv; Paul Ellingworth, *Commentary on Hebrews,* New International Greek Testament Commentary (Grand Rapids: Eerdmans, 1993), pg. 26; Thomas Hewitt, *The Epistle of the Hebrews,* Tyndale Bible Commentaries (Grand Rapids: Eerdmans, 1960), pg. 34.

23. *To the Ephesians,* 1.

24. Una tendencia creciente en los estudios bíblicos de hoy explica la estructura de la iglesia local en términos de la estructura de la familia greco romana. Según esta línea de pensamiento, la cabeza de la familia y dueño de la casa en que se reunía la iglesia sería naturalmente el líder de la iglesia que funcionaba allí. Con el objeto de contar con una casa lo suficientemente amplia para que la congregación pudiera reunirse, el cabeza de familia era muy probablemente una persona pudiente y educada. Por los patrones y las costumbres de la sociedad, él o ella serían los jefes del grupo, conducirían las oraciones y la adoración y administrarían las finanzas del grupo en favor de los miembros necesitados. El liderazgo de una iglesia en el hogar, se hubiera basado entonces en el señorío y la condición social como en el caso de las familias greco romanas y judías. R. Alastair Campbell escribe:

> Mientras la iglesia local estaba limitada a una casa de familia, el dueño de casa proveía el liderazgo de la iglesia. La iglesia en la casa venía con el liderazgo "incorporado" por así decirlo. La iglesia que se reunía en una casa de una persona, lo hacía bajo la dirección *(exhypothesi)* de esa persona. El dueño de casa era por hipótesis un hombre destacado, patrón de otros, y el lugar donde se reunía la iglesia era su lugar, donde estaba acostumbrado a la obediencia de los esclavos y al respeto de su esposa e hijos. Quienes entraban a su lugar seguramente estaban limitados en gran medida por las normas de hospitalidad a tratar al anfitrión como un maestro de ceremonias, especialmente si era una persona de mayor posición social o edad que ellos. Por otra parte, la mesa era su mesa, y si se realizaban oraciones, o se ofrecía vino o pan, a él le correspondía ese papel (*The Elders: Seniority Within Earliest Christianity,* pg. 126).

Por supuesto, hay algo de verdad en la teoría de Campbell. Sin embargo, la comunidad cristiana del Nuevo Testamento y los apóstoles, no eran esclavos de los patrones domésticos greco-romanos ni de las sinagogas judías. Al escribir a la iglesia de Efeso, Pablo cita un dicho popular que habían desarrollado los primeros cristianos: "Si alguno anhela obispado, buena obra desea" (1 Timoteo 3:1). Con seguridad Pablo estaba de acuerdo con esa idea, pero agrega que un sobreveedor de iglesia debe estar adecuadamente calificado antes de poder servir de esa manera. (1 Timoteo 3:1-7). Es importante observar que los requisitos apostólicos para el liderazgo cristiano de ancianos (la sobreveeduría), no incluyen riqueza, condición social, señorío ni propiedades como requisitos. Cualquier varón maduro y piadoso podía servir como anciano (sobreveedor) de la iglesia (1 Timoteo 3:1-7). Si una persona abría su casa para las reuniones de la iglesia, eso no hacía de la persona el líder espiritual del grupo —al menos según las normas apostólicas.

Las congregaciones cristianas recién fundadas estaban dirigidas por el Espíritu de Dios y los apóstoles de Cristo. Los apóstoles establecieron las normas para estas congregaciones nuevas mediante su clara enseñanza inspirada por el Espíritu (Hechos 2:42; 1 Corintios 4:17; 11:34; 14:37, 38; 1 Timoteo 3:14,15). Vemos entonces que las primeras iglesias no eran simplemente sinagogas reorganizadas ni funcionaban como los hogares normales romanos o judíos. Eran casas de Dios habitadas por el Espíritu, que seguían nuevos patrones de adoración y relaciones comunitarias. Al tratar de explicar el liderazgo de ancianos en términos del modelo de casa romana o del anciano de la comunidad judía, de los que sabemos muy poco, Campbell tergiversa el liderazgo apostólico y neotestamentario de ancianos, *que es claramente cristiano.*

25. Gooding, *True to the Faith: A Fresh Approach to the Acts of the Apostles*, pg. 360.

26. *The NIV Matthew Henry Commentary* (Grand Rapids: Zondervan, 1992), pg. 529.

27. Richard Baxter, *The Reformed Pastor* (reimp. Grand Rapids: Sovereign Grace, 1971), pg. 7.

28. Michel Green, *The Second Epistle General of Peter and the General Epistle of Jude*, Tyndale Bible Commentaries (Grand Rapids: Eerdmans, 1968), pg. 149.

29. Al comentar sobre el verbo *tithemi*, y su uso en la voz media, J. I. Packer escribe: "En la voz media (que en tanto difiere de la activa, acentúa la idea de acción en beneficio del agente)... La idea de Dios estableciendo las cosas por decisión soberana está en todos estos pasajes" (J. I. Packer, edit. Colin Brown, 3 tomos (Grand Rapids: Zondervan) 1 (1975): 477).

30. H. W. Beyer, *"episkopos"*, en Theological Dictionary of the New Testament, 2 (1964): 612.

31. Ibid., pg. 614.

32. La mejor traducción parecería ser "la iglesia de Dios, la cual ganó mediante la sangre Suya propia". Para una traducción alternativa, la *Versión Popular*

315

Dios Habla Hoy dice: "la iglesia de Dios, que él compró con su propia sangre".

33. Gooding, *True to the Faith: A Fresh Approach to the Acts of the Apostles*, pg. 360.

34. Baxter, Op. Cit. pg. 55.

35. Gooding, *True to the Faith: A Fresh Approach to the Acts of the Apostles*, pgs. 356, 357.

36. J. Behm, *"noutheteó"* en *Theological Dictionary of the New Testament*, 4 (1967): 1019.

37. Gooding, *True to the Faith: A Fresh Approach to the Acts of the Apostles*, pg. 362.

38. Kelly, *An Exposition of the Acts of the Apostles*, pp 314, 315.

39. C. H. Mackintosh, *Genesis to Deuteronomy: Notes on the Pentateuch* (1881, reimp. edit. Neptune: Loizeaux, 1972), pgs. 760-762.

Capítulo 8

1. Ernst Käsemann, "Ministry and Community in the New Testament", en *Essays on the New Testament Themes* (Naperville: Alec R. Allenson, 1964), pg. 86.

2. Hans Küng, *The Church* (New York: Sheed and Ward, 1967), pg. 405; también Hans Conzelmann, *History of primitive Christianity*, trad. John E. Steely (New York: Abingdon, 1973), pg. 106.

3. En cuanto a la presencia de ancianos en la iglesia de Corinto en esta época (50 d.C.) no tenemos información. Sí sabemos de la carta de 1 *Clemente* (alrededor de 96 d.C.), que es una carta no inspirada de la iglesia de Roma a la iglesia de Corinto, que había un liderazgo de ancianos bien establecido en Corinto cuarenta años después. La carta de 1 *Clemente* indica que los apóstoles mismos habían designado ancianos en Corinto, pero no sabemos exactamente cuándo (ver páginas 266, 267).

4. John Calvin, *The Epistles of Paul the Apostle to the Romans and to the Thessalonians,* Calvin's Commentaries, trad. Ross Mackenzie, eds. D. W. y T. F. Torrance (Grand Rapids: Eerdmans, 1973), pg. 371.

5. Hay tres participios presentes (trabajar, presidir y amonestar) precedidos por un artículo *(tous)* y unidos por la repetición de la conjunción "y" *(kai)*.

6. James Denney, *The Epistles to the Thessalonians,* The Expositor's Bible (Cincinnati: Jennings & Graham, s.v.), pg. 205.

7. Bo Reicke, *"prohistémi"* en *Theological Dictionary of the New Testament*, 6 (1968): 701, 702.

8. E. K. Simpson, *Pastoral Epistles* (Grand Rapids: Eerdmans, 1954), pg. 77.

9. John R. W. Stott, *The Gospel and the End of Time: The Message of 1 & 2*

Thessalonians (Downers Grove: InterVarsity, 1991), pgs. 120, 121.

10. Denney, *The Epistles to the Thessalonians*, pgs. 207, 208.

11. George G. Findlay, *The Epistles to the Thessalonians*, The Cambridge Bible for Schools and Colleges (Cambridge: Cambridge University, 1908), pg. 117.

12. William Hendriksen, *Exposition of I and II Thessalonians*, New Testament Commentary (Grand Rapids: Baker, 1955), pg. 135.

13. E. J. Bricknell, *The First and Second Epistles to the Thessalonians*, Westminster Commentaries (Londres: Methuen, 1932), pg. 59.

14. Paul E. Billheimer, *Love Covers* (Fort Washington: Christian Literature Crusade, 1981), pg. 34.

15. Francis Schaeffer, *The Mark of the Christian* (Downers Grove: InterVarsity, 1970), pg. 22.

16. León Morris, *Testaments of Love* (Grand Rapids: Eerdmans, 1981), pg. 205.

17. León Morris, *The First and Second Epistles to the Thessalonians*, The New International Commentary of the New Testament (Grand Rapids: Eerdmans, 1959), pg. 167.

18. Fenton John Anthony Hort, *The Christian Ecclesia* (1897; reimp. edit. Londres: Macmillan., 1914), pg.123.

19. John Eadie, *A Commentary on the Greek Test of the Epistles of Paul to the Thessalonians*, edit. William Young (1877; reimp. edit. Minneapolis: James Publications, 1976), pg. 167.

20. Ernest Best, "Bishops and deacons: Philippians 1:1" en *Studia Evangelica*, edit. F. L. Cross (Berlin: Akademia Verlag, 1968), 4:371.

21. Policarpo, Philippians, 5:6.

22. Ignacio, Polycarp, 1, 1; 5:2; 6, 1.

23. Policarpo, Philippians, 1,1.

24. Policarpo, Philippians, 5.

25. John Eadie, *A Commentary on the Greek Text of the Epistle of Paul to the Philippians* (1894; reimp. edit. Minneapolis: James y Klock, 1977), pg. 4.

26. A comienzos del segundo siglo, muchas iglesias desarrollaron tres oficios separados o ministerios de liderazgo. Ese fue el inicio de las iglesias estructuradas episcopalmente:

El obispo

Un concilio de ancianos

Un cuerpo de diáconos

A principios del segundo siglo, el obispo presidía sobre una iglesia local, no sobre un grupo de iglesias. Por eso se le llama el obispo monárquico. A lo largo de los siglos, se fue concentrando en los obispos una autoridad desmedida. Sin fundamento en las Escrituras del Nuevo Testamento, su papel continuaba expandiéndose. El obispo se convirtió en una autoridad sobre un grupo de iglesias. Algunos obispos se posicionaron sobre otros obispos. Más tarde formaron concilios de obispos. Finalmente, en el occidente, surgió un obispo como cabeza sobre todos los cristianos y todas las iglesias.

Pero en las iglesias del período neotestamentario, no había ningún sistema de tres oficios claramente definido. En lugar de eso, había solamente dos oficios como se ve en Filipenses 1:1.

El consejo de los ancianos

El cuerpo de diáconos

27. Citado en *The Faith of the Early Fathers*, editor y traductor W. A. Jurgens, 3 tomos (Collegeville: The Liturgical Press, 1979), 2:194.

28. J. B. Lightfoot, *Saint Paul's Epistle to the Philippians* (Londres: Macmillan, 1894), pg. 99.

29. Ibid., pg. 95.

Capítulo 9

1. Philip H. Towner, *1-2 Timothy & Titus*, The IVP New Tetament Commentary Series (Downers Grove: InterVarsity, 1994), pg. 123.

2. J. N. D. Kelly, *The Pastoral Epistles* (Londres: Adam and Charles Black, 1972), pg. 115.

3. Patrick Fairbairn, *Pastoral Epistles* (1874; reimp. Minneapolis: James and Klock, 1976), pg. 70.

4. Bauer, A Greek-English Lexicon of the New Testament, s v. *"anastrephó"*, pg. 61.

5. Kelly, *The Pastoral Epistles*, pg. 86.

6. George W. Knight III, *The Pastoral Epistles*, The New International Greek Testament commentary, (Grand Rapids: Eerdmans, 1992), pg. 156.

7. J. N. D. Kelly, *The Pastoral Epistles* , pg. 75.

8. Aunque esta visión parece tener la literalidad de la frase a su favor, y por eso se la debe tomar en serio, está en desacuerdo con la enseñanza bíblica total en relación con el matrimonio, por más de una razón:

    (1) La Biblia enseña claramente que la muerte disuelve el lazo matrimonial y libera al cónyuge vivo para volver a casarse sin estar en pecado (1 Corintios 7:39; Romanos 7:2,3).

(2) Desde la perspectiva bíblica, el nuevo matrimonio después de la muerte del cónyuge no es reprochable. Quienes defienden la postura del matrimonio único no pueden identificar la deshonra o el fracaso en el segundo matrimonio que descalifica a un hombre para el liderazgo o el diaconado. Esto es especialmente cierto en el caso de los diáconos. Ya que los diáconos no son los pastores espirituales de la iglesia, es prácticamente imposible entender el reproche que debería enfrentar un diácono si volviera a casarse después de la muerte de su cónyuge. En efecto, quienes intentan descalificar el segundo matrimonio no hacen otra cosa que despertar serias dudas acerca del primer matrimonio también.

Esa interpretación sabe a falso ascetismo, precisamente lo que Pablo condena en 1 Timoteo 4:3. De los falsos maestros de Efeso, Pablo dice que "prohibirán casarse, y mandarán abstenerse de alimentos". Sin embargo esa interpretación describe a Pablo prohibiendo a los líderes de iglesia y a las viudas necesitadas, casarse por segunda vez.

(3) Esa interpretación crea dos normas para dos grados de santidad. Por alguna razón desconcertante, los ancianos, los diáconos y las viudas necesitadas no pueden volver a casarse luego de la muerte del cónyuge, pero otros santos pueden hacerlo. Esa división en la familia de Dios es contraria al resto del Nuevo Testamento. "Postular diferentes grados de santidad oficial", escribe E. K. Simpson, "entre los miembros de un mismo cuerpo espiritual, podrá ser clericalismo ortodoxo, pero es cristianismo heterodoxo" (*The Pastoral Epistles* (Grand Rapids: Eerdmans, 1954), pg. 50.

(4) En el contexto de las enseñanzas sobre el matrimonio, la soltería y el nuevo matrimonio, Pablo dice a los Corintios: "Esto lo digo para vuestro provecho; no para tenderos lazo" (1 Corintios 7:35). Sin embargo, esa interpretación de la frase "marido de una sola mujer", limita a un hombre inocente, castigándolo por no tener el don de la soltería.

(5) Primera Timoteo 5:9 enumera los requisitos para las viudas a las que la iglesia local tiene obligación de sostener: "Sea puesta en la lista sólo la viuda no menor de sesenta años, que haya sido esposa de un solo marido". Si la frase "esposa de un solo marido" significa tener un solo esposo en toda la vida, entonces la recomendación posterior de Pablo a las viudas jóvenes de volver a casarse resulta desconcertante. En el versículo 14, Pablo insta específicamente a las viudas jóvenes a casarse: "Quiero, pues, que las viudas jóvenes se casen, críen hijos, gobiernen su casa; que no den al adversario ninguna ocasión de maledicencia". ¿Qué pasaría si el segundo esposo de una viuda muriera? ¿Ya no sería apta para la situación de viuda por seguir el consejo del apóstol de volver a casarse cuando era joven y entonces fue esposa de dos hombres? Este sería un consejo verdaderamente confuso. Si la frase "esposa de un solo hombre" no limita a una mujer a tener un solo esposo en toda su vida,

entonces ya no hay conflicto con el consejo de Pablo.

(6) Es prácticamente inconcebible que Pablo, siendo tan sensible a las cuestiones matrimoniales (1 Corintios 7:2-5, 7, 8, 15, 32-36, 9), usaría una frase ambigua de tres palabras para enseñar algo tan vitalmente importante a las viudas y los viudos. Es particularmente extraño que no ofreciera mayores explicaciones sobre una enseñanza que está en aparente contradicción con el resto de las Escrituras. En 1 Corintios, por ejemplo, donde Pablo aconseja a los cristianos solteros que consideren la soltería, se apresura a especificar sus palabras. Conocía la tendencia al ascetismo. Sabía que la gente tomaría sus palabras como si estuviera hablando en términos despreciativos del matrimonio. Pero de ninguna manera está desacreditando el matrimonio. El matrimonio es la norma, pero la soltería, que Pablo quiere que sus lectores consideren, puede ser usada eficazmente para extender la obra de Dios. De manera que escribe: "Quisiera más bien que todos los hombres fuesen como yo; pero cada uno tiene su propio don de Dios, uno a la verdad de un modo, y otro de otro. Digo, pues, a los solteros y a las viudas, que bueno les fuera quedarse como yo; pero si no tienen don de continencia, cásense, pues mejor es casarse que estarse quemando" (1 Corintios 7:7-9). Este consejo es para ancianos y diáconos, lo mismo que para cualquier otro miembro de la congregación. Si un anciano es viudo y decide quedarse soltero para poder ofrecer un servicio mayor y más completo a Dios, está bien. Pero si decide casarse, también está bien.

(7) Finalmente, si esta frase significa casado una sola vez, es una restricción extremadamente atemorizante y potencialmente perjudicial. En la época en que Pablo escribió, y durante los dieciocho siglos siguientes, no era infrecuente que una persona perdiera a su cónyuge por fallecimiento a una edad relativamente joven. De modo que si un buen anciano o diácono perdía a su esposa y volvía a casarse, también hubiera perdido su lugar de liderazgo en la iglesia. Eso hubiera perjudicado a toda la iglesia. No es fácil encontrar buenos ancianos y diáconos, de manera que descalificar un anciano o diácono por volver a casarse sería una terrible pérdida. Sabemos que Dios ama a la iglesia. Por eso es difícil creer que pondría sobre sus líderes un requisito que trajera daño a ellos mismos y a toda la iglesia.

9. J. E. Huther, *Critical and Exegetical Hand-book to the Epistles to Timothy and Titus*, Meyer's Commentary on the New Testament (New York: Funk and Wagnalls, 1890), pg. 118.

10. Philip H. Towner, *The Goal of Our Instruction: The Structure of Theology and Ethics in the Pastoral Epistles*, Journal for the Study of the New Testament Supplement Series 34 (Sheffield: JOST Press, 1989), pg. 232.

11. La palabra griega *néphalios* significa "sin vino" o sobriedad en el uso del vino. Unos pocos intérpretes piensan que en este contexto la palabra

debería entenderse en su sentido literal, pero es dudoso que sea así. En el versículo 3, Pablo escribe que los ancianos no deben ser "dados al vino". Pablo no está advirtiendo por segunda vez a los ancianos sobre el uso del vino. En lugar de eso, está usando la palabra "sobrio" tanto en el versículo 2 como en el versículo 11, en un sentido figurativo para significar moderación y equilibrio mental.

12. Knight, *The Pastoral Epistles*, pg. 159.

13. Lewis J. Lord, "Coming To Grips with Alcoholism", *U.S. News & World Report* (Noviembre 30, 1987): 56-62.

14. Motyer, *The Message of James*, The Bible Speaks Today (Downers Grove: InterVarsity, 1985), pg. 136.

15. Knight, *The Pastoral Epistles*, pg. 160.

16. Donald Guthrie, *The pastoral Epistles*, The Tyndale New Testament Commentaries (Grand Rapids: Eerdmans, 1957), pg. 81.

17. Bauer, A Greek-English Lexicon of the New Testament, s.v. *"echo"*, pg. 332.

18. Knight, *The Pastoral Epistles*, pg. 165.

19. Algunos comentaristas niegan que la construcción "y (éstos)... también" (en griego *kai... de*) se refiere de nuevo a los ancianos. Afirman que estas palabras agregan solamente una amonestación para los diáconos. Por ejemplo, Alford escribe: "el *de* introduce una advertencia —el leve contraste de un agregado necesario a su simple carácter actual" (Henry Alford, *The Greek New Testament* 4 tomos, 5ta edición [Londres: Rivingtons, 1871], 3:327).

Es difícil tener la certeza, pero la construcción griega *kai* ("también") que sigue a *houtoi* ("estos"), parece entenderse mejor como que los diáconos son semejantes a los ancianos en el proceso de examen. Sin embargo, esto no causa ninguna dificultad, si el texto no vuelve a referirse a los ancianos. Primera Timoteo 5:24, 25 muestra que era necesario el examen de los ancianos (por inferencia, si los sobreveedores necesitaban ser examinados en cuanto a sus aptitudes, lo mismo vale para los diáconos). Mientras se requieran aptitudes de carácter, también se requerirá el examen.

20. Richard C. Trench, *Synonyms of the New Testament* (1880; reimp. Grand Rapids: Eerdmans. 1969), pg. 278.

21. Walter Grundmann, *"dokimazó" in Theological Dictionary of the New Testament*, 2 (1964): 256.

22. Bauer, A Greek-English Lexicon of the N. T, s.v. *"dokimazó"*, pg. 202.

23. *Presbyteros* en 1 Timoteo 5:1 está traducido correctamente en la NASB (New American Standard Bible) como "hombres mayores". El contexto se refiere a la edad y al sexo, no al oficio de un anciano. La comparación es entre hombres mayores y hombres jóvenes y mujeres mayores y mujeres jóvenes. Pablo no se está dirigiendo a ancianos y ancianas. Sin embargo, en el ver-

sículo 17 de este capítulo, *presbyteroi* se debe traducir como "ancianos" en el sentido oficial de los líderes de la comunidad. La palabra *presbyteros* tiene ambos significados. Únicamente el contexto determina las diferencias.

El apóstol Juan se refiere a sí mismo como *ho presbyteros*, "el anciano" pero no está claro exactamente qué quiere significar con esa autodenominación. La segunda Epístola de Juan comienza con las palabras: "El anciano *(ho presbyteros)* a la señora elegida y a sus hijos". La tercera carta también comienza "El anciano a Gayo, el amado". Juan podía querer decir que él era "el anciano" *por excelencia*, es decir, el destacado maestro cristiano y líder de la iglesia por su condición singular de ser el único de los primeros apóstoles que todavía vivía. O *ho presbyteros* puede haber significado sencillamente un título honorífico que Juan adquiriera por su avanzada edad, que significara "el anciano", "el mayor" o "el patriarca". Cualquier postura es posible, y la última tal vez mejor. Para la época en que Juan escribió estas cartas, era un hombre particularmente anciano, "un verdadero patriarca en edad", escribe John Stott (John R. Stott, *The Epistle of John*, Tyndale Bible Commentaries (Grand Rapids: Eerdmans, 1964), pg. 40). Al usar *ho presbyteros*, en el sentido de edad, Juan se está refiriendo a sí mismo como el "entrado en años", "el anciano", "el mayor". En consecuencia, es una designación de honor especial, conocida, que la comunidad cristiana le había conferido.

Según muchas traducciones de la Biblia, Pablo también se refiere a sí mismo como "el anciano", "el entrado en años". En Filemón 9 leemos "Pablo ya anciano *(presbytes)*, y ahora, además, prisionero de Jesucristo". Sin embargo, muchos comentaristas interpretan que *presbytes* aquí significa "embajador" y no "anciano". El significado de *presbytes* en este pasaje es tema de debate.

24. T. C. Skeat (1907-1992), encargado de los manuscritos del Museo Británico, documenta en base a la literatura griega ejemplos de *malista* usado como término definidor. Afirma específicamente que Pablo usa *malista* como término definidor en 1 Timoteo 4:10; 2 Timoteo 4:13 y Tito 1:10; ver "'Especially the Parchments': A Note on 2 Timothy 4:13", en *The Journal of Theological Studies* 30 (Abril 1979): 173-177.

25. Knight, *The Pastoral Epistles*, pg. 232.

26. R. C. Sproul, "The Whole Man", en *The Preacher and Preaching*, edit. S. T. Logan (Phillipsburg: Presbyterian and Reformed, 1986), pgs. 107, 108.

27. La mayoría de los comentaristas piensa que los dos términos "pastores" y "maestros" se refieren a un grupo: maestros-pastores. Otros piensan que "pastores" y "maestros" son dos grupos completamente diferentes. Daniel B. Wallace defiende eficazmente la postura de que los dos términos son diferentes, pero relacionados. Afirma que el primer término "pastor" es un subgrupo del segundo, "maestro", ya que en muchas otras construcciones adjetivas y sustantivas, las formaciones similares están bien docu-

mentadas ("The Semantic Range of the Article-Noun-kai-Noun Plural Construction in the New Testament", *Grace Theological Journal* 4 (Primavera de 1983): 59-84).

28. Para una defensa completa de la postura de Tres oficios ver *Order in the Offices: Essays Defining the Roles of Church Officers*, ed. Mark R. Brown (Duncansville: Classic Presbyterian Government Resources, 1993).

29. Huther, *Critical and Exegetical Handbook to the Epistles to Timothy and Titus*, pg. 181.

30. William Hendriksen, *Exposition of the Pastoral Epistles*, New Testament Commentary (Grand Rapids: Baker, 1957), pgs. 179, 180.

31. R. C. H. Lenski, *The Interpretation of St. Paul's Epistles to the Colossians, to the Thessalonians, to Timothy, to Titus and to Philemon* (Minneapolis: Augsburg, 1964), pg. 680.

32. John Calvin, *The Second Epistle of Paul to the Corinthians, and the Epistles to Timothy, Titus and Philemon*, trad. T. A. Smail, eds. D. W. y T. F. Torrance (Grand Rapids: Eerdmans, 1964), pg. 261.

33. A. J. Broomhall, *Hudson Taylor and China's Open Century*, 6 tomos, tomo 4: *Survivor's Pact* (Londres: Hodder and Stoughton, 1984), pg. 289.

34. Knight, *The Pastoral Epistles*, pg. 235.

35. Ibid., pg. 236.

36. Ver Elinor Burkett y Frank Bruni, *A Gospel of Shame: Children, Sexual Abuse and the Catholic Church* (New York: Viking, 1993).

37. Carl Laney, *A Guide to Church Discipline* (Minneapolis: Bethany, 1985), pg. 124.

38. Lenski, *The Interpretation of St. Paul's Epistles of the Colossians, to the Thessalonians, to Timothy, to Titus, and to Philemon*, pg. 691.

39. Simpson, *Pastoral Epistles*, pg. 80.

40. Lenski, *The Interpretation of St. Paul's Epistles of the Colossians, to the Thessalonians, to Timothy, to Titus, and to Philemon*, pgs. 691, 692.

Capítulo 10

1. R. J. Knowling, "Acts of the Apostles", en *The Expositor's Greek Testaments*, edit. Robertson Nicoll, 5 tomos (1900-1910; reimp. Grand Rapids: Eerdmans, 1976), 2:169.

2. F. J. A. Hort, *The Christian Ecclesia* (1897; reimp. edit. Londres: Macmillan, 1914), pg. 176.

3. F. F. Bruce, *The Letters of Paul: An Expanded Paraphrase* (Grand Rapids: Eerdmans, 1965), pg. 291.

4. John Calvin, *The Second Epistle of Paul to the Corinthians, and the Epistles to Timothy, Titus and Philemon*, trad. T. A. Smail, edit. D. W. y T. F. Torrance (Grand Rapids: Eerdmans, 1964), pg. 358.

5. A. E. Harvey, "Elders", *The Journal of Theological Studies* 25 (octubre de 1974): 330-331.

6. E. F. Scott, *The Pastoral Epistles*, The Moffatt New Testament Commentary (Londres: Hodder and Stoughton, 1936), p, 155.

7. John C. Pollock, *Hudson Taylor and Maria* (Grand Rapids: Zondervan, 1962), pg. 33.

8. Hermann Cremer, *Biblico-Theological Lexicon of the New Testament Greek,* trad. W. Urwick (Edinburgh: T. & T. Clark, 1895) s.v. *"philagathos"*, pg. 9.

9. William Hendriksen, *Pastoral Epistles*, New Testament Commentary (Grand Rapids: Baker, 1957), pg. 348.

10. Walter Grundmann, *"philagathos"*, en *Theological Dictionary of the New Testament*, 1 (1964): 18.

11. George W. Knight III, *Pastoral Epistles*, The New international Greek Testament Commentary (Grand Rapids: Eerdmans, 1992), pg. 293.

12. Newport J. D. White, "The First and Second Epistles to Timothy and the Epistle to Titus" en *The Expositor's Greek Testament*, edit. W. Robertson Nicoll, 5 tomos (1900-1910; reimp. edit. Grand Rapids: Eerdmans, 1976), 4:188.

13. Calvin, *The Second Epistle of Paul to the Corinthians, and the Epistles to Timothy, Titus and Philemon*, pg. 361.

Capítulo 11

1. J. Ramsay Michaels, *1 Peter*, Word Biblical Commentary (Waco: Word, 1988), pg. 262.

2. R. C. H. Lenski, *The Interpretation of the Epistles of St.Peter, St. John and St. Jude* (Minneapolis: Augsburg, 1966), pg. 217.

3. C. E. B. Cranfield, *The First Epistle of Peter*, (London: SCM, 1950), pg. 110.

4. Ibid., pg. 110.

5. El manuscrito griego de mediados del siglo cuarto, Códice Vaticano (B) omite el participio *sobreviendo* (cuidando, ejerciendo cuidado, vigilando) lo mismo que el Códice Sinaítico (Aleph), el Códice Colbertino (33) del siglo XI y el Cóptico Sahidac (la más antigua versión egipcia). Pero "sobreveer" (la vigilancia) está inluido en el más antiguo, y tal vez el mejor manuscrito (P72) lo mismo que en el Códice Sinaítico por un corrector posterior, el Códice Alejandrino (A), el Códice Leicestrence (69), el Códice Athous Laure

(1739), la Vulgata latina, el Cóptico Bohairic, y todas las traducciones posteriores.

La evidencia más general favorece la inclusión del participio por las siguientes razones: (1) el participio, *sobreviendo* "cuidando", es superfluo, el texto tiene perfecto sentido sin el mismo, de modo que cuesta ver por qué un escriba lo hubiera agregado al texto. No es una interpolación característica. (2) La creencia extendida entre los antiguos eruditos de que obispos y ancianos pertenecen a dos oficios separados, siendo los obispos superiores a los ancianos (sacerdotes), va en contra del agregado del participio por escribas posteriores. Muchos eclesiásticos antiguos pensaban que los ancianos (sacerdotes), no hacían el trabajo de los obispos. (3) La palabra *sobreveer* es un participio y esto concuerda con el uso frecuente que Pedro hace del mismo. (4) Pedro ya ha utilizado la combinación de pastor y obispo en 2:25.

6. Números 27:16, 17; Jeremías 23:2; Ezequiel 34:11, 12; Zacarías 11:16; Hechos 20:28; 1 Pedro 2:25; 5:2.

7. Lenski, *The Interpretation of the Epistles of St. Peter, St. John and St. Jude*, pgs. 218, 219.

8. J. H. Jowett, *The Redeemed Family of God, Studies in the Epistles of Peter* (New York: Hodder and Stoughton, s.f.), pg. 186.

9. Cranfield, *The First Epistle of Peter*, pg. 112.

10. Jowett, *The Redeemed Family of God*, pg. 189.

11. Crandfield, *The First Epistle of Peter*, pg. 113.

12. Lenski, *The Interpretation of the Epistles of St. Peter, St. John and St. Jude*, pg. 219.

13. W. Foerster, *"kleros"*, en *Theological Dictionary of the New Testament*, 3 (1965): 763.

14. Peter H. Davids, *The First Epistle of Peter*, The New International Commentary on the New Testament (Grand Rapids: Eerdmans, 1990), pg. 181.

15. John Brown, *Expository Discourses on 1 Peter*, 2 tomos (1848; reimp. Carlisle: The Banner of Truth, 1975), 2:453.

16. I. Howard Marshall, *1 Peter*, The IVP New Testament Commentary Series (Downers Grove: InterVarsity, 1991), pg. 164.

17. Robert Leighton, *Commentary on First Peter* (1853; reimp. Grand Rapids: Kregel, 1972), pg. 473.

18. Policarpo, *Philippians* 5.

19. Davids, Op. Cit. pg. 184.

Capítulo 12

1. Argumentos para esta fecha temprana en Douglas J. Moo, *James*, Tyndale New Testament Commentaries (Grand Rapids: Eerdmans, 1985), pgs. 30-34.

2. James B. Adamson, *The Epistle of James*, The New International Commentary of the New Testament, (Grand Rapids: Eerdmans, 1976), pg. 210.

3. Thomans Manton, *An Exposition of the Epistle of James* (Grand Rapids: Associated Publishers and Authors, s.f.), pg. 450.

4. S. J. Kistemaker, *Exposition of the Epistle of James and the Epistles of John*, New Testament Commentary (Grand Rapids: Baker, 1986), pg. 177.

5. Manton, *An Exposicion of the Epistle of James*, pg. 452.

6. R. V. G. Tasker, *The General Epistle of James*, Tyndale Bible Commentaries (Grand Rapids: Eerdmans, 1956), pg. 129.

7. C. L. Mitton, *Epistle of James* (Grand Rapids: Eerdmans, 1966), pg. 198.

8. El participio aoristo "ungiéndole" se puede entender como contemporáneo al verbo principal "que oren" o como precediendo a la oración. Lo primero —al mismo tiempo que la oración— parece más probable, pero no podemos afirmarlo con certeza.

9. Mateo 5:13, 29, 30, 39-41; 6:3, 24, 25; Lucas 14:26, 33.

10. J. A. Motyer, *The Message of James*, The Bible Speaks Today (Downers Grove: InterVarsity, 1985), pg. 66.

Capítulo 13

1. *Pastor de Hermas*, Visiones 2,4.

2. Ibid., Visiones 3, 5; Similitudes 9, 27.

3. *1 Clemente*, 42.

4. Ibid., 44.

5. Juan Cristóstomo, "Homilies on Hebrews", en *The Nicene and Post-Nicene Fathers*, First Series, 14:518.

6. William Kelly, *An Exposition of the Epistle to the Hebrews* (1905; reimp. edit. Charlotte: Books for Christians, s.f.), pg. 267.

7. En Hebreos 11:2 el autor habla de "los antiguos" *(hoi presbyteroi)*, o como lo expresa la New American Standard Bible, "los hombres de antes". Aquí *hoi presbyteroi* no significa oficiales de la iglesia, ni hombres mayores, sino "los hombres de antes", "los antiguos", "los antepasados", "las generaciones anteriores". Incluye a hombres y mujeres, versículos 11, 31.

8. R. C. H. Lenski, *The Interpretation of the Epistle to the Hebrews and the Epistle*

of James (Minneapolis: Augsburg, 1966), pg. 491.

9. William L. Lane, *Hebrews*, Word Biblical Commentary, 2 tomos (Waco:Word, 1982), 2:555.

10. Lenski, *The Intepretation of the Epistle to the Hebrews and the Epistle of James*, pg. 491.

11. Lane, *Hebrews*, 2:556.

Capítulo 14

1. Kenneth O. Gangel, *Feeding and Leading* (Wheaton: Victor, 1989), pg. 313.

2. Ibid., pg. 309.

3. Bruce Stabbert, *The Team concept: Paul's Church Leadership Patterns or Ours?* (Tacoma: Heggs, 1982), pg. 120.

4. Neil Summerton, *A Noble Task: Eldership and Ministry in the Local Church*, 2nd ed. (Carlisle: Paternoster, 1994), pg. 33.

5. John Nelson Darby (1800-1882), padre de la moderna teología de la dispensación y líder dominante de la rama exclusivista del Movimiento de los Hermanos, enseñaba que ni las iglesias ni los misioneros de hoy pueden designar ancianos legalmente porque no hay nadie que tenga la autoridad dada por Dios para nombrar oficialmente ancianos. Darby defiende esta enseñanza con dos razones:

    (1) Interpreta el hecho de que los únicos ejemplos del Nuevo Testamento de nombramiento de ancianos por apóstoles o sus delegados significa que sólo los apóstoles pueden nombrar ancianos (ver "Reply to Two Fresh Letters from Count De Gasparin", en *The Collected Writings of J. N. Darby*, edit. William Kelly (reimp. edit. Sunbury: Believers Bookshelf, s.f.), 4:339-373). Entonces el nombramiento apostólico sería un requisito para los ancianos del Nuevo Testamento. Como actualmente no hay apóstoles ni sus delegados vivos, no puede haber oficio de liderazgo de ancianos.

    (2) Darby también sostiene que las iglesias en el tiempo de Pablo estaban comenzando a caer en una ruina espiritual, por lo cual Dios, en juicio, no permitió la continuación del oficio de liderazgo de ancianos o cualquier otra estructura externa de la iglesia. En consecuencia los ancianos se limitaron a las iglesias del primer siglo, y están irrecuperablemente perdidos en las iglesias de hoy (ver R. A. Huebner, *The Ruin of the Church, Eldership, and Ministry of the Word and Gift* (Morganville: Present Truth, s.f.), pgs. 33-35.

    Es cierto que los únicos ejemplos del Nuevo Testamento de nombramiento de ancianos son por Pablo y uno de sus delegados (Hechos 14:23; Tito 1:5), pero llegar a la conclusión, en base a estos ejemplos, como lo hace Darby, que los escritores bíblicos tuvieron la intención de enseñar que solamente los apóstoles podían o nombraron ancianos, es una interpretación de los

327

hechos históricos que no puede ser sostenida por los hechos mismos ni por el resto de las enseñanzas del Nuevo Testamento sobre el liderazgo de ancianos. La conclusión de Darby va más allá de las enseñanzas explícitas de la Biblia. Argumenta desde el silencio. El Nuevo Testamento no dice que solamente los apóstoles podían nombrar ancianos. De modo que es importante poder diferenciar entre lo que la Biblia afirma históricamente y lo que Darby infiere doctrinalmente a partir de esos ejemplos y luego enseña como si fuera un principio bíblico.

Como ejemplo, uno podría tomar los mismos hechos históricos que ha tomado Darby y proponer una teoría completamente diferente. Uno podría decir que el ejemplo de nombramiento de ancianos dado por Pablo estaba destinado a ser un modelo para todos los que plantaban iglesias, misioneros y sus ayudantes, ancianos, o evangelistas. También se podría afirmar que la autoridad de Pablo para nombrar ancianos descansaba no solamente en el hecho de que era un apóstol, sino en que era, al menos en el caso de las iglesias de Galacia, el fundador y evangelista original de las mismas, su padre espiritual y probado siervo de Dios (Hechos 14:23). Ya que los ejemplos históricos que usa Darby no confirman ni niegan expresamente su teoría de que solamente los apóstoles tienen la autoridad para nombrar ancianos, debemos poner a prueba esta teoría en base a todas las enseñanzas de las Escrituras sobre el liderazgo de ancianos.

Comenzando con el Antiguo Testamento, el gobierno por ancianos era una institución fundamental en Israel. Sin embargo, en ninguna parte del Antiguo Testamento se nos informa sobre los requisitos para los ancianos o sobre quiénes tenían autoridad para nombrarlos. Solamente podemos suponer que tales cuestiones se dejaban en manos del pueblo de Dios y sus líderes. Ya que, de acuerdo con las Escrituras, hombres y mujeres fueron creados para gobernar la tierra, organizar la sociedad de manera justa y recta es una responsabilidad dada por Dios (Génesis 1:28).

En el Nuevo Testamento, la principal preocupación en relación con el liderazgo de ancianos no es quién puede legalmente nombrar los ancianos, sino quiénes están adecuadamente calificados para ser ancianos. En las listas de requisitos para los ancianos, el nombramiento apostólico nunca se menciona. El Nuevo Testamento, de acuerdo con el Antiguo Testamento, no hace del nombramiento de ancianos la responsabilidad exclusiva de un tipo especial de personas. El asunto de quién tiene la verdadera autoridad para nombrar ancianos no se discute en el Nuevo Testamento. Los puntos centrales enfocan en los requisitos y el examen.

Los apóstoles esperaban plenamente que las iglesias se autoperpetuaran, se autogobernaran y dependieran de Dios para su crecimiento y sus necesidades futuras. Las instrucciones escritas de Pablo a Timoteo y Tito en relación con los requisitos y el examen de los ancianos estaban destinadas a quedar en las iglesias después de la partida de Timoteo y Tito, para guiar a las iglesias en su ausencia. Estas cartas, que no son estrictamente privadas, proveen suficiente autoridad y guía para que la iglesia local, los ancianos, o los misioneros designen ancianos para la iglesia. (1 Timoteo 3:15).

Más aun, el hecho de que las instrucciones de Pablo en relación con los requisitos y el examen de los ancianos fueron escritas hacia el final de su vida sugiere que estaba haciendo preparativos para la perpetuación del oficio, no para su fin. Por eso podemos decir hoy día con el mismo espíritu de estímulo y aprobación "si alguno anhela obispado, buena obra desea". Pero debemos agregar, de acuerdo con las Escrituras, que tal persona debe ser "irreprensible".

Desde el lado divino, las Escrituras afirman que el Espíritu Santo pone hombres de la iglesia como obispos para pastorear el rebaño (Hechos 20:28). Con seguridad, el Espíritu Santo no se ha ido, de modo que en tanto el Espíritu Santo motive y equipe hombres como ancianos pastores, el liderazgo de ancianos debe continuar. Pero para que la asamblea local pueda distinguir entre aquellos a quienes el Espíritu ha separado para esa obra y aquellos que son voluntariosos pero no están calificados, la iglesia local y sus líderes deben examinar los candidatos según los requisitos apostólicos (1 Timoteo 3:10).

Finalmente, los ancianos, como sobreveedores responsables de la iglesia, tienen la autoridad, implícita en el oficio, para formar y designar a otros como ancianos. El cuidado de la iglesia, o cualquier otra organización, incluye el deber de asegurar el liderazgo futuro y continuo. Los apóstoles establecieron los oficios de obispo y diácono y proveyeron directivas escritas para que las iglesias y sus líderes conocieran las aptitudes adecuadas para los futuros ancianos y diáconos. Estos oficios debían ser establecidos, mantenidos y sostenidos por todas las iglesias locales y los fundadores de iglesias hoy. Darby saca una conclusión carente de fundamento, indefendible, que en definitiva elimina lo mismo que Pablo procuraba establecer al nombrar ancianos —un cuerpo de ancianos líderes calificados, reconocidos y oficiales para cada iglesia local.

En relación con la otra teoría de Darby, que afirma que porque la Iglesia está en ruinas no puede haber estructura fuera del orden apostólico original, nuevamente debemos señalar que es otra suposición gratuita. Incluso si Darby tiene razón en cuanto a la ruina de la Iglesia, no demuestra por qué creyentes fieles no pueden seguir reuniéndose y organizándose sobre la base de la enseñanza y el ejemplo apostólicos provistos por el Nuevo Testamento. Este es sencillamente otro ejemplo de suposición y afirmación personales que no se deben confundir con la verdad bíblica.

6. *New Bible Dictionary*, 2da. edición, s.v. "Ordination", por León Morris, pg. 861.

7. Alfred Plummer, "The Pastoral Epistles", en *The Expositor's Bible*, edit. W.

Robertson Nicoll, 25 tomos (Nueva York: Armstrong, 1903), 23:219-221.

8. Marjorie Warkentin, *Ordination* (Grand Rapids: Eerdmans, 1982), pg. 33.

9. Hechos 6 es el primer ejemplo registrado de la imposición de manos en la comunidad cristiana. La imposición de manos se usa por varios motivos en la Biblia, pero como escribe James Orr, "La idea principal parece ser la de traspaso o transferencia (comp. Levítico 16:21) pero, junto a esto, en ciertas oportunidades están las ideas de identificación con Dios y la devoción a Dios".

Mirando primero los ejemplos del Antiguo Testamento, observamos que la imposición de manos se usaba para:

● transmitir bendiciones (Génesis 48:14).

● identificarse con un sacrificio a Dios (Levítico 1:4).

● transferir pecado (Levítico 16:21).

● transferir deshonra (Levítico 24:14).

● identificar las acciones del hombre con las de Dios (2 Reyes 13:16).

● apartar personas, como para una comisión, responsabilidad o autoridad especiales (Números 8:10, 14; 27:15-23; Deuteronomio 34:9).

En el Nuevo Testamento, la imposición de manos se usaba para:

● conferir una bendición (Mateo 19:15; Marcos 10:16).

● conferir el poder sanador del Espíritu Santo (Marcos 6:5; 8:23, 25; 16:18; Lucas 4:40; 13:13; Hechos 9:12; 19:11; 28:8).

● conferir el Espíritu Santo a ciertos creyentes por medio de las manos de los apóstoles (Hechos 8:17-19; 19:6).

● conferir sanidad y el Espíritu Santo a Pablo por medio de las manos de Ananías (Hechos 9:17).

● otorgar a Timoteo de un don espiritual por medio de las manos de Pablo (2 Timoteo 1:6).

● apartar o establecer en un oficio (Hechos 6:6, 13:3; 1 Timoteo 4:14; 5:22).

A la luz de este trasfondo, parece razonable suponer que la imposición de manos en Hechos 6 expresaba visualmente la bendición de los apóstoles, comisionaba a los Siete para una tarea especial (Números 27:22, 23), y transfería la autoridad para hacer la tarea. Debido a la tarea de responsabilidad de los Siete de administrar grandes sumas de dinero (Hechos 4:34-37) y a las tensiones crecientes entre los judíos helenísticos y los hebreos, los apóstoles sabían que la situación exigía un acto público y oficial de nombramiento.

La imposición de manos en Hechos 6, sin embargo, no puso a los Siete en posiciones ministeriales más elevadas (sacerdote o ministro), ni convirtió a los Siete en sucesores de los apóstoles. No fue la ordenación lo que los autorizó a predicar y administrar sacramentos. La imposición de manos no les confirió la gracia o el Espíritu Santo, puesto que los Siete ya estaban llenos del Espíritu Santo. Más bien, la imposición de manos comisionó a los Siete para servir a los pobres y necesitados.

Al comienzo del primer viaje misionero, la iglesia de Antioquía puso sus manos sobre Pablo y Bernabé: "Y entonces, habiendo ayunado y orado, les impusieron las manos y los despidieron" (Hechos 13:3). A pesar de lo que dicen los principales comentaristas, este pasaje no tiene nada que ver con la ordenación en el sentido moderno. Es otro ejemplo de cómo la tradición enceguece incluso a los mejores expositores. J. B. Lighfoot, por ejemplo, se refiere equivocadamente a este relato como a la ordenación de Pablo para el apostolado: "No significa que el verdadero llamado para el apostolado debería venir de una comunicación personal externa con nuestro Señor... pero la investidura propiamente dicha, la consumación de su llamado, como podemos verlo por el relato de Lucas, ocurrió algunos años más tarde en Antioquía (Hechos 13:2)" (*Saint Paul's Epistle to the Galatians* (1865; reimp. Londres: Macmillan, 1892), pg. 98). Este pasaje no puede referirse a la ordenación como la conocemos por las siguientes razones:

Bernabé y Pablo ya eran hombres sumamente dotados en la iglesia (Hechos 13:1). La iglesia de Jerusalén había enviado a Bernabé a investigar y estimular la nueva obra en Antioquía (Hechos 11:22-26). Tanto Pablo como Bernabé eran los maestros principales en la iglesia y obreros veteranos para Cristo. Pablo ya era un apóstol—nombrado directamente por Jesucristo. Ningún hombre ni grupo podía pretender haberlo ordenado como apóstol (Hechos 26:16-19; Gálatas 1:1). En consecuencia, este acto no era una ordenación para el ministerio, porque Pablo y Bernabé ya estaban en el ministerio. En lugar de eso, el Espíritu eligió a Pablo y Bernabé para una tarea especial en la propagación del evangelio, no para un oficio ni un don más elevado.

Según el relato, Pablo y Bernabé no recibieron el Espíritu Santo, ni dones espirituales, ni ningún otro poder para el servicio en esta ocasión. Ya poseían el Espíritu Santo y sus dones (Hechos 13:1).

Ningún hombre con cargo oficial más elevado impuso las manos a Pablo y Bernabé. Pareciera que la iglesia y sus líderes impusieron las manos sobre sus dos hermanos (Hechos 14:26; 15:40) que dejaban la iglesia para el ministerio, no que venían a la iglesia para ministrar.

¿Cuál es, pues, el significado de la imposición de manos en esta situación? El contexto indica que la iglesia, mediante oración y con imposición de manos, separó a Pablo y Bernabé para una misión especial en el evangelio. Jesús había dicho: "La mies a la verdad es mucha, mas los obreros pocos;

331

por tanto rogad al Señor de la mies que envíe obreros a su mies" (Lucas 10:2). De manera que, conducidos por los profetas y los maestros, la iglesia ayunaba (Hechos 13:2) y ofrecía oraciones especiales en relación con los obreros para la cosecha en obediencia a las enseñanzas de Jesús. Por lo tanto, este es el primer esfuerzo misionero organizado de la iglesia que aparece en Hechos. Es un punto muy significativo en la historia de la iglesia cristiana. Hasta este momento, la expansión misionera se debía a la persecución o a la voluntad individual. Pero aquí, por primera vez, una asamblea local buscaba comprometerse en la oración por obreros para la cosecha mientras ministraba para el Señor y ayunaba.

El compromiso divino y el humano se entrelazan bellamente en el envío de Pablo y Bernabé en estos versículos. El Espíritu Santo respondió por medio de una afirmación profética: "Apartadme a Bernabé y a Pablo para la obra a que los he llamado" (Hechos 13:2). De manera que el Espíritu Santo llamó y envió a los dos hombres —la iniciativa divina. Ministrando para el Señor y ayunando, los cristianos locales se convirtieron en una parte activa e íntima del envío de Pablo y Bernabé por el Espíritu Santo— la iniciativa humana.

En obediencia al mandamiento del Espíritu Santo de separar a Pablo y Bernabé, la iglesia oró y ayunó y les impuso las manos. Así les dieron libertad para que se dedicaran a la nueva obra de evangelizar a los gentiles (Hechos 14:27; 15:3,12). El texto sugiere que los profetas y maestros (Simón, Lucio y Manaén) tuvieron la delantera en este asunto. Pero en base a Hechos 14:26 donde dice: "De allí navegaron a Antioquía, desde donde habían sido encomendados", es evidente que toda la iglesia encomendó a Pablo y Bernabé a Dios para la obra. Más adelante, Pablo y Bernabé informaron de su éxito a toda la iglesia: "Y habiendo llegado, y reunido a la iglesia, refirieron cuán grandes cosas había hecho Dios con ellos" (Hechos 14:27). La ceremonia de despedida de los dos mensajeros del evangelio que se iban (comp. Hechos 14:23), implicó ayuno, oración e imposición de manos.

Lucas no explica el significado de la imposición de manos en esa oportunidad. Pero como en Hechos 6:1-6, el contexto implica apartar hombres escogidos de la iglesia para una tarea especial (en el versículo 2, se usa la palabra griega *aphorizo,* que significa apartar). Por lo tanto, mediante la imposición de manos (probablemente las manos de los otros profetas y maestros) la iglesia apartó a Pablo y Bernabé, les otorgaron su bendición, comisionándolos para la obra especial a la que los había llamado el Espíritu Santo en respuesta a sus oraciones.

Según 1 Timoteo 5:22, la imposición de manos en nombramiento establece un compañerismo entre dos partes. Hay un sentido en el que quien (o quienes) nombran comparte el éxito o el fracaso de quien es nombrado. Además, el que ha sido apartado tiene cierta responsabilidad para con quienes les han impuesto las manos. De esa manera, la imposición de manos produce un sentido de responsabilidad, dependencia y compañerismo más profundo entre las partes implicadas.

10. Lawrence R. Eyres, *The Elders of the Church* (Filadelfia: Presbyterian and Reformed, 1975), pg. 51.

Capítulo 15

1. Neil Summerton, A Noble Task: Eldership and Ministry in the Local Church, 2nd. ed. (Carlisle: Paternoster, 1994), pg. 102.

2. Ibid., pgs. 102, 103.

Made in the USA
Las Vegas, NV
15 November 2024

11863628R00184